Le miroir des femmes

I

Moralistes et polémistes au XVIe siècle

A paraître

Le Miroir des femmes
II
Roman, théâtre, poésie
au XVIe siècle

Luce Guillerm, Jean-Pierre Guillerm
Laurence Hordoir, Marie-Françoise Piéjus

Le miroir des femmes

I

Moralistes et polémistes au XVIe siècle

PRESSES UNIVERSITAIRES DE LILLE

Le Miroir des femmes / Luce Guillerm, Jean-Pierre Guillerm, Laurence Hordoir, Marie-France Piéjus. — Lille : Presses Universitaires de Lille, 1983. - 230 p. - 16 x 24 cm.

1 : Moralistes et polémistes au XVIe siècle.

ISBN 2-85939-210-6

— Femme. 16e s.
— 396.

ISBN 2-85939-210-6

Livre imprimé en France

Introduction

Un intérêt croissant au cours de ces dernières années tant pour l'histoire des mentalités en général que pour les problèmes touchant aux représentations littéraires ou idéologiques de la femme a fait de ce recueil, qui ne se voulait primitivement qu'un dossier à visée pédagogique (une anthologie de textes rassemblés en 1970 en vue d'un cours d'Histoire littéraire générale pour des étudiants de D.E.U.G.) [1]*, un instrument au service de chercheurs, littéraires, historiens ou sociologues qui ont pu semble-t-il trouver dans ces textes d'accès relativement difficile un matériel choisi immédiatement utilisable* [2].

Dès l'introduction de notre première édition nous avions dit notre souhait de répondre à de tels besoins, sans pouvoir toutefois prévoir à quel point ils se trouveraient amplifiés par les déterminations qu'exercent sur les objets et les problématiques de la recherche historique les tensions idéologiques du présent. C'est à cet intérêt élargi aujourd'hui que vient tenter de répondre cette seconde édition revue et corrigée.

*"La femme dans la littérature française et les traductions en français au XVI*e *siècle" : tel est l'objet autour duquel s'ordonnent les textes ici reproduits. Objet dont les limites chronologiques, géographiques, linguistiques, ressortissent à une exigence de méthode qui nous était dictée par sa nature même : la question est, en effet, celle des représentations idéologiques de la femme ; or ces représentations peuvent bien tenir du passé, des autorités chrétiennes, antiques ou médiévales la plupart des matériaux qu'elles travaillent, elles peuvent bien aussi être, à cette époque de la Renaissance, très largement Européennes, il n'en reste pas moins*

que la stratégie qu'elles développent, la dynamique de transformation du système qu'elles constituent ne peuvent être appréhendées – sauf à se contenter d'un catalogue de lieux communs plus ou moins atemporels et universels – que comme réponse adaptée à une situation historique sociale et culturelle précise. Les relations étroites de l'Italie et de la France au XVIe siècle par exemple, et les liens culturels qui les rapprochent n'impliquent nullement qu'on puisse assimiler leurs structures sociales et politiques, réalités dont la question du statut de la femme ne saurait être dissociée.

Certes, il convient de souligner très fortement qu'entre la réalité concrète du ou des statuts de la femme telle que l'étude de documents directs la laisse entrevoir à l'historien dans ses aspects économiques, juridiques, familiaux, et les rôles qui lui sont impartis sur le théâtre idéologique, il existe plus d'un décalage. Or c'est cette comédie idéologique qu'enregistrent, renforcent, ou même pour certains d'entre eux construisent nos textes. Qu'elles soient travaillées de façon plus ou moins complexe par des écritures littéraires, mises en scènes dans des débats contradictoires, ou imposées sciemment par des textes à visée normative, les représentations de la femme qui s'y jouent ne sauraient sans risque être considérées comme de simples reflets ou reproductions du réel.

Mais, dans les rapports variés qu'elles entretiennent néanmoins avec le réel (nivellement universalisant, libération fantasmatique, dénégations diverses, retournements rusés, etc.) elles constituent précisément pour chaque ensemble historique et culturel particulier un système spécifique, même si celui-ci présente avec des systèmes voisins ou antérieurs d'importantes interférences. C'est le travail d'ajustement d'ensemble des représentations au réel de la société française du XVIe siècle que ce recueil de textes veut illustrer, dans ce qui fait son caractère historique particulier.

De cette historicité nous voudrions indiquer brièvement deux champs d'approche possibles.

Réajustement des représentations d'abord. Le nouveau, on l'a dit, n'est pas, ou rarement, dans les figures elles-mêmes. Constituée de longue date celle de la Femme Parfaite des Proverbes, celle de la femme corps, ayant parti lié avec le Démon, celle de la femme folle, ou encore celle de la Dame idéalisée... C'est leur redistribution hiérarchique qui importe pour nous, modifiant de façon significative la fonction de certains éléments, voire subtilement leur contenu. Au centre de ces modifications la valorisation du mariage. C'est désormais – et pour longtemps – autour du modèle contraignant de la femme épouse et mère que vont s'ordonner toutes les représentations féminines. Ne disparaissent pas pour autant de la scène les anciens idéalismes de l'amour adultère : la courtoisie, adaptée par une Marguerite de Navarre, rejoignant les doctrines néoplatoniciennes de l'amour telles que les concilie avec la morale de cour un Baltazar Castiglione, fournissent les échappatoires commodes de l'adultère en pensée, équilibrants qui ne font que renforcer la contrainte centrale. Quant à l'image démoniaque de la femme, véhiculée par l'héritage chrétien médiéval que dominait la tradition antimatrimoniale et satirique des clercs, elle ne recule nullement. Mais, devant désormais coexister avec la nécessaire valorisation apparente de la femme dans son rôle matrimonial, elle vient en figurer la face cachée, la menace toujours latente à conjurer, rendant perceptible au-delà des justifications théologiques de l'infériorité féminine, sa vérité de fantasmatique masculine qui fixe sur la femme, sur l'Autre, des angoisses profondes. Telle est, sans doute, la fonction du plaisir toujours repris à la lecture de textes comme le Corbaccio *de Boccace ; mais il est plus important de remarquer que ce danger représenté par la femme est également constitutif de l'économie des textes mêmes de ces humanistes qui prétendent lui attribuer le rôle le plus positif : une lecture attentive de ces textes le démontre à l'évidence. C'est qu'en effet, entre les traités d'Erasme ou de Vivès, et l'intensification de la chasse aux sorcières, la contradiction n'est qu'apparente.*

Si la femme semble être au XVIe siècle en France un enjeu idéologique important, c'est – au moins peut-on en suggérer l'hypothèse – qu'à travers elle se trouvent désignés les dispositifs mêmes du pouvoir. A la fois directement : la revalorisation du mariage comme instrument de stabilité sociale et de régulation économique apparaît comme une nécessité politique ; il n'est que de rappeler les multiples tentatives d'ingérences du pouvoir monarchique dans ces questions d'ordre jusque là théologique, à propos du consentement parental dans le mariage par exemple, pour mesurer l'importance concrète du problème. Mais aussi, dirons-nous, symboliquement : la cellule familiale fonctionne comme le modèle de l'exercice du bon pouvoir. Une multitude de textes renvoient explicitement cette structure de base à la structure d'ensemble du corps social [3]*. Comme celle du Prince lui-même, l'autorité du mari ne doit pas être une tyrannie se soumettant un esclave, mais un pouvoir juste, s'exerçant sur un "sujet" capable de le*

reconnaître et de l'accepter. A la mise en place des représentations du "consensus" politique correspond parfaitement la figure de l'épouse humaniste, et s'y trouve projeté tout le travail d'intériorisation, de naturalisation des contraintes qui tente au même moment de s'exercer à d'autres niveaux. Si l'on ajoute qu'en même temps devient efficace ce redoutable outil technique de diffusion idéologique qu'est l'imprimerie, que le pouvoir apprend peu à peu à contrôler, pendant que s'élaborent progressivement les moyens juridiques d'uniformisation des modèles, apparaît alors un trait essentiel : le processus d'universalisation des représentations, imaginaire contraignant utilisé comme instrument de pouvoir. Dans cet imaginaire (qui est, redisons-le, très décalé par rapport aux pratiques réelles) la place symbolique de la femme est essentielle : le modèle qui en fait un "sujet" ne la positiviste que comme reflet du bon pouvoir. Hors cette "existence" de miroir (image qu'explicitent nombre de nos textes), elle ne saurait représenter que le refoulé de ces contraintes consenties. Derrière l'individu "libre" nécessaire à l'exercice d'un nouveau type d'autorité surgit avec force son Autre : peut-être la Sorcière...

Ce processus d'intériorisation de l'Autorité, de consentement naturalisé, se retrouve dans l'écriture des plus habiles de ces textes qui dictent à la femme sa conduite. Les références aux grands Auteurs s'y estompent, cédant le pas au jeu de l'évidence naturelle. N'y voyons pas une simple stratégie adaptée au sujet traité, ou à l'inculture des interlocutrices supposées : le phénomène est, dans les textes français du XVIe siècle beaucoup plus général. Et c'est là le second champ d'approche historique de la question que nous voudrions suggérer, textuel, celui-ci. Il conditionne non seulement les modes de présence de notre objet, mais aussi certaines de ses transformations, en même temps qu'il contribue à justifier le choix d'un corpus homogène de langue française intégrant des traductions d'époque. Celles-ci sont, on le constatera, massivement présentes dans ce recueil. Les éditions modernes ont privilégié les originaux français, d'où peut-être ici, une légère surreprésentation des textes traduits : ils sont plus rarement accessibles aujourd'hui. Mais il était bon de rétablir par cette importante présence des versions, une image plus conforme à la réalité des activités de lecture et d'écriture de la Renaissance française. La Bible, les Anciens, les textes néo-latins des humanistes, les Italiens, Petrarque ou Boccace mais aussi les modernes, les Espagnols, moralistes ou romanciers, subissent les transformations *naturalisantes d'un intense travail de traduction, qui parvient peu à peu à se libérer d'une forme trop contraignante de révérence ou d'assujettissement. Ainsi récrits – et l'on voit toute l'importance de les connaître dans cette récriture du temps –, ces textes sont, et plus souvent encore que les textes originaux, ce qui se lit à l'époque en France, et bien des "best sellers" furent comme l'*Amadis *ou le* Decameron *des traductions. Ils contribuent à part entière à construire l'imaginaire, à véhiculer ou élaborer les représentations. Or on voit bien qu'envisagée dans sa dimension nationale, cette entreprise d'"Innutrition" des modèles (pour reprendre la formule à Du Bellay) est un des aspects de cette lente transformation intériorisante des rapports aux autorités, dont nous soulignions plus haut la modalité politique. Il faudrait y relier les modifications perceptibles tout au long du siècle de la position du sujet de l'écriture, apprenant, jusqu'au tournant décisif représenté par Montaigne, à fondre les références et les cautions au creuset d'une "conscience" individuelle. Cet ensemble cohérent de transformations historiques se devait d'être ici au moins schématiquement évoqué car il nous semble qu'il affecte le traitement de cet objet symbolique central qu'est la femme.*

En premier lieu parce qu'à tous les niveaux où elles se produisent, ces mutations engendrent une tension fondamentale : le déplacement des cautions de vérité d'instances extérieures incontestées vers un lieu d'assimilation intériorisante (lieu inassignable de l'idéologie bourgeoise en formation, lieu insaisissable de la conscience individuelle) libère au passage une prolifération de contradictions difficilement contrôlables, et qu'il faut s'appliquer à réduire par des moyens nouveaux. Or dans ces contradictions la femme va, comme il fallait s'y attendre, se trouver prise de façon privilégiée, dans la mesure même où comme on l'a vu elle représente un enjeu important de l'universalisation des représensations, et dans la mesure aussi où pour le sujet masculin qui apprend à s'observer, l'image de soi dépend pourrait-on dire de la qualité du miroir.

Montaigne offrirait à lui seul un magnifique exemple de cette utilisation contradictoire des appuis référentiels engendrant une explosion de discours inconciliables, brûlant chaque argument au feu de ceux qui suivent, pour venir enfin buter sur l'essentiel : une image de la femme qui ne tire sa nécessité que de l'ordre social, et du plaisir de l'homme [4]*. Mais bien avant lui, laissant plus ou moins bien percevoir ces butées, s'observe ce jeu des contradictions. C'est par exemple un affolement de l'argumentation : voir comment chez le très sérieux Corneille Agrippa le* *texte biblique se trouve convoqué pour produire très exactement l'envers de sa glose obligée, la "Préexcellence" de la femme. Mais c'est surtout au XVIe siècle l'omniprésence des débats, et la fameuse Querelle. Ce jeu mondain autorise, en son point de départ, l'affrontement apparemment non résolu d'images où peuvent se repérer des clivages sociaux : du côté de Vivès, le modèle bourgeois de la Contr'Amye, auquel s'oppose l'idéalisme de la Parfaite Amye qui pouvait faire les délices des lecteurs du* Courtisan ; *tandis que le jeu subtil d'étagement des sujets du discours qui caractérise l'*Amye de Cour *(un homme prêtant à une femme une parole "libérée") dénudait scandaleusement les ressorts, sexuels et économiques, de la guerre des sexes. Il nous fallait donc faire sa place, au centre du recueil, à ce jeu polémique dont la caractéristique est de rester, en apparence au moins, indéfiniment ouvert : son succès d'ailleurs ne se démentira pas puisqu'au travers de titres combattants, on peut suivre la joute jusqu'au XVIIe siècle. Autres traces de ces contradictions, les multiples formes de débats, colloques, ou autres devis qui structurent souvent les textes moralisants ; mais ici, qu'il s'agisse des propos des interlocuteurs du* Courtisan, *ou de la douce maïeutique d'Erasme, les tensions, même si elles restent lisibles, sont soumises à un efficace travail de réduction conforme aux intérêts de l'ordre social.*

*De même lorsque, s'intégrant plus ou moins à la fiction, ces discussions viennent éclairer les textes de fiction, comme le font par exemple les commentaires des devisants de l'*Heptameron. *Mais le régime du texte est dans ce cas sensiblement différent. Car il faut noter que pour complexes que soient encore souvent les alliances des commentaires et de la narration, de la morale et de la fiction dans ces textes du XVIe siècle, un fait est là, qu'il faut relier aux changements dont nous tentions plus haut de donner un aperçu – et c'est le second élément qui peut influer sur le traitement de notre objet – : dans le champ d'écriture tend progressivement à se constituer un espace spécifique, lieu autorisé des jeux sur le sens, de la libération fantasmatique, du déploiement des imaginaires, isolant et sauvegardant par ailleurs l'espace du sérieux didactique, moral, scientifique ou religieux : déjà à la recherche de ses justifications sacralisantes (pour le poétique), méprisée parfois dans sa fonction de divertissement (pour le romanesque), la littérature, non encore nommée, dessine ses frontières. C'est là que trouvent leur place la masse considérable de textes poétiques, de textes de fiction, venus de l'Antiquité, d'Italie, d'Espagne, dont la France s'empare à cette époque* *par ses plus belles traductions. Leur provenance hétérogène que tente d'apprivoiser l'opération de version dans une langue française qui forge dans cet exercice une part importante de ses outils et de son matériel métaphorique, en fait un ensemble complexe où les mêmes lecteurs ont pu trouver leur plaisir à des représentations plus ou moins conciliables : de la* Celestine *au* Peregrin d'Amour, *de l'*Amadis *au* Decameron, *du* Corbaccio *à* La Prison d'Amour, *une libre circulation est possible, et nous y invitons nos lecteurs d'aujourd'hui dans la troisième partie de ce recueil.*

*Ce n'est pas à dire que les contraintes de l'ordre qui se veut dominant soient absentes de ces textes littéraires ; elles peuvent trouver à s'y exercer par des médiations plus subtiles. Une écriture romanesque s'élabore ; dans la prose narrative de Marguerite de Navarre, comme par exemple dans les intéressantes transformations que le traducteur d'*Amadis *fait subir à son modèle chevaleresque espagnol, se dessinent des tendances significatives : effacement de codes périmés trop voyants, volonté de vraisemblabilisation, élaboration d'une psychologie "naturelle". Ainsi s'amorce le passage à une esthétique de la représentation. Une éclosion de "romans sentimentaux" (qui sont très majoritairement d'abord des traductions), sans oublier les jeux de la poésie amoureuse, organisent la fiction de comportements amoureux individuels, souvent pris en charge par un sujet "autobiographique", proposant à la femme, objet du désir masculin, des modèles d'autant plus forts qu'ils seront par les mécanismes de projection plus facilement intériorisés. On sait que l'idéologie ne fonctionne jamais plus efficacement que lorsqu'elle le fait en silence.*

Et pourtant, au coeur de cette immense entreprise de mise au pas, de recentrage sur le modèle "totalitaire" de la femme soumise, propriété de l'homme, possédée par son discours, objet manipulé de toutes parts par des images qui ne se contredisent que pour mieux la resaissir, il y a des femmes qui écrivent. Que peuvent-elles dire, s'il est vrai qu'on n'écrit qu'à partir des textes qui existent déjà, et si, pour ces femmes, ces textes sont encore et toujours des textes d'hommes ? Le piège ne se déjoue pas aisément. Qu'un personnage aussi proche du pouvoir que la Reine de Navarre s'y enfonce d'elle-même en toute bonne conscience, et parvienne même à mettre au service des nouveaux mécanismes de la sujetion féminine la connaissance qu'elle a, et pour cause, des résistances des femmes, rien de bien étonnant. Plus difficile à apprécier est l'apport de ces écrivains femmes de la fin du siècle (à qui nous avons consacré la dernière partie de ce livre) : leur très positive revendication de culture, et de formation intellectuelle, a souvent pour revers un enfermement dans une structure polémique où l'argumentation, à s'inverser, ne se déplace guère. Mais elles écrivent, et c'est bien là sans doute le déplacement essentiel.

Et si, tout en maniant des outils rhétoriques qui furent des outils d'hommes, les Dames Des Roches, ou Madeleine Liebaut écrivent aussi pour "se dire", gardons nous surtout d'y repérer trop tôt en ce seizième siècle ce qui deviendra la spécificité – négative – des écrits de femmes : l'introspection, l'étalage de soi, et le rêve, la poésie, le roman, voilà, Montaigne le dit déjà, les seuls espaces littéraires ouverts aux femmes. Et c'est ainsi sans doute que s'illustrèrent une Helisenne de Crenne, une Louise Labé... Mais n'était-ce pas justement là que pouvait s'exercer, à partir du levier de la recherche individuelle d'un sujet, la seule force capable de pervertir ces paroles d'hommes, dont il fallait bien se servir malgré tout ? Pensons à l'étonnant effort d'Helisenne de Crenne arrachant à la culture masculine, romanesque ou érudite, les lambeaux de discours à l'aide desquels reconstruire son moi dépecé.

Ces entreprises ne sont-elles pas justement le résultat d'une contradiction ouverte par le système mis en place par l'homme : à vouloir asseoir sa nouvelle image de bon maître sur une fiction de sujet, ne prenait-il pas le risque que cette fiction, ici ou là se prenne au sérieux, et devienne réalité ?

Peut-être le refus intellectuellement justifié de la polémique stérile qui sera, quelques décennies plus tard, celui de Marie de Gourmay fut-il rendu possible par ces tentatives d'affirmation de soi, par l'écriture, de femmes qui n'avaient que ce biais pour échapper aux pièges de l'argumentation spéculative masculine. Encore fallait-il – d'où ici encore la nécessité de relier notre objet aux modalités textuelles qui le constituent – pour qu'aient lieu ces tentatives, que les mutations des positions d'écriture aient commencé à creuser, à travers le réseau des autorités et des gloses, une place nouvelle à l'"Auteur".

Ces rapides propositions de reflexion auront, nous l'espérons, justifié les choix qui nous ont guidés dans la composition et le contenu de ce recueil : unité chronologique, les textes antérieurs n'y figurant que dans la mesure où ils furent relus à l'époque et sous la forme où ils le furent ; de même pour les textes étrangers, choisis en fonction du rôle productif qu'ils ont joué dans la littérature française du XVIe siècle, et dans des traductions qui, parce qu'elles offrent avec les originaux français une unité linguistique, permettent une analyse de ce fonctionnement intertextuel ; organisation enfin qui refuse un classement de type thématique, et tient compte du régime d'écriture des textes, dans la mesure où celui-ci leur assure des fonctions différenciées auprès des lecteurs du temps : moralistes et polémistes sont regroupés dans un premier tome ; le second est réservé aux textes "littéraires" et se ferme sur les écrits féminins de la fin du siècle.

Nous l'avons dit, notre but est de présenter un dossier composé d'extraits de textes difficiles d'accès, c'est-à-dire qui n'ont pas fait l'objet d'éditions récentes aisément consultables. Un tableau chronologique figurant en fin d'ouvrage en complètera la liste par la mention des oeuvres indispensables à l'étude de cette question et accessibles en éditions modernes. Il faut noter que de ce dossier ont dû, pour des raisons tenant à l'ampleur du corpus, être écartés les textes "techniques", juridiques ou médicaux [5].

Le choix d'extraits, on le sait, est toujours délicat. Il nous a bien fallu couper les textes, choisir les passages qui nous semblaient les plus propres à fournir une information sur notre objet. Conscients des limites et des dangers de tels choix qui disloquent l'oeuvre et risquent toujours d'en altérer le sens, nous avons, dans toute la mesure du possible, tâché de faire coïncider nos découpages avec des unités voulues par les auteurs : un chapitre, une nouvelle, un poème. Et lorsque cela était impossible, au moins avons nous évité les coupures à l'intérieur des extraits eux-mêmes.

*Enfin, nous n'avons pas prétendu offrir de ces textes un véritable travail d'édition critique. Nous avons suivi pour chacun d'eux la présentation orthographique d'une édition particulière qui n'était pas nécessairement l'édition originale, n'y pratiquant que des corrections limitées : rétablissement des abréviations, dissimilation i/j et u/v, rétablissement des accents graves sur les à (*à, là, jà, déjà*) et sur où, des accents aigus sur les terminaisons des participes passés et les finales féminines en é, accentuation de* très, près, après, dès, *et séparation de l'adverbe* très *de l'adjectif qu'il modifie. Dans la perspective qui est la nôtre, ces quelques modifications ont pour seul but de rendre ces textes plus aisément lisibles.*

L. G.

NOTES

1. *La femme dans la littérature française et les traductions en Français du XVIe siècle.* Publications de l'Université de Lille III, 1971.

2. Cf. par exemple M. Albistur et D. Armogathe, *Histoire du féminisme français,* Edition des Femmes, Paris, 1977 ; G. de Piaggi, *La sposa perfetta,* Piovan Editore, Abano, 1979 : J. Delumeau, *La peur en Occident,* Fayard, 1978.

3. "Là où il n'y a pas obéissance envers les parents, il n'y a ni bon gouvernement, ni bonnes moeurs" (Luther) ; "Il est besoin en la République bien ordonnée, rendre aux pères la puissance de la vie et de la mort, que la loy de Dieu et de nature leur donne [...] autrement il ne faut pas esperer de jamais voir les bonnes moeurs, l'honneur, la vertu, l'ancienne splendeur des Republiques retablies" (J. Bodin) etc.

4. Cf. *Essais,* III, 5, "Sur des vers de Virgile".

5. Dans ce dernier domaine, il est indispensable de se reporter au riche travail d'E. Berriot Salvadore, *Images de la femme dans la médecine du XVIe siècle et du début du XVIIe siècle,* Thèse pour le doctorat de 3e cycle, Montpellier, 1979.

L. G.

Préambule biblique

GENESIS

LA SAINTE BIBLE

en françois, translatée
selon la pure et entière traduction
de sainct Hierosme.
Anvers, 1530.

(Il s'agit de la traduction de Jacques Lefèvre d'Etaples).

GENESE

I. [...] Et Dieu crea l'home à son ymage & similitude : il crea iceluy à l'image de Dieu, masle & femelle les a créés. Et Dieu les beneist, & dit : Croissez & multipliez & remplissez la terre, & la assubjectez : & soiez dominateurs des poissons de la mer, & des volailles du ciel, & de toutes choses aiant âme : lesquelles se mouvent sur la terre.

II. [...] Aussy dist le Seigneur Dieu. Il n'est pas bon que l'home soit seul : faisons lui aide semblable à soy. Quant donc toutes choses ayant âme de la terre, furent formées de la terre, & toutes les volailles du ciel : le Seigneur Dieu amena icelles à Adam : affin qu'il veit comment il les appelleroit. Car toute chose de ame vivante que Adam nomma : ce mesme est son nom. Et Adam nomma par leurs noms toutes choses aiant âme : & toute volaille du ciel, & toutes bestes de la terre. Mais aide n'estoit point trouvée à Adam semblable à soy. Le Seigneur Dieu donc envoia le sommeil en Adam ; Et quant il fut endormy : il prit une de ses costes & remplit son lieu de chair. Et le Seigneur Dieu edifia la femme de la coste qu'il avoit osté de Adam, & le amena à Adam. Et Adam dist : Cela maintenant est os de mes os, & chair de ma chair : Icelle sera appellée virago pource qu'elle est prinse de l'home. Pour ceste chose, laissera l'home son pere et sa mere, & se adherera à sa femme : & seront deux en une chair. Mais l'ung & l'autre estoient nudz : ascavoir Adam & sa femme : & ne se hontissoient point.

III. [...] Mais aussy le serpent estoit plus fin que toutes les bestes de la terre, que le Seigneur Dieu avoit fait ; Lequel dist à la femme. Pourquoy vous a Dieu commandé, que vous ne mengez point de tout arbre de paradis ? Auquel la femme respondit : Nous mangeons du fruict des arbres qui sont en paradis mais du fruict de l'arbre qui est au milieu de paradis, Dieu nous a commandé que ne en mengions point : & que ne le touchions point, que par aventure nous ne mourions. Et le serpent dist à la femme : vous ne mourrez point de mort. Mais Dieu scet que en quelconque jour que vous mengerez de cestuy, vos yeux seront ouvers : & serez comme dieux, scachant le bien & le mal. La femme donc veit que le bois seroit bon à menger, & beau aux yeulx & delectable au regard, & print du fruict d'iceluy : & en mengea : & en donna à son mary. Lequel en mengea : & les yeulx de eux deux furent ouverts. Et quant ilz eurent congneuz qu'ilz estoient nudz : ils cousirent ensemble des fueilles de figuier : & firent pour eux des braies. Et quant ils eurent ouy la voix du Seigneur Dieu soy pourmenant en paradis, au serain après midy : Adam & sa femme se mucerent, de la face du Seigneur Dieu, au milieu du bois de paradis. Et le Seigneur Dieu appela Adam, & luy dist : où es tu : lequel dist : j'ay ouy ta voix en paradis : & ay craint, pource que estoye nud : & me suis mucé. Auquel le Seigneur Dieu dist : Qui est celuy certainement qui t'a démonstré que tu estois nud : sinon que tu as mengé de l'arbre, duquel te avoie commandé, que tu n'en mengeas point : Et Adam dist : La femme que tu m'as donné à compaigne m'a donné de l'arbre : & en ay mengé ; Et le Seigneur Dieu dist à la femme : Pourquoy as tu fait cela : laquelle respondit : le serpent m'a deceu : & en ay mengé. Et le Seigneur Dieu dist au serpent : Pourtant que tu as fait cela tu es maudict entre toutes les choses ayant ame, & les bestes de la terre. Tu chemineras sur ta poitrine : & mengeras terre tous les jours de ta vie. Je metteray inimicitiez entre toy & la femme : & entre ta semence & la semence d'icelle. Ceste semence brisera ta teste : & feras le guet après son talon. Aussy dist il à la femme. Je multiplieray tes miseres : & tes conceptions. Tu enfanteras les enfans en douleur : & seras sous la puissance de l'home : & cestuy dominera sus toy. Et dist à Adam : Pource que tu as ouy la voix de ta femme, & tu as mengé de l'arbre duquel te avoie commandé que ne en mangeas point : la terre sera mauldicte en ton oeuvre. Tu mengeras d'icelle en labeurs tous les jours de ta vie. Elle te germera espines & chardons : & mengeras les herbes de la terre. En la sueur de ton viaire, tu mengeras ton pain, jusques à ce que tu retourne en la terre, de laquelle tu es prins : car tu es pouldre, & en pouldre tu retourneras. Et Adam appela le nom de sa femme Eva : pource qu'elle seroit la mere de tous les vivans. Aussy le Seigneur Dieu feist à Adam & à sa femme, des robes de peaulx, & les vestit, & dist : Voicy Adam est faict comme l'ung de nous, scachant le bien & le mal ; Maintenant donc, affin que paraventure il ne mette sa main & prenne aussy de l'arbre de vie, & en mengeue, & vive à toujours : le Seigneur Dieu envoya hors du paradis de volupté : affin de labourer la terre de laquelle il avoit esté pris : Et jetta hors Adam : & mist devant le paradis de volupté, le Cherubin & le glaive enflambé, & propice à tourner, pour garder la voie de l'arbre de vie.

LES VERTUS DE LA FEMME FIDELE ET BONNE MENASGERE,

comme il est escrit
aux proverbes de Salomon,
chapitre XXX. Par Théodore de Bèze,
sur le chant du pseaume XV.

(Il s'agit d'un texte publié à Lausanne en 1556, repris dans divers recueils ultérieurs dont le recueil Montméja.)

Qui est celuy qui trouvera
Femme constante et vertueuse ?
Qui telle rencontre fera
Plus grand thresor rencontrera,
Que nulle perle precieuse.

Un tel mari fiance aura
En telle et en sa diligence,
Et à bon droit s'asseurera
Que jamais contraint ne sera
De desrobber par indigence.

Si long temps qu'elle durera
Elle luy cerchera son aise,
Et si bien se gouvernera
Que jamais ne s'adonnera
A faire rien qui luy desplaise.

Laine et filasse amassera
Pour entretenir son mesnage
Puis elle mesme filera,
Et de ses mains besongnera,
Franchement de bon courage.

A un navire semblera
Parti de region lointaine,
Qui tout un pais fournira
Quant au port elle arrivera
De marchandise toute pleine.

Devant le jour se levera
Pour voir sa despense ordonnée
A sa famille pourvoira
Aux servantes ordonnera
Les ouvrages de leur journée

Des terres considerera
Qui seront par elle achetées
Et de ses mains tant gaignera
Que son gain elle acquerra
Vignes desjà toutes plantées

Au travail ne s'espargnera :
Mais plus tost de toute sa force
Dessus ses reins se troussera
Et de ses bras s'efforcera
Tant plus la peine se renforce.

Ellemesme regardera
Combien son labeur luy rapporte
Et quant la nuict arrivera,
Adonc sa lampe esclairera
Pour besongner en quelque sorte

Sa main volentiers estendra
Vers celuy qui vit en destresse :
Sa main liberale tendra
A tous ceux dont elle entendra
Que quelque indigence les presse.

Vienne l'hyver quand il voudra
Elle ne craint froid ni gelée .
De bonne heure elle s'armera
Et chacun des siens munira
De bonne robbe et bien doublée.

Tapis à l'esguille ouvrera
Pour en voir sa maison parée,
De lin elle se garnira
Et proprement se monstrera
De fine escarlatte accoustrée.

Quand (les) pasteurs on verra
S'assembler pour la republique
Son mari sur tous apperra,
Lors que maint homme s'asserra
Parmi l'assemblee publicque.

De fines toiles ordira,
Que puis après sçaura bien vendre
De ce qu'elle devidera
Aux marchands mesmes baillera
Cordons et rubans à revendre.

Es robes qu'elle vestira
Luiront sa gloire et sa puissance,
Lors qu'en fin se reposera,
Et ses derniers jours passera
Avec toute esjouissance.

Jamais sa bouche n'ouvrira
Qu'avec une sagesse exquise,
Et sur sa langue on jugera
Alors que parler on l'orra,
La douceur mesmes estre assise.

Cependant point ne laissera
De son mesnage la conduicte,
Ainçois elle y regardera,
Et son pain point ne mangera
Avec oisiveté maudite.

Maint enfant qu'elle produira
Luy portera grand'reverence,
Et bien heureuse la dira :
Son mary mesme en parlera
(Louant) ainsi son excellence :

(Car il est) vray qu'on trouvera
Plus d'une femme mesnagere,
Et qui des biens amassera,
Mais entre toutes qu'on sçaura
Je di que tu es la premiere.

La bonne grace perira
Beauté est chose peu durable,
Mais ceste-là qui Dieu craindra,
Voilà la femme qu'il faudra
Sur toutes estimer louable.

Telle femme rapportera
De ses faicts recompense telle,
Que là où l'on s'assemblera,
Sa vie mesme preschera
Par tout sa louange immortelle.

Première partie
Doctrines morales

Traités de morale domestique

Les premiers textes que nous présentons constituent autant de témoignages de l'effort des penseurs bourgeois du XVIe siècle pour élaborer la vie domestique en système de valeur, en "morale".

Que la famille devienne l'occasion d'une spéculation normative idéale implique qu'elle tende à supplanter les modèles anciens, aussi bien le clerc célibataire consacré au service de Dieu que le vassal qui s'est fait l'homme d'un suzerain. Les deux grands "rôles" de l'époque médiévale laissent place au laïc, père de famille, propriétaire de ses biens et de sa famille. Les textes moralisants n'enregistrent pas une réalité nouvelle, ils présentent ce qui s'est établi au cours de l'histoire médiévale de la bourgeoisie sous le mode normatif, expression de la raison, de la nature et finalement de la volonté divine. Une conscience se forme, s'affirme, se diffuse par le moyen moderne laïc de l'imprimerie.

Proposant une valorisation du modèle familial, le système nouveau rencontre l'écueil de la femme qui doit participer de la valeur nouvelle alors que d'une façon évidemment très schématique on peut dire que les valeurs dominantes dans le domaine de la morale l'excluaient et/ou la marquaient négativement. Dans la nouvelle dignité accordée au foyer, la femme épouse et mère est nécessairement revêtue d'une dignité dont il va falloir établir les caractéristiques et les conditions de possibilité.

Bonne, la femme ne peut l'être que dans le domaine clos de la maison qu'elle gère et qu'elle peuple de ses enfants. La femme est féconde à la fois sur le plan génétique et sur le plan économique, féconde dans la mesure même où elle nourrit bien. Encore faut-il bien penser que la nature de la femme ne s'investit positivement en ce domaine du foyer que dans la mesure où s'exerce la tutelle d'un époux, où elle renvoie dans le domaine fermé du foyer la raison de l'époux. Ventre et miroir, telle est la femme providentielle puisqu'en ces textes si l'infériorité est une vérité que nul ne conteste, nul ne doute qu'une infériorité bien contrôlée est chose utile et rentable.

Si les conditions d'une tyrannie se perpétuent, l'humanisme s'emploie à diffuser le modèle d'une autorité sage, le couple doit être la cellule de base d'une société stable, en conséquence le commerce des époux ne peut être tyrannique. L'autorité doit être douce et bienveillante. Un nouvel art de penser le maniement des hommes se perçoit à propos de la conduite de l'époux. Par delà les vieux modèles rustiques de l'autorité, on sent poindre quelque chose de ce qu'on nomme "liberté", "responsabilité"...

Plus libre, la femme sera mieux servante, mieux féconde dans l'ordre général des choses.

On le redira, les textes rassemblés ici ne sont pas des documents sur la "réalité" de la vie familiale du XVIe siècle. Il s'agit de représentations dont le propos exemplaire gomme ce qui pourrait s'observer d'infiniment complexe dans les foyers du temps comme il gomme la position sociale précise du "foyer" dont il est question. Le foyer idéal n'est agité que de troubles stéréotypés et qui ne sont "montés" que pour connaître une paisible résolution. Cet idéalisme n'empêche nullement que les textes se dépensent diversement pour imposer leur "réalisme".

J.P.G.

Le recours aux anciens

Il importe d'afficher d'abord la possibilité nouvelle d'une lecture en vulgaire de trois autorités grecques. Aristote, Xénophon, Plutarque "autorisent" de multiples textes modernes qui ne sont guère que des montages citationnels et d'inlassables paraphrases de leurs traités. Nulle part plus facilement que dans le domaine de la morale domestique et de la place qu'y peut tenir la femme, la concordance n'apparaît plus aisée entre les "vérités" que les Anciens ont connues par les lumières naturelles de la raison et le désir de constituer une morale chrétienne "laïque". Les Anciens confirment de leur autorité propre ce que la Bible déjà enseignait, c'est-à-dire l'inégalité providentielle de l'homme et de la femme en ce qui concerne la vie civile et domestique.

*Aristote n'est pas à vrai dire une présence récente dans la bibliothèque imaginaire des lectures françaises. C'est pour Charles V que Nicolas Oresme traduisit l'*Economique *avec le* Politique *et l'*Ethique *; le vieux texte du XIVe siècle bénéficia d'ailleurs d'une diffusion par l'imprimerie avant que d'autres traductions n'assurent au traité d'Aristote une place insistante dans le domaine de la morale domestique du XVIe siècle.*

Le Mesnagier *de Xénophon porte dans la version qu'en donna Geoffroy Tory en 1531 un titre éloquent :* Science pour s'enrichir honnestement et facilement, intitulé l'economic de Xenophon. *Pas plus que le traité d'Aristote, il ne s'agit d'un texte qui soit exclusivement consacré à la femme. C'est bien là ce qui importe d'ailleurs. C'est-à-dire que la nature de la femme, son comportement à la maison, la conduite du mari à son égard puissent être envisagés dans une perspective de rentabilité. La femme trouve sa place dans des représentations dont on peut souligner le caractère solidement intéressé mais dont en fait on ne doit pas négliger l'aspect théorique, pour ne pas dire idéal. L'économie centrée sur la maison et le profit réalisé par la bonne ménagère peut apparaître contradictoirement comme un écran qui dérobe dans l'idéologie des pratiques qui se mettent en place et dont la productivité quant au profit ne doit rien à la maison mais tout à la circulation de l'argent et des marchandises. L'Antiquité vient cautionner un imaginaire social domestique que la pratique relègue. La femme se qualifie d'occuper ce centre stable qu'est la demeure, elle garde l'archaïsme du foyer, elle moralise mythiquement un "enrichissez-vous" précoce qu'énonce Tory.*

C'est en revanche la quasi totalité des Oeuvres morales *de Plutarque qui aurait pu figurer ici tant le problème féminin s'y trouve disséminé, tant le XVIe siècle recourut à ces pages bourrées d'anecdotes pittoresques et démonstratives, une véritable encyclopédie d'exemples, juste situés dans la perspective convenable de bienveillance patiente, voire reconnaissante, à l'égard de l'humble servante.*

J.P.G.

Aristote, l'économique

LES OECONOMIQUES DE ARISTOTE

translatées nouvellement du latin en françoys
par Sibert Lowenborsch licencié ès loix
demourant en la noble ville de Coulongne.

Imprimé à Paris par Christien Obechel

1532

Cy commence le second livre des *Oeconomiques* de Aristote. Les loix d'une preude femme.

Il faut la preude femme seigneuriser à toutes choses qui sont dedans et avoir le soing de tout selon les loix devant escriptes, ne laissant aulcun entrer sans le sceu et commandement du mary craindante surtout les parolles lesquelles sont déportées du corrumpement des bonnes moeurs des femmes : et se aulcune chose advienne, que à elle seulle ce soit congneu : et se aulcun mal des entrans soit commiz, auprès du mary soit la faulte. Soit la dame des despens aux jours des festes lesquelz le mary aura permis. Semblablement use de moindre coustance de vestemens et aussy de l'appareil que les loix de la cité permettent, considérant que ne la beaulté des vestemens, ne l'excellence et haulteur de sa forme, ne la grandeur de loz, tant vaille à la louenge de la femme que beau maintien en toutes choses, et l'estude de bien et honnestement vivre. Pour vray tout tel ornement de cueur est plus à désirer et ferme jusques en vieillesse, pour acquerir les vrayes louenges pour soy et ses enfans. Ainsy doncques en ces vertuz prengne courraige louable, et louablement prouffite pour seingneuriser aux choses. Pour aultant doncques qu'il semble indecent à l'homme de congnoistre ce que dedans la maison se faict, en toutes aultres choses estudie de complaire et de obeir à l'homme : ne aussy doibt prester l'oreille aux affaires de la chose publicque, ne traictant aulcunes des choses lesquelles semblent appartenir à mariage, mais quant le temps le requerra, ou pour les filles donner en mariage, ou prendre des belles filles, en ces choses obeissent totallement au mary : et ainsy ensemble delibere de ensuyvre la sentence du mary, entendant n'estre point tant led au mary de faire aulcunes choses dedans la maison, comme à la femme de querir les choses de dehors. Au surplus, la femme bien composée doibt estimer les moeurs de son mary estre une loy imposée de Dieu pour junction de compaignie et mariage, lesquelles se elle porte de bon courraige, facilement gouvernera à la maison, mais au contraire, se difficilement. Parquoy est convenable non seullement ès choses de bonne fortune estre d'ung bon accord avecques son mary, et le voulloir servir, mais aussi en l'adverse. Et se aux biens a deffault, ou au corps maladie, ou privement des sens, porte d'ung courraige equal et le serve, se ce n'est par aventure que il commande aulcune chose indigne ou point convenable. Et se pour vray l'homme a failli par hastiveté ou troublement de coeur, ne le garde point en memoire, mais le impose à foiblesse et ignorance, et le serve tant plus diligentement, pourveu que par cela luy sera plus grant grace et gré quant de la maladie sera delibvre. Et si elle n'obeist point à luy commandant aulcune chose impertenante, mieulx le recongnoistera luy retourné en santé. Pour ce soy garder la femme doibt de ces choses, et aux aultres choses estre plus obeyssante que se achaptée fut venue en la maison. Car pour vray d'un grant pris a esté achaptée pour compaignie de vyvre et engendrement des enfans, desquelles ne plus grande ne plus saincte aulcune chose peult estre. Davantage se elle eust vescu avecques le mary fortuné, sa vertu ne fut point tant congnue : car certainement ce n'est point peu de choses bien user de maulvaise fortune, toutesfoys les choses adverses porter patiemment, n'est peu à estimer. Car doncques à prier que aulcune telle chose ne advienne au mary, qui se aulcune telle advient, la femme doibt penser que de ce à elle vient très bonne louange se droictement se gouverne, pensant en soy, que ne Alceste eut acquise se grant gloire, ne Penelope eut deservy tant de louanges se elles eussent vescuz avec leurs marys fortunez. Mais les adversités de Admetus et Ulixes à elles ont acquises les memoires à tousjours mais. Car aux adversités de leurs marys, foy et justice vers eux gardans, meritoirement ont gaingné gloire. Car au temps de prosperité facillement on trouve des compaignons, mais en l'adversité, se ce n'est que les femmes soyent très bonnes, refusent estre participantes. Pour toutes ces choses convient qu'elles ayent leur mary en honneur, et le point depriser, combien que la saincte honnesteté et les richesses filles de bon courraige, selon le dict de Orpheus, ne soy ensuyvent. La femme doncques par ces loix soy doibt garder et gouverner.

Xenophon, l'économique

SCIENCE
POUR S'ENRICHIR HONNESTEMENT ET FACILEMENT
INTITULEE L'ECONOMIC XENOPHON.

Nagueres translatée de Grec et latin en Langaige Françoys.
Par Maistre Geofroy Tory de Bourges.
Au pot cassé, 1531

Au regard de moy (Socrates mon Amy) je n'ay pour ceste heure que faire en ma Maison, car MA FEMME y est qui est idoyne et suffisante assez à gouverner toute nostre Famille.

SOCR. Je vouldrois seurement très volontiers entendre et sçavoir de toy, si tu as prins et receu TA FEMME de ses Parens aussi bien aprise et bonne Mesnagiere, qu'elle saiche si bien regir et gouverner les choses qui luy appartiennent. ISCHOMAQUE. Comment l'auroye prinse bien enseignée en tel afaire, qu'elle n'avoit que quinze ans quant je l'espousey. Son eage precedent n'avoit esté qu'en grande solitude en ne voyant, en ne oyant, ne parlant que bien peu, et que pour lors il me suffisoit que seulement elle manyast de la Laine, qu'elle filast sa conoille, qu'elle sceust accoustrer et contregarder son abillement, et qu'elle peust tailler de la besoigne à ses Chamberieres. Mais sces-tu, Elle est HONNESTE ET SOUBRE en son boyre et menger qui est (mon amy Socrates) une belle vertus et precieux aornement en une Femme. SOCR. Tu luy as apprins tout le surplus. ISC. Non ay, mais J'AY PRIE ET SACRIFIE A DIEU qu'il m'enseignast tout ce qui seroit bon pour elle et pour moy, et qu'elle aussi le peust bien apprendre. SOCR. Ta Femme a elle aussi deliberé avec toy. ISC. Ouy. Certes. Car elle m'a promis observer maintes bonnes choses, et entre icelles, qu'elle seroit telle que une Honneste Femme doit estre. Et cecy est manifeste Argument de verité, qu'elle ne desprisa oncques chose que je luy aye commandé. SOCRA. Dy moy beau sire je te supplie. Quesse que tu luy as Premierement enseigné, Je te escouteroys plus volontiers dire cecy, que si tu me recitois quelque prouesse de Jouxtes et Chevallerie. ISC. Quant j'euz Premierement parolle avec elle, et que eusmes le loysir d'estre ensemble, je luy vois dire en ceste maniere.

Or çà. Ma femme dy-moy, Entendz-tu pour quoy je t'ay prinse en Espouse ? Et pour quoy tes Parens t'ont mise avec moy ? Je cuyde que tu scez bien qu'il convient que nous dormions ensemble, et que nous nous associons de toute nostre Maison, et de tous noz Enfans à venir. Quant je t'auray trouvé bonne, et que tes parens me cognoistront estre à leur gré. Pareillement quant DIEU nous aura donné des Enfans, nous adviserons ensemble et prendrons Conseil comment nous les debvons enseigner. Car ilz nous apporteront une felicité commune, et quant nous serons vieilz et debilitez en nature, ilz nous nourriront par Charité naturelle.

Entre ce temps-cy et celluy-là, ceste Maison nous sera commune. Je t'ay fourny et donné tous les biens et Meubles qui sont dedans. Tu y as pareillement apporté avec toy des biens que tu y as mis. Il ne fault point compter ne debatre qui en a le plus apporté, mais fault adviser et entendre que celluy qui sera plus le plus soigneux à l'accroissement d'iceulx en aura le plus apporté.

Je te vois compter mon amy Socrates, que c'est qu'elle me respondit.

C'est de toy mon Espoux (dit-elle) que depend toute ma Vertus (si aucune en y a ou doit estre). Au regard de moy, je n'ay que Modesteté que ma Mere m'a enseignée. Je luy responds. Mon Pere pareillement aussi m'a enseigné pour estre modeste. Et pour ce doncques l'office de ceulx qui sont modestes : tant mariz que femmes est de incontinent mettre sa Famille en bon ordre et meilleur estat, et l'augmenter d'aultres biens qui soient justement et bien acquis. Elle me va respondre, cuide-tu (dit-elle) qu'il ne conviengne augmenter toute la maison en toute maniere. Je dictz, il te convient augmenter les choses seulement que DIEU commande, et que les Loix louent et estiment qu'on face. En ce faisant tu me seras très bonne. Qui sont ces choses-là (dit-elle) ? Je luy responds. Elles ne sont pas à despriser si tu ne veulx estimer bien peu l'office de LA MAISTRESSE MOUCHE A MYEIL qui dedans ses Ruches preside sur la besoigne de toutes les autres Mouches aussi à Myel. Il me semble certes que Dieu a faict beaucoup de choses très saigement, et principallement d'avoir institué l'Estat et jou de Mariage Premierement pour obvier que l'Humain Genre ne deffaillit. Et en après que nous peussions avoir Enfans desquelz nostre vieillesse seroit substantée. Pour ce doncques que la vie des Hommes n'est pas toujours dormir et converser à l'Air, comme font toutes autres bestes vivans sur terre, mais en Logis et Maison. Il est expedient et necessaire de pourchasser soubz l'air, C'est à dire, par les Champs les Commoditez à l'aide desquelles on se puisse aider et substanter en la Maison.

Telles choses sont Novales, C'est à dire champs nagueres et nouvellement pour la Première fois labourez, ou qui ont esté ung An ou deux en repos du Labouraige. Telles choses aussi sont Arbres, semences, et Pastureaulx. De telles choses viennent vivres qui sont necessaires à l'Homme. Et quant ils sont conduyctz jusques à la Maison, il est necessaire qu'il y aye quelcun qui les garde, et mesmement celluy qui est plus seyant à faire quelque chose en la Maison.

En la Maison veullent estre nourryz les Enfans. Les Bledz et les Fruyctz veullent estre logez en la Maison. Et les Drapz de laine et Robes veullent estre faictz. Pource doncques que tous ces biens dessus dictz requerent diligence tant dehors que dedans la Maison, il me semble que DIEU nous a produit la Femme en ce Monde, pour prendre la garde en la Maison. Et qui luy a faict le corps plus mol et debile affin qu'elle feist et exerceast son Office entre les clostures de la dicte Maison. DIEU a faict le corps et le couraige de l'Homme plus robuste pour tolerer froit et chault, pour aller et venir près et loing, et pour ce luy a ordonné les affaires de dehors la Maison, et à la Femme celles du dedans pour la grande Charité et Amour qu'elle a envers ses Enfans, et pour aussi garder avec une grande crainte les Biens que son Mary a par sa diligence acquis.

DIEU (dis-je) a voulu que les Femmes fussent Gardiennes de tous les Biens domestiques, et que les Hommes qui sont de Nature plus audacieuse resistassent à leurs contraires.

Plutarque, les preceptes de mariage

LES OEUVRES MESLEES DE PLUTARQUE

translatées de grec en françois,
par Jacques Amyot.
Paris, Michel Vascosan, 1572.

LES PRECEPTES DE MARIAGE
Plutarque à Pollianus et à Eurydice.

[...] Comme un miroir, pour estre bien doré et enrichy de pierres précieuses ne sert de rien s'il ne représente bien au vif la face de celuy qui se mire dedans : aussi ne plaist point une femme pour avoir beaucoup de biens, si elle ne rend sa vie semblable, ses moeurs et conditions conformes à celles de son mary. Si le miroir fait un visage triste et morne à un qui est joyeux et gay, ou au contraire riant et enjoué à une personne qui est melancholique ou marrie, il est faulx et ne vaut rien : aussi est une femme mauvaise et importune, qui fait de la renfrongnée quand son mary a envie de se jouër à elle, et de la caresser : ou à l'opposite qui veut rire et jouër alors qu'elle voit son mary en affaire, et bien empesché : car l'un est signe qu'elle est fascheuse, l'autre qu'elle mesprise les affections de son mary : là où il faut, ainsi que disent les Geometriens, que les lignes et les superfices ne se meuvent point par elles, mais au mouvement des corps : aussi que la femme n'ait nulle propre et peculiere passion ou affection à elle, ainsi qu'elle participe aux jeux, aux affaires, aux pensements, et aux ris de son mary.

Ceux qui ne prennent pas plaisir de voir leurs femmes boire et manger librement en leur presence, leur enseignent à se saouler gouluëment à part, quand elles sont seules : aussi ceux qui ne s'esjouissent pas gayement avec leurs femmes, et ne se jouent et ne rient pas priveement avec elles, leur enseignent de cercher leurs plaisirs et voluptez à part.

Les Roys de Perse quand ils souppent ou mangent à leur ordinaire, ont leurs femmes espousées assises auprès d'eux à la table : mais quand ils veulent jouer et boire d'autant jusques à s'enyvrer, ils renvoyent leurs femmes en leurs chambres, et font venir leurs concubines et leurs chanteresses et baladines : et font bien en cela, qu'ils ne veulent point que leurs femmes legitimes voyent ne participent en rien de leurs yvrongneries, et de leurs dissolutions. S'il advient doncques qu'un homme privé subject à son plaisir, et mal-conditionné commette quelque faute avec une sienne amie ou avec une chambriere, il ne faut pas que sa femme pour cela se courrouce, ne qu'elle s'en tourmente : mais plustost qu'elle estime, que c'est pour la reverence qu'il luy porte, qu'il ne veut pas qu'elle soit participante de son yvrongnerie, de son orde luxure et intemperance.

Quand les Roys aiment la musique, ils sont cause que de leur regne il se fait plusieurs bons Musiciens : semblablement ceux qui aiment les lettres, font plusieurs hommes lettrez, ceux qui aiment les exercices de la personne, rendent plusieurs de leurs subjets bien adroits et dispos : aussi un mary qui n'aime que le corps, fait que sa femme n'a autre soing que de se farder : qui aime la volupté, fait qu'elle tient de la courtisane, et devient lubricque et lascive : et quand il aime l'honneur et la vertu, il la rend sage, vertueuse et honneste.

Une jeune garce Laconiene respondit à quelqu'un qui luy demandoit, si elle avoit jà esté au mary : Non pas moy à luy, mais bien luy à moy. C'est à mon advis, la maniere comme se doit comporter une femme honneste envers son mary, de ne rejetter ny desdaigner point les jeux et les caresses d'amour, quand son mary les commance, ny aussi ne les commancer point : pource que l'un tient de la courtisane effrontée, l'autre sent sa femme superbe, et qui n'a point de grace ny d'amour.

Il ne faut pas que la femme face d'amis particuliers, mais bien qu'elle estime communs ceux de son mary. Or les Dieux sont les premiers et les plus grands amis que puisse avoir l'homme : pour ce faut-il qu'elle serve et adore ceux que son mary repute Dieux seulement, sans en recognoistre d'autres : et au demourant qu'elle ferme sa porte à toutes curieuses inventions nouvelles de religion, et toutes estrangeres superstitions : car à nul des Dieux ne peuvent estre agreables les services et sacrifices que la femme fait à la derobée, au desçeu de son mary.

Platon escrit que la cité est bienheureuse, et bien ordonnée, là où l'on n'entend point dire, Cela est mien, cela n'est pas mien : pource que les habitans y ont toutes choses, mesmement celles qui sont de quelque importance, communes entre eux, autant comme il est possible : mais ces paroles-là doivent bien encore plus estre bannies hors du mariage, sinon entant que comme les medecins tiennent que les coups qui se donnent en la partie gauche se sentent en la droitte, aussi la femme doit ressentir par compassion les maulx de son mary, et le mary encore plus ceux de sa femme, à fin que comme les noeuds prennent leur force de ce que les bouts s'entrelassent l'un dedans l'autre, aussi la societé de mariage s'entretiene, et se fortifie quand l'une et l'autre des parties y apportera affection de bienveillance mutuelle : car la nature mesme nous mesle par nos corps, à fin que prenant partie de l'un et partie de l'autre, et meslant le tout ensemble, elle rende ce qui en provient commun à tous deux : de maniere que ny l'une ny l'autre des parties n'y puisse discerner ne distinguer ce qui est propre à elle, ne ce qui est à autruy. Ceste communauté de bien mesmement doit estre principalement entre ceux qui sont conjoincts par mariage, qui doivent avoir mis en commun et incorporé tout leur avoir en une substance : de sorte qu'ils n'en reputent point une partie estre propre à eux, et une autre à autruy, ains le tout propre à eux et rien à autruy. Comme en une couppe où il y aura plus d'eau que de vin, nous l'appelons vin neantmoins : aussi le bien doit tousjours, et la maison estre nommée du nom du mary, encore que la femme en ait apporté la plus grande partie.

[...] Les Athéniens font en l'année trois labourages sacrez : le premier est en l'isle de Scyros, en memoire de la premiere invention de labourer la terre et de semer, dont ils ont esté inventeurs : le second est celuy qui se fait au lieu appelé Raria : le troisiesme celuy qui se fait tout joignant la ville, et l'appelle l'on Buzygion, en remembrance de l'invention d'atteller les boeufs soubs le joug au timon de la charrue : mais le labourage nuptial est plus sacré, et se doit plus sainctement observer que tous ceux-là, en intention de lignée. C'est pourquoy Sophocles a bien et sagement appelé Venus fructueuse : pourtant faut-il que l'homme et la femme conjoincts par mariage en usent fort religieusement et sainctement, en s'abstenant entierement de toute autre illicite et defendue conjonction, et de labourer ou semer en lieu dont ils ne voudroient pas recueillir aucun fruict, et dont si d'aventure il en vient, ils ont honte, et font ce qu'ils peuvent pour le cacher.

[...] Au demourant estant jà de l'aage pour estudier aux sciences, qui se preuvent par raison et par demonstration, orne desormais tes moeurs en hantant et frequantant avec les personnes qui te peuvent servir à cela : et quant à ta femme, amasse luy de tous costez, comme font les abeilles, tout ce que tu penseras luy pouvoir profiter, le luy apportant toy-mesme, fay luy en part, et en devise avec elle, en luy rendant amis et familiers les meilleurs livres et les meilleurs propos que tu pourras trouver,

Car tu luy es au lieu de pere et mere
Et desormais tu luy es comme frere.

Et ne seroit pas moins honorable d'ouyr une femme qui diroit à son mary, Mon Mary tu es mon precepteur, mon regent, et mon maistre en philosophie, et la cognoissance de très belles et très divines sciences. Car ces sciences-là et ces arts libéraux premierement retirent et destournent les femmes d'autres exercices indignes : car une Dame qui estudiera en la Geometrie, aura honte de faire profession de baller : et celle qui sera jà enchantée des beaux discours de Platon et de Xenophon, n'approuvera jamais les charmes ny enchantements des sorciers. Et s'il y a quelque enchanteresse qui luy promette d'arracher la lune au ciel, elle se moquera de l'ignorance et bestise des femmes qui se laissent persuader cela, aiant appris quelque chose de l'Astrologie, et entendu comme Aganice fille de Hegetor grand Seigneur en la Thessalie, sçachant la raison des eclipses qui se font lors que la lune est au plein, et le temps auquel elle entre dedans l'ombre de la terre, abusoit les femmes du païs, en leur faisant à croire que c'estoit elle qui ostoit la lune du ciel.

Il n'y eut jamais femme qui feist enfant toute seule, sans avoir la compagnie de l'homme, mais bien y en a-il qui font des amas sans forme de creature raisonnable, ressemblans à une piece de chair, qui prennent consistence de corruption : il faut bien avoir l'oeil à ce que le mesme n'advienne en l'ame et en l'entendement des femmes. Car si elles ne reçoivent d'ailleurs les semences de bons propos, et que leurs marys ne leur facent part de quelque saine doctrine, elles seules à par elles engendrent et enfantent plusieurs conseils estrangers, et plusieurs passions extravagantes. Mais toy Eurydice estudie tousjours aux dicts notables et sentences morales des sages hommes et gens de bien, et ayes tousjours en la bouche les bonnes paroles que tu as par cy-devant estant fille ouyes et apprises de nous, à celle fin que tu en resjouïsses ton mary, et que tu en sois louée et prisée par les autres femmes, quand elles te verront si honorablement et si singulierement parée, sans qu'il te couste rien en bagues et joyaux.

Moralistes du seizième siècle

La traduction en français des textes grecs concernant la morale domestique n'est qu'un aspect de l'activité de ces textes au XVIe siècle. Le recours à l'Antiquité n'a de sens qu'en tant qu'elle autorise des écritures modernes. Cette production "laïque", orientée vers une réception dans des milieux "modernes" qui ont nouvellement accès à la lecture, est sans doute l'une des caractéristiques notoires de la production du temps.

De ces textes la conduite de la femme peut être l'enjeu mais le propos humaniste semble déborder la fonction didactique. Ce qui s'exhibe d'abord c'est bien une culture fraîchement acquise par quelques hommes qui en font parade dans la farcissure extravagante des textes qui, en revanche, dérobe le vieux fonds chrétien. Cette prestigieuse démonstration d'une "innutrition" a pour corollaire l'inlassable ressassement de "vérités" à peu près semblables. Les textes demeurent des répétitions, la "vérité" ne se vit pas encore, et surtout pas en morale, sur le mode de la proposition novatrice, de la découverte. C'est ce qui se sait déjà, ce qui s'est déjà écrit qui est vrai. Pas de transformation spectaculaire à attendre des contenus, plus qu'ailleurs peut-être on aurait beau jeu de manifester des continuités qui dénonceraient l'illusion facile des ruptures. Ce qui doit s'entendre tient donc moins au contenu qu'à des effets d'insistance dans des appareils qui eux sont neufs : ces livres imprimés qui circulent dans toute l'Europe du temps pour satisfaire l'attente de lecteurs qui ne sont plus des clercs.

Insister sur la relation de l'écriture à une intertextualité antique implique de fait que soit suspectée la relation de ces textes avec la vie domestique effective et la condition de la femme dans les pratiques sociales du temps. Nous avons non pas à retrouver le "réel" mais des modèles de problématiques. Ce n'est pas dans de tels textes qu'on trouverait des considérations pratiques sur le droit qu'un mari possède d'exercer "contre son valet ou sa femme" un "rude chastiment" qui ne soit pas pour autant un "sévice atroce" comme "la fouetter extraordinairement, ou mutilation de membre"... Ce "réel" là, c'est Etienne Pasquier qui le fait apparaître dans son Interprétation des Institutes de Justinian *en rapportant un exemple précis d'une plainte qu'une femme ne parvint jamais à faire aboutir (cf. livre I, ch. XXXII). Ce n'est pas non plus dans les textes moralisants (ni d'ailleurs dans l'*Heptaméron*) qu'on irait chercher un comportement semblable à celui de Jeanne d'Albret faisant constater devant cardinaux et archevèques que ses parents la font battre pour la con-*

traindre à épouser le duc de Clèves. Dans nos textes, la parade culturelle impose la sagesse et celle-ci est modération, bienveillance. Favorables globalement à une prise en considération positive des capacités féminines, ces textes supposent aisément que la femme saura accéder à cette forme supérieure de sagesse dans l'épreuve qu'est l'acceptation.

Le "réel" est ailleurs et à ne considérer que ce qui s'offre à la lecture peut-être davantage dans le conte, la nouvelle, la comédie. Ces morales domestiques sont "d'hyperfictions" qui s'ignorent.

La projection, hasardeuse quant à la vraisemblance réaliste, de l'espace domestique vers la démonstration exemplaire ne requiert pas que la culture humaniste, elle implique des stratégies d'écriture sans cesse renouvelées. De Jean Bouchet à Giraldi Cinzio, on pourrait constater un piétinement doctrinal mais aussi de multiples essais qui tentent tous de convaincre en séduisant. Un corpus *se constitue qui manifeste des "poétiques" du moralisme, poétiques articulées sur des modèles d'autorité doctrinale et des modèles de plaisir "littéraire". Une interrogation idéologique suppose et propose.*

Les textes regroupés ici font prédominer l'apport hispano-flamand, c'est de Flandres et d'Espagne que proviendra en effet l'essentiel des ouvrages qui s'appliquent à la conciliation de l'humanisme et du christianisme en matière de morale domestique. Certes, il y aurait eu place pour le Trattato della famiglia *de L.B. Alberti si celui-ci avait été traduit. Est-ce une attente autre qui s'indique dans cette lacune, comme si de l'Italie le lecteur français semblait moins attendre ces traités domestiques que leur revers contradictoire et complémentaire, les traités platonisants et mondains. Seul Giraldi, sous le couvert d'une réunion élégante, s'efforce dans le contexte post-tridentin de proposer un moralisme tout imprégné de la sagesse d'un Plutarque.*

J.P.G.

Jean Bouchet, les triumphes de la noble et amoureuse dame, 1530

Le "Traverseur des voyes périlleuses" est loué par le Quintil horatian *de B. Aneau d'être "chaste chrestien scripteur, non lascif et paganisant comme ceux du jourd'huy". Rhétoriqueur appartenant à la génération qui précède la Pléïade, Bouchet moqué par Du Bellay n'en connut pas moins comme moraliste un succès durable, le texte de 1530 connut nombre de rééditions jusqu'en 1563.*

Traditionnel, Bouchet l'est à coup sûr, ces Triomphes *exhibent des modèles scolastiques qui n'ont rien du délié des Colloques érasmiens pourtant antérieurs. De savantes conversations d'allégories morales ne rappellent qu'*a contrario *les mondaines réunions du* Courtisan *qui sont cependant contemporaines. Le titre même est trompeur puisque la Dame n'est autre que l'Ame et l'amour a pour objet Dieu. Une encyclopédie dévote se masque sous un titre qui laisse attendre un opuscule de la Querelle des Amyes ou encore un traité platonisant. Trois types de chasteté, deux virginités, huit moyens, le texte n'épargne au laïc pour lequel il est écrit rien des plaisirs des manipulations scolastiques, c'est pourtant bien les lecteurs laïques qui sont visés et le texte de Bouchet participe à l'effort fait pour présenter en français des modèles d'intégration à la sanctification chrétienne de la vie "bourgeoise". Sous l'égide de Plutarque quand il s'agit de s'aventurer dans ces terres nouvelles, Bouchet peut aisément rejoindre, quant au contenu didactique, Erasme, ainsi lorsqu'il recommande aux mères de nourrir elles-mêmes leur progéniture. Borne des similitudes de contenus : Bouchet s'en tient à la supériorité traditionnelle du célibat comme moyen de sanctification personnelle.*

J.P.G.

LES TRIUMPHES DE LA NOBLE ET AMOUREUSE DAME ET L'ART DE HONNESTEMENT AYMER

Composé par le Traverseur des Voyes périlleuses, Poictiers, MDXXX.

(Nous citons d'après l'édition Etienne Cavellier, 1539.)

Comment il fault prudemment gouverner et nourrir ses enfans

Vous dictes très bien, dist Prudence, mais je vouldrois bien sçavoir comment il convient nourrir les enfans et la maniere de les instruyre. Il est requis, dist Prudence, considerer deux choses : l'une qui appartient à la mere et l'autre au pere. La premiere est pour les faire vivre et la seconde pour les faire bien vivre. Or donc la femme grosse et enceincte considerera qu'elle aura fiz ou fille et par ce se gardera que par sa coulpe et faulte ne vienne aucune chose à son fruict pour empescher sa vie et perfection naturelle. Et pour ce faire tiendra nettement son corps, prendra sa refection et nourriture en manger et boyre modestement sans excès, et mesmement usera viandes propres pour la nourriture de son enfant, et qui le pourra rendre fort. Elle se gardera donc de trop grand repos corporel et de trop demourer en un lieu : car une legiere deambulation, c'est à dire cheminer petit et souvent, sans violence, est utile aux femmes grosses, et en pourront plus aisement et facilement accoucher et avoir leur fruict : toutesfois la femme enceincte se doit garder de trop grans labeurs corporelz, mesmement de saulter en dances ne autrement : car la semence de l'homme est renfermée en une pellicule comme le dedans d'ung oeuf soubz la premiere peau, laquelle on peult rompre par trop saulter, estraindre et serrer son corps ou par aultre excès corporel et la semence sortir hors de son lieu. Aussy se peult perdre la semence pour emplir son corps de vins et viandes jusques à plaine gorge et semblablement pour les villains atouchemens et mouvemens d'aucuns hommes et femmes, dont ilz deshonnorent l'honneste lict de mariage, par le moyen desquelz naissent enfans mors, boyteux, aveugles ou aultrement difformes.

Après la nativité de l'enfant la mere le doit nourrir du lait que nature luy donne en si grant habondance uberté en ses mammelles, il semble que les femmes ne meritent avoir enfanz, lesquelles au temps qu'ilz ont plus grant besoing estre curieusement alaictez, nourriz et gouvernez par elles, les baillent à nourrir et gouverner à femmes estranges, dont elles ne sçavent les necessitez corporelles, ausquelles à peine vouldroient bailler à gouverner ung petit chien qu'elles tiendroient mignon, dont souvent advient que les enfans participans de la nature de leurs nourrices sont rusticques, ruraulx et mal complexionnez. La bonne mere ne permettra jamais son enfant estre infectionné de la contagion d'ung autre laict. Le benefice du laict maternel a esté en si grant estime aux anciens, que les meres obtenoient facilement de leurs enfans ce qu'elles demandoient plus par le laict qu'elles leur avoient donné que aultre chose. Qu'est il plus gracieux et delicieux à la mere aymant son enfant que de avoir ses doulx regards, ses innocens ris, ses parolles enfantines, et aultres petiz gestes consolatifz qu'elle en reçoit en les alaictant.

La mere doit doulcement traicter les membres du jeune enfant en son maillot où il est enveloppé. Elle ne le doit estraindre et trop serrer sur la poictrine : mais bien un peu vers le ventre et les fesses, et si ne doit par trop empescher les cris, pleurs et vagissemens de l'enfant car il leur est donné par nature, ainsi que dist Aristote, pour croistre et dilater l'estomac et les entrailles.

La doctrine de la mere est fort utile jusques à sept ans, et par icelle audist aage de sept ans sont les enfans plus dociles et aisez à endoctriner en science, grant sçavoir ou aultre art et mestier. Et si ne fault les presser d'apprendre : mais en faire ainsi que celluy qui veult emplir ung vaisseau d'eaue par l'entrée d'icelluy qui est petite. Car s'il y veult mettre l'eaue en habondance et par force, elle sortira par le dessus et n'y entrera que bien peu dedans, mais pour l'emplir aisement fault user d'ung antonnouer, fluste ou tuyau. Et si prouffite moult aux jeunes enfans quant leur mere ou autres qui les instruict leur dict qu'ils apprennent mieulx et sont plus sages que les aultres et aulcunes fois collauder et louer leur industrie et tousjours blasmer leur paresse et opiniastreté.

Dès ce que les enfans sont parvenuz à l'aage de sept ans, le pere doit prendre la charge d'eulx par une plus grant cure que la mere et singulierement doit travailler à les instruire ou faire instruire en bonnes et honnestes meurs...

Comment les pucelles se doivent contenir en leur virginité

Dictes-moy, dist l'Ame, comment les pucelles se doivent contenir en leur virginité pour complaire à Dieu et aux gens droictz et vertueux. Par huyt moyens dist Temperance. La premiere que leur virginité soit pure et purement gardée sans macule. Voire mais, dist Sensualité, si elles avoyent intention de estre maryées seroit leur virginité pour ceste volonté maculée. Il y a double virginité, dist Temperance, l'une est gardée à Dieu seulement et ceste est la plus belle et plus agreable à Dieu. L'autre est la virginité qu'on garde à son espoux temporel pour l'amour de Dieu à ce que l'homme la treuve entiere en l'entrée du mariage ordonné pour le service de Dieu, et que elle ne soit maculée d'aucune impudicité. Le seconde virginité n'est si plaisante à Dieu que la premiere, et ne meritent l'aureolle que ont les vierges en paradis, les jeunes filz ou filles non corrompuz qui ont vouloir d'entrer en mariage, mais ceulx et celles qui gardent leur perpétuelle virginité à Dieu.

Pour garder que virginité ne soit maculée les filles doivent obvier à plusieurs occasions mauvaises. C'est assavoir d'estre baisées et tastées car le lys representant virginité pert incontinent sa beauté par attouchemens. Voulez vous maintenir, dist Sensualité, que tous baisiers sont deffenduz. Non, dist Temperance, mais il y en a de diverses sortes. Aucuns sont faictz par une honneste coutume, comme entre les nobles d'une lignée ou affinité, entre mary et femme par temperée delectation, et par amour naturelle, comme de la mere ou du pere à leurs petis enfans et en tous ces cas et autres semblables les baisiers sont permis quant ilz sont honnestes : et est dit ung baisier honneste, quant on le peult faire publicquement sans donner scandalle ne occasion de mal en juger à gens prudens, qu'il n'y ait mauvaise intention : mais tous les baisiers que on faict par une desordonnée concupiscence sont très dangereux et ne les peult on faire sans pecher, car par telz baisiers soubz espece de bien le dyable tend ses latz pour prendre ceulx qui se baisent ou l'ung d'eux. Ce sont allichemens et approches de luxure, et allimens de actes charnelz. Et à ce propos disoit le poete lascivieulx (Ovidius de arte amandi) : Qui prent les baisiers et non ce qui s'en ensuyt, estoit digne de ne les avoir. Telz baisiers donnent plusieurs mauvaises pensées et volentez voyre hardiesse de pis faire, et lyent les baisans de doulx et dangereux lyens de folle amour.

Secondement une pucelle se doit garder de lettres missives, ballades, rondeaulx, dons, et presens car la fille qui preste l'aureille et la veue à telles choses, ne doibt estre reputée chaste ne pudicque. Tout ainsi que les pescheurs aucunesfois troublent l'eaue pour mieux prendre le poisson, ainsi font macquereulx et maquerelles qui troublent le cler et nect esprit des jeunes filles par les occasions susdictes, et par veneneuses persuasions qu'il ne fault jamais ouyr.

Tiercement que les pucelles ne se doivent trouver en lieux secretz sans honneste compaignie. Tamar, fille du roi David en fut violée par son frere Amar quant seule entra en sa chambre secrette.

Quartement qu'elles se gardent d'exceder en vestemens, et de farder leurs visages, car ce sont deux choses qui desplaisent à Dieu et au monde et si elles veulent estre maryées à leur honneur et proffit se doivent contenir et vestir honnestement sans excès.

La seconde condition que doit avoir une pucelle est d'estre honteuse, et quant elle va entre les gens tenir sa veue basse, ne regarder çà ne là à chef effronté et inverecondieux. Car, comme le dit le Sage, la fornication d'une femme est congneue à lever sa veue haulte, et à sa bouche en parlant incessamment. Les filles effrontées sont voulentiers en mauvais estime du commun peuple : Et celles qui sont honteuses et peu parlans sont estimées et aymées.

La troisiesme condition est que une fille ne doit estre oyseuse mais tousjours filler, tistre, broder, couldre ou faire autres ouvrages appartenans à leur estat ès jours ouvrables, et aux festes frequenter l'église le service divin et les sermons, lire ou faire lire en quelque livre spirituel et moral, non ès livres lascivieux et provocans à sottes amours, sans rien obmettre de ce que elle est tenue faire à obeyr à pere et mere. Le Saige a escript que l'honneste femme n'est ocieuse, et ne veult sans rien faire manger son pain, met diligence à garder les choses domestiques, et les augmenter, et par ce ediffie la maison, et acquiert bonne renommée : et telles filles trouvent bon mariage et non les filles pompeuses et ocieuses car pompe engendre scandalle et oysiveté produict mauvaises pensées, et n'est sans suggestion charnelle.

La quatriesme condition d'une pucelle est que elle doit estre solitaire, et se tenir le plus que elle pourra recluse en la maison à ce qu'elle puisse eviter mauvaises compaignies. Et surtout se garde de dancer en rue publicque, si ce n'est en quelque honneste compaignie pour la solennité de quelzques nopces ou autre grant festin ou en d'aucun pays où on a acoustumé de faire quelque honneste dance. Et si elle dit quelque chanson qu'elle ne soit lascivieuse ne deshonneste car ce sont appeaulx des insidiateurs et ennemys de chasteté et pudicité.

La cinquiesme condition est que la fille doit estre humble et de doulx et gracieulx maintien : car ainsi que la pierre precieuse est plus apparente lors que elle est en or enchassée, aussi est chasteté en cueur humble d'une vierge, et n'est le feu de charité mieulx gardé que en la cendre d'humilité. Et à ceste considération les jeunes pucelles ne se doivent jacter ne venter de leurs richesses, noblesse, lignée, vertuz ne beauté. Et se doivent garder de estre arrogantes en parolles presumptueuses et superbes en leurs dictz et faictz, curieuses de savoir nouvelles ne mocqueresses mais doivent avoir ung parler gracieulx et moderé, plain et court sans fard de mondaine eloquence, et non contrefaict. Et si on leur dit mal d'autruy doivent repondre qu'il n'est à croire, et changer incontinent propos. Si on les persuade, et prie d'aucunes follyes en les touchant de leur beauté, richesses et vertuz ne doivent prester l'aureille à telles parolles parce qu'elles sont deceptives : mais rompre le propos tout court, car repliquer à telz mignons deceveurs de filles est fort dangereux et trop à craindre. Et si telz seducteurs sont puissans et ne veulent cesser : Elles leur doivent trencher compaignie tout gracieusement sans les injurier ne user de parolles arrogantes, car de la bouche d'une fille ne doit sortir parolle fiere, orgueilleuse ne denotant malice et arrogance, à la raison de ce que l'homme qui se veult maryer et vivre en paix doit se garder de prendre espouse de telle condition.

La sixiesme condition est que une pucelle doit prendre plaisir à estre corrigée par ses parens, et mesmement par ses pere et mere, et suyvir leurs meurs s'ilz sont bien vivans. Et si se doit garder d'avoir trop grant familiarité avecques leurs serviteurs et de leur descouvrir ses choses secrettes et mesmement aucun vice si elle en a en son corps ou ailleurs, parce que on change de serviteurs aucunesfois, et au changer aucuns s'en vont mal contens, et revelent ce qu'ilz ont veu ès enfens de leurs maistres et maistresses par malice et vengeance.

La septiesme condition est que une bonne fille doit estre devote et misericordieuse c'est à dire vacquer souvent à oraison sans ypocrisie, et mettre principalement son cueur et son amour en Jesuchrist, en laissant à son pere et mere ou autres prochains parens la cure et sollicitude de estre maryée pensant qu'ilz sont plus saiges quelle pour la pourveoir. Toutesfois les parens

ne doivent maryer les filles oultre leur voulenté, mais tendre à leur povoir de leur bailler marys propres à leurs conditions et tels que amour puisse estre et durer en eulx car souvent advient que la fille congnoist quelque vice secret au mary que on lui veult bailler pour lequel ne le pourroit aymer et en tel cas si on la presse de tel mary prendre sans declairer le vice qu'elle congnoist doit se excuser honnestement et dire Mon pere et ma mere je vous doy obeyssance, et ferai ce qui vous plaira me commander, mais s'il vous plaist je ne seray maryée avec celluy dont vous me parlez. Aussi la fille ne doit estre si difficille à mary prendre, et si elle ne le congnoist s'en doit rapporter à ses pere et mere.

La huytiesme condition est que une fille doit estre sobre et peu manger, et boire. Si le corps n'en est pire se doit garder de boire vin et si elle est contraincte en boire que ce soit peu et bien moderé d'eaue. Aussi doit jeusner ou faire abstinence à tout le moins une fois la sepmaine si elle a l'aage et puissance le tout sans ypocrisie. Et neantmoins se doit tenir honnestement en tous ses vestemens qui tousjours doivent estre netz non par orgueil, mais pour l'honneur de Dieu et pour trouver mary en sorte que on ne puisse dire puisque le dehors est ord et sale, le dedans ne sçauroit estre nect, je appelle le dedans le cueur qui ne doit estre souillé et honny de vilaines et deshonnestes pensées et immundes delectations.

Antoine de Guevara, l'horloge des princes, 1529-1540

L'oeuvre d'Antonio de Guevara n'émane pas d'un milieu de riche bourgeoisie, comme celle d'Erasme ou de Luis Vivès, mais de la cour de Charles Quint, et c'est aux princes et aux courtisans qu'elle entend s'adresser.

Si les sources auxquelles elle se nourrit sont les mêmes (textes chrétiens, écrits des moralistes de l'Antiquité), ainsi que la doctrine proposée (discipline, vie réglée, piété, austérité) celle-ci rencontre pourtant ce qu'il y a de plus opposé – en apparence au moins – aux idéaux bourgeois qu'elle reprend à son compte : la vie toute de paraître de la classe aristocratique. Cette même tension, quoique traitée différemment, fera sans doute une partie de l'intérêt pris à la lecture du Courtisan *de Castiglione : elle est un effet des entreprises de la monarchie centralisatrice, dont la vie de Cour, visant à la domestication de l'aristocratie, et la diffusion de normes morales unifiées sont deux éléments distincts sans doute, mais qui servent les mêmes intérêts. Autant que son oeuvre, la vie d'Antonio de Guevara illustre et concilie ces oppositions : il est à la fois franciscain, inquisiteur, évèque, et homme de cour, mondain, homme de lettres précieux. Ce singulier mélange de vie courtisane et d'ascétisme intransigeant séduisit semble-t-il d'emblée non seulement l'Espagne, mais l'Europe entière.*

Rappelons qu'Antonio de Guevera est l'auteur du célèbre Mepris de Court avec la louange de la vie rustique, *dont la traduction fut dans le recueil de 1542 intégré à la Querelle des Amyes. Que l'existence d'un courant anti-aulique, lié à l'humanisme bourgeois, et aux courants évangélistes et réformateurs soit une trace de plus des tensions que nous venons de mentionner cela ne fait aucun doute. Mais il faut sans doute aussi penser au plaisir quelque peu pervers, ou tout simplement mondain (nous dirions "snob") que pouvaient prendre à de tels textes des lecteurs qui se délectaient aussi à la lecture de Baltazar Castiglione.*

Le Mepris de Cour *ne concernant qu'indirectement notre sujet, nous avons choisi de proposer des extraits de l'*Horloge des Princes *paru en Espagne en 1529, et traduit en Français en 1540. Cette oeuvre reprend en l'intégrant dans un ensemble plus vaste la plus grande partie d'un texte antérieur,* Le Livre Doré de l'Empereur Marc Aurèle *(1528, traduit dès 1531 par le même traducteur) et comme lui, associe à une fiction historique un traité didactique à usage des grands et des Princes.*

Le passage ici choisi, qui concerne directement les femmes, par-

ticulièrement les "princesses et grandes dames", manifeste une lourdeur dogmatique répétitive qui pourra au lecteur moderne paraître incompatible avec le succès impressionnant de ce texte : même décalage sans doute, pour les lecteurs du temps, du plaisir de lire et des comportements (la jouissance à l'imposition martelée de la norme pouvant être proportionnelle à l'importance de ses transgressions réelles) ; y joue peut-être aussi l'exotisme des représentations d'une Espagne rigide et sévère que l'on peut, avec une certaine satisfaction, opposer aux moeurs de la Cour de France... Autre intérêt pour nous : l'écriture compacte, prolixe et ressassante de ce texte offre justement l'avantage, dans la mesure où aucun vrai contrôle rhétorique ne vient structurer l'argumentation, de présenter un dispositif de parole particulièrement favorable à l'affleurement visible de dénégations névrotiques. Au delà de la fiction historique de Marc Aurèle se retrouve le discours autoritaire du prédicateur, censé prononcer la Loi d'un lieu transcendant extérieur aux conflits ; mais la liaison constamment faite entre l'épouse et les biens, la sauvegarde du patrimoine et la volonté obsessionnelle d'enfermement de la femme, d'une part, et d'un autre côté la censure qui pèse constamment sur les représentations mêmes de la sexualité, dont ne rendent compte que des dispositifs détournés, dénégateurs (je ne veux pas parler des habits) ou fantasmatiques (la main coupée), donnent suffisamment à lire, si on y regarde de près, les origines sexuelles et économiques de cette parole d'ordre, qui nie la femme jusque dans ce corps même dont on a peur.

L.G.

L'ORLOGE DES PRINCES

composé en espaignol par don Anthonio de Guevara,
traduit en françois par René Bertaut, sieur de la Grise, 1540

(Nous citons d'après l'édition G. Corrozet de 1550)

CHAPITRE SEPTIESME

Que les femmes, en especial les princesses et grandes dames, doivent avoir grand advis, en ce qu'elles ne soient notées d'aller trop souvent hors de leurs maisons : et que par estre frequentées et visitées, elles se gardent d'estre mises entre les langues des estrangers.

Entre tous les conseilz, lesquelz se peuvent donner aux princesses et grandes dames, c'est qu'elles facent qu'elles puissent avoir repos en leurs maisons, et qu'elles ne voisent comme esgarées ès maisons d'autruy : pource que si telles dames sont bonnes, elles gaignent et acquierent grande reputation, et si par cas elles sont mauvaises, elles ostent de elles les occasions : ores soit le mary present, ores soit absent, c'est chose necessaire et honneste, que la femme soit le plus du temps à la maison : pource que de ceste manière, les choses yront bien gouvernées, et du coeur du mary s'osteront et tireront plusieurs choses suspectes. Comme l'office du mary soit d'assembler les biens et richesses, et que l'office de la femme soit de les conserver et garder, l'heure qu'elle se met à yssir de sa maison, elle doit penser, que les filles ou chambrières s'esgareront pour trotter, et pour (ainsi que l'on dit) aller veoir l'une çà, et l'autre là : les enfans sortiront pour courir et jouer, les varletz et serviteurs se desreigleront, les voisins auront occasion de parler : et ce qu'est pire de tout, c'est que les uns mettront les mains aux biens de la maison, et les autres mettront le feu en la renommée de la femme. O que Dieu fait une grande et belle grace à un homme, lequel tient une telle et tant bonne femme, que de son propre naturel elle ayme soy tenir en la maison, et certes je dy que cestuy tel excuse plusieurs ennuys, et affranchit plusieurs deniers : pource qu'il ne despend le bien pour l'employer en habitz, ny donne occasion aux gens de mal juger. La plus domesticque noise qui soit entre l'homme et la femme et semblablement la plus domesticque haine et contrariété, qui soit entre l'un et l'autre, c'est qu'il veult garder les biens pour substanter et nourrir les enfans, et par le contraire elle ne veult sinon le tout gaster, employer, et despendre en robbes et vestemens pource que les femmes sont en ce cas tant curieuses et amoureuses, qu'elles jeuneroient et s'abstiendroient des alimens de la vie pour espargner une robbe neufve, pour un jour de feste. Les femmes naturellement ayment à garder, et ne veulent rien despendre ny employer, excepté en cas de vestemens : car de vingt-quatre heures qu'il y ha entre la nuict et le jour, elles en vouldroient en chacune avoir et changer d'une neufve robbe. La fin de mon intention n'est point de parler des habitz : mais est pour persuader les princesses et grandes dames, qu'elles vueillent estre retirées et soy tenir en leurs maisons plus qu'autrement : elles excuseroient iceulx gatz et despens superflus : pource qu'une femme voyant sa voisine mieulx vestue qu'elle n'est, elle se monstre et tourne contre son mari, ainsi comme une leonne. Il advient souvent (ce qu'il pleust à Dieu n'advenir) et c'est, que s'il vient aucune inopinée feste, ou quelque joyeuse assemblée, elle ne fait bonne vie à son mary, et n'y ha jamais paix, jusques à ce que pour ce jour elle tire une robbe neufve ; et comme le pauvre seigneur n'ha point d'argent pour la payer, il luy est necessité faire credit : puis après que la vanité de la feste est passée, et que le temps du payement s'approche, l'on vient au deshonneur et honte de sa personne, prendre et executer tous ses biens, de maniere qu'ilz ont bien dequoy remedier et pleurer pour un an, ce dequoy ilz gaudirent et despendirent par grande chere en un seul jour. Une femme n'ha pas souvent envie qu'une autre femme soit plus belle, soit plus noble, et de plus hault lignage qu'elle, que soit plus vaillante, ou pource qu'elle est mieulx mariée, ny pource semblablement qu'elle est plus vertueuse : sinon seulement pource qu'elle va mieulx vestue qu'elle : car en cas de vestir, il n'y ha femme qui ait pacience, qu'une autre moindre face comparaison contre elle, ny qu'autre sa semblable la surmonte. Ligurgus, aux loix qu'il donna aux Lacedemoniens, prohiba et deffendit, que les femmes n'allassent point dehors leurs maisons, sinon aucuns jours de festes singulieres, qui sont en l'an ; car il disoit que les femmes devoient estre aux temples, faisans oraisons aux dieux, ou en leurs maisons, nourrissans leurs enfans : pource que la chose n'est point honneste, ny proffitable à la maison, que la femme voise passer son temps aux champs, et trotter de rue en rue, comme publicques. Je diroye voluntiers que les femmes princesses et grandes dames, sont obligées se tenir et resider en leurs maisons, beaucoup plus que les autres femmes du peuple, de plus basse condition : et ceste obligation leur vient pour tenir moindre necessité de parvenir en plus grande autorité ; et non sans cause je dy, que parviendront en plus grande autorité : pource qu'il n'y ha vertu enquoy la femme acquiere plus grande reputation en la republicque, que d'estre veue de tous, residente et retirée en sa maison. Je dy encores qu'une femme doit estre le plus du temps en sa maison retirée, à cause qu'elle est vivante en moindre necessité qu'autre : pource que si la pauvre femme plebeyque va hors de sa maison, elle ne se met à yssir, sinon pour chercher à manger : mais si la femme riche et noble se met à sortir de sa maison, n'est sinon pour passer son temps et s'esbatre. Les princesses et grandes dames, ne se doivent esmerveiller, si en desployant leurs piedz à trotter, si en ouvrant leurs yeulx à regarder, les ennemis et voisins se mettent à les gaudir, et par mauvaises langues les infamer : pource que des faictz absolutz que les femmes font, naissent aux hommes les jugemens temeraires : je loue et approuve que les maris ayment leurs femmes, qu'ilz les consolent, qu'ilz les esjouyssent et en elles se confient : mais je desprise et condamne que les femmes voisent de maison en maison esgarées en visitation, et que leur maris n'osent ny veulent en ce cas les contredire, car posé le cas qu'elles soient bonnes en leurs personnes, elles donnent occasion, en ce que l'on les estime vaines et legieres. Senecque dit en une espitre, que le grand Rommain Cathon Censorin ordonna, que nulle femme Rommaine, n'yssist hors de sa maison estant seule : et si par cas c'estoit de nuict, qu'elle n'y allast seule sans compaignie : et que la compaignie ne fust telle qu'elle esliroit, sinon telle que le mary ou parent vouldroit et ordonneroit : de maniere que des yeulx que nous regardons aujourd'huy une femme dissolue, d'iceulx mesmes regardz estoit accusée, pour lors, une femme qui alloit souvent dehors sa maison. Les nobles dames, lesquelles appetent et ont zele d'acquerir honneur, doivent grandement considerer et regarder les grans inconveniens, que peuvent ensuivir de souvent trotter : car icelles despendent beaucoup pour se vestir, perdent beaucoup de temps à s'accoustrer, substantent chambrieres pour les accompaigner, elles estrifveront contre leurs maris d'y aller, il peut advenir mauvaise garde à la maison elles estant hors, et tous les ennemis et amis auront d'elles, et par elles dequoy blasonner et parler : finablement je dy que la femme qui va souvent hors de sa maison, ne fait plus grande envie de son honneur qu'elle pert, que non de la consolation qu'elle prent. Presumant escrire avecques gravité et ponderosité, je dy que j'ay honte de dire cecy : mais je ne m'en abstiendray, pource qu'aucunes ont plus de memoire d'aller trotter qu'elles doivent faire, que les pechez que elles doivent confesser.

CHAPITRE HUICTIESME

Des maulx, dangiers, et peu de proffitz, qui ensuyvent et viennent aux princesses et grandes dames, d'aller visiter, courir et trotter, ou de soy tenir en leurs maisons.

Lucresse tres renommée et bien famée en conformité de tous, fut declairée pour la plus excellente de toutes les matrones ou femmes Rommaines, et ceste chose non pource qu'elle estoit plus belle, ny plus sage, ny de plus grand parantage, ny pour plus noble ; mais pource que elle estoit plus retirée et solitaire, car elle estoit telle qu'aux vertuz heroicques il n'y restoit riens, en elle et aux debelitez feminines n'y avoit en elle qu'amender. L'hystoire de la chaste Lucresse est fort vulgaire en Tite Live, que quand les maris de plusieurs Rommaines vindrent de la guerre en leurs maisons, ilz trouverent leurs femmes en sorte que les unes estoient aux fenestres regardans, les autres aux champs pour passer le temps, les autres aux jardins faisans des bancquets et festins, les autres estoient aux marchez pour acheter, et les autres parmy les rues pour visiter, courir, et aller trotter. Mais la noble Lucresse fut trouvée en sa maison seule, tyssant en soye, de maniere qu'elle, fuyant pour n'estre congneue, se feit et donna à congnoistre, en son honneur et renommée. Je veulx donner un autre conseil aux princesses et grandes dames, lequel estant à ma volunté leur donner, moins ne leur est necessaire de le prendre : c'est à sçavoir que si elles veulent estre estimées et tenues pour femmes honnestes, qu'elles se gardent des compaignies suspectes : car combien que les choses immundes et ordes ne facent mal au gouster, quand on les mangeust, au moins par la puanteur elles offensent le sentir et odorer, quand on les manye. L'honneur des femmes est une chose tant delicate, que si nous leur donnons licence d'yssir dehors leurs maisons, pour trotter en quelque visitation, la leur donnerons moindre pour estre des autres visitées : pource que c'est pitié aux unes femmes de visiter les autres, et grande deshonnesteté aux hommes de visiter les femmes, lesquelles en presence de leurs maris et parens prochains, peuvent estre visitées et communicquées : et ce est entendu de personnes approuvées et honnestes : toutesfois je dirois que le mary n'estant à la maison, seroit un autre homme autant comme sacrilège, de passer le sueil de l'huys, pour visiter la femme [...]

Plutarque au livre de sa polliticque dit, qu'une femme après estre mariée, ne tient aucune chose ny volunté propre : car le jour qu'elle ha contracté le mariage avecques un homme, elle fait son mary unicque seigneur d'elle et de tout le sien : de maniere que si la femme s'enhardit de vouloir autre chose que ce que son mary vouldra, si elle vouloit aymer autre chose que ce que son mary aymera : nous ne l'appellerons curieuse ny vraye amoureuse, sinon publicque larronnesse : pource que les larrons ne font point tant de mal au mary de lui rober ses deniers, comme fait la femme qui de son mary estrange son coeur. Si la femme veult vivre en paix avecques son mary, doit bien prendre garde enquoy il est encliné, en ce que s'il est joyeulx qu'elle s'esjouysse, s'il est triste qu'elle se tempere, s'il est avare qu'elle garde, s'il est prodigue qu'elle despende, s'il est impatient qu'elle dissimule, s'il est suspect qu'elle se garde : car la femme qui est prudente et sage si elle ne peult ce qu'elle veult, doit vouloir ce qu'elle pourra. Ores soient les maris mal inclinez, ores soient mal conditionnez, de ceste heure je leur jure qu'il leur desplaira si leurs femmes font aucuns amis familiers : car combien que l'homme soit de bas lieu il ayme tousjours mieulx que sa femme l'ayme tout seul, que tous ceulx qui sont entre le peuple. Je ne puis dissimuler une chose, à cause que je voy en icelle estre nostre Seigneur Dieu offencé, et c'est que plusieurs dames s'excusent souvent par maladie d'aller paradventure jusques à l'église ouyr messe un jour pour toute la semaine, et après nous les voyons saines et guaries pour trotter, visiter leurs amyes chacun jour, et le pis de tout c'est qu'au matin elles ne veulent pour le froit aller à l'église, et après en la chaleur vont trotter de maison en maison où elles sont souvent jusques à la nuict. Je voudrois que les dames pensassent entre elles devant que d'yssir hors de leurs maisons pour aller en quelque visitation, qu'elle est leur fin d'y aller, et si par cas elles yssent affin d'estre veues, j'afferme que ceulx qui les voirront, ne les loueront grandement de leur beaulté : mais les despriseront de les veoir vilotieres et troteresses. Jaçoit qu'en une maison s'assemblent plusieurs dames, il est vray que les choses qu'elles traictent entre elles sont fort graves. Je le dis pource qu'elles s'assemblent à manger fruictz, à louer les lignages, à parler des maris, à monstrer leurs ouvrages et coustures, à veoir

qui ha la meilleure robbe, à noter les mal vestues, à blandir les belles, à se rire des laides, et murmurer des voisines, et pire est et que plus l'on doit noter, c'est qu'elles mesmes disent mal de celles qui sont absentes, se mordent les unes les autres d'envie. Aucunes dames ne se visitent pas souvent, qu'après estre les unes des autres departies ne se mettent à murmurer l'une de l'autre, en ce que ceste note l'autre de mal vestue, l'autre note ceste de babillarde, l'on note l'une estre folle, l'on accuse l'autre d'estre simple, de maniere qu'il ne semble qu'elles se soient assemblées pour se visiter sinon pour regarder et entre elles s'accuser. C'est une chose fort estrange à la femme sage de penser qu'elle doit prendre plaisir hors de sa maison, pource qu'elle tient son mary auquel elle peult parler, elle tient ses enfans pour les enseigner, elle tient ses filles pour les endoctriner, elle tient sa famille pour y converser, elle tient son bien pour le gouverner, elle tient maison pour la garder, elle a ses parens ausquelz elle doit complaire.

Erasme, Dialogue matrimonial, 1518-1541

*La traduction par Louis Berquin de l'*Encomium matrimonii *d'Erasme est demeurée sans lecteur. C'est sans doute sa réédition chez Droz en 1976 qui assure une réception effective de cet éloge du mariage. La censure d'un texte capital rejette l'intérêt vers trois Colloques qui, publiés à partir de 1518, furent accessibles aux lecteurs français par les traductions de Marot et de Barthélémy Aneau. Qu'il s'agisse de* La vierge méprisant le mariage, *de* L'abbé et la femme savante, *colloques que Marot traduisit vers 1535 ou du* Dialogue matrimonial *traduit par Aneau en 1541, les trois textes, est-ce hasard, concernent également la femme, sa culture, sa vie dans le couple, sa vocation au mariage. Sur ce point Erasme s'engage bien au delà des prudences d'un Bouchet ou d'un Vivès et polémique ouvertement contre la supériorité établie du célibat consacré comme voie de sanctification personnelle.*

Aneau, dont on a rappelé qu'il appréciait le poète Bouchet, fut de ces professeurs très liés au milieu réformé de Lyon, mort semble-t-il victime d'une émeute des "guerres de religions". Rhétoriqueur et évangéliste, Aneau traducteur d'Erasme n'est pas sans parenté avec Marot. Tous deux par leur traduction défont irrémédiablement l'exercice érasmien dans la mesure où les Colloques *étaient d'abord des modèles destinés à inculquer la pratique moderne du latin. L'importance des implications idéologiques concernant les problèmes féminins est d'abord dérobée par l'implication pédagogique des textes, ceux-ci ne sont qu'une stimulation à la production du discours, une motivation par "l'actualité". La traduction en français dénude la signification idéologique mais la qualité des traducteurs, leur statut d'hommes de lettres, relance dans la pratique même du vulgaire l'intérêt rhétorique.*

Un jeu de distances se perpétue donc d'autant plus que la traduction respecte évidemment l'écriture d'Erasme en tant que la référenciation antique ou chrétienne s'y efface. Effacement de l'érudition culte d'autant plus "nécessaire" que ce sont des femmes qui parlent. L'exercice est aussi d'une transposition dans un bavardage féminin de la culture qui caractérise d'abord et qualifie ouvertement l'homme-scripteur. Bavardage où le sérieux se fait femme sous le couvert initial de la langue des clercs ! Les femmes, extrême de l'intentionnalité bienveillante, vont parler la langue des hommes mais aussi elles vont la "vulgariser" et encore la "naturaliser", curieux filtre de la vérité que ces actrices des colloques érasmiens. Aux femmes, le meilleur des discours possibles, celui d'hommes bienveillants jusqu'à penser que la sagesse qu'ils connaissent telle puisse être aussi naturellement parole de femme. Position ambiguë mais dont le caractère contradictoirement positif ne saurait être ignoré.

J.P.G.

COMEDIE OU DIALOGUE MATRIMONIAL

exemplaire de paix en mariage,
extraict du devis d'Erasme,
translaté de latin en françoys,
duquel est le titre : *Uxor memphigamos,*
c'est-à-dire la femme mary plaignant.

Paris, J. Longis et V. Sertenas, 1541

*(Dialogue entre Eulalie, l'heureuse en ménage,
et Xanthippe, la malheureuse,
sur la bonne façon d'apprivoiser un mari.)*

Eulalie.– Je te diray comme j'ay arresté,
Et attiré avecques moy le myen
Mais par tel si, que tu le taises.

Xanthippe.– Bien.

Eulalie.– Premier je prins telle cure duisante,
Qu'en tout je fusse à mon mary plaisante,
Que rien ne fust qui blessast son plaisir.
Je prenois garde à son sens, et desir.
De prendre garde au temps, avois soulcy
Auquel il fust ireux, ou adoulcy :
Ainsi que font ceulx, qui les Elephantz
Et les Lyons apprivent comme enfans,
Semblablement telles bestes à craindre,
Que l'on ne peult (par force) pas contraindre.

Xanthippe.– En ma maison j'ay une telle beste,

Eulalie.– Nul habit blanc n'ont en corps, ou en teste
Ceux qui par art Elephans apprivoisent.
Et ceulx aussi lesquelz il faut qu'ilz voisent
Vers les toreaulx de saulvage nature,
Ne portent point jamais de rouge vesture
Pource qu'on scet, que par les couleurs telles,
Ces bestes là, deviennent plus cruelles,
Comme l'on dict, qu'un Tygre Barbarin,
Est irrité au son du tabourin
En telle rage, et de fureur espece,

Que par despit luy mesme se despece,
Pallefreniers qui pansent les chevaulx,
Ils ont des voix, et des pipetz nouveaulx,
Et aultres motz en sifflant et sonnant,
Pour appaiser le cheval forcenant,
De combien plus nous fault il doncq' pourveoir
De tous ces artz pour noz maryz avoir
Avec les quelz par gré, ou par envie
(Puys que tous deux sommes conjoinctz comme un)
Nous fault avoir lict, et logis commun.

Xanthippe.– Poursuy tousjours ton propos commencé :

Eulalie.– Je m'attrempoie à luy cela pensé
Me donnant garde, et mettant grant deffense
Qu'entre nous deux, ne naquist quelque offense.

Xanthippe.– Comment cela le pouvois-tu faire ?
Par quel moyen ?

Eulalie.– Il n'y a guère affaire,
Premièrement en cure domestique,
(Qui de la femme est la charge practique)
Je travaillois, non seulement gardant,
Que rien ne fut laissé, mais regardant,
Que tout fut mis à son bon appétit,
Et mesmement en affaire petit.

Xanthippe.– Et comme quoy ?

Eulalie.– Comme si mon mary,
Se delectoit estre au repas nourry
De tel apprest, ou de telle viande,
Ou s'il la trouve ainsi cuicte friande,
Ou bien ainsi, ou s'il prent son delit,
En tel façon ou en aultre de lict.

Xanthippe.– Mais, et comment feroit-on la raison,
De celluy là, qui n'est en la maison,
Ou qui est yvre ?

Eulalie.– Attendz, je l'allois dire.
Si quelque fois sembloit triste et plein d'ire,
Et ne fust temps alors de l'appeler,
Garde n'avois de rire, et de railler :
Comme de plusieurs ont de faire l'usaige
Mais je prenoye aussi triste visaige :
Car comme un bon et clair miroir ardent
L'image rend toujours du regardant,
Ainsi convient la mère de famille,
Estre accordant en façon plus de mille :

N'estre joyeuse, où triste est son mary,
N'estre gaillarde au temps qu'il est marry :
Et s'il estoit par trop en chaulde colle,
Je l'appaisoye avec doulce parolle,
Ou je cedoie au courroux par silence
Jusques à temps que l'ire, et violence
Fust refroidie, et le temps fust propice
De m'excuser ou d'enhorter son vice
Cela faisoie aussi, quand retournoit
Ayant un peu trop beu, et luy tournoit
Le vin au chef : pour celle heure presente
Ne lui disois fors que chose plaisante,
Tant seulement par plaisance et delit,
Je le tirois jusque dedans le lict.

Xanthippe.– Bien malheureuse est la condition
De toute femme, et la subjection,
Si aux marys yvres et courroucez,
Accomplissans ce que leur plaist assez,
Sans les oser aulcunement hayr
Fault tant servir, et tant leur obeir,

Eulalie.– Tu dis cela comme si c'estoit vice,
Et ne fust pas un mutuel service,
Ilz sont contrainctz (s'ilz sont saiges, et meurs)
Souffrir aussi mainte chose en noz meurs.
Aulcunes fois, est un temps accessaire,
Qu'en un gros cas : et chose necessaire,
Est bien permis à la matrone honneste
Que son mary doulcement admoneste,
(Et mesmement si c'est cas d'excellence)
Car aux petitz mieulx vault faire silence.

Xanthippe.– Mais en quel temps, enhorter le pourray.

Eulalie.– Quand il sera de cueur déliberé,
Qu'il ne sera, ni courroucé, n'esmeu,
Ne soulcié, et qu'il n'aura point beu.
L'ors sans tesmoing le fault (et sans crier)
Admonnester, ou plutost le prier :
Qu'en un tel cas, ou en tel il regarde
A son honneur, et que sa santé garde,
En oultre plus, cest admonestement,
Doibt estre plein de jeu honnestement :
Aulcunes fois par petite preface.
Coustume j'ay, que requeste luy face :
Ne prendra à mal, si je très folle femme,
Luy remonstrois, ce que faict à sa fame
A son honneur, à sa santé garder,

Et qu'il y veuille un peu mieulx regarder,
Lors quand j'ay dict tout ce que j'ay voulu,
Je trenche à coup ce propos revolu,
Et à propos plus joyeulx je decline :
Car certes c'est nostre nature encline,
(O ma Xanthippe) et nostre propre vice
Que (si nous ne corrigeons pas advis ce)
Quand de parler commencé nous avons,
Fin de parler à grand peine trouvons.

Xanthippe.– Ouy on le dict.

Eulalie.– De blasmer mon mary
Devant les gents, en presence d'aultruy,
Sur tout gardoie, aussi nulle querelle
Hors la maison, dire, ou porter, car elle
Est plus en paix facilement remise,
Quand entre deux seulement est commise,
Mais s'il y a quelque cas, ou danger
Que l'on ne peut supporter ou changer,
Par enhorter, ne par doulceur refraindre
Plus civil est se douloir, et complaindre
Vers les parentz du mary, que les siens
Les plus prudentz, et les plus anciens.
Et tellement sa querelle tempere,
Que son mary hayr point il n'appaire
Mais vouloir mal au vice seulement
Et tout ne die aussi totalement,
A celle fin qu'a part luy il advise,
L'honnesteté de sa femme, et la prise.

Xanthippe.– Qui cela faict, fault estre philosophe.

Eulalie.– Mais par telz faictz l'occasion nous offre,
Que nos mariz par exemple choisie,
Nous attrairons à telle courtoisie.

Xanthippe.– Il en y a de telle iniquité,
Que l'on ne peut par aulcune equité
Les corriger.

Eulalie.– Cela je ne croy pas,
Mais qu'ainsi soit, or bien, prenons le cas,
Premierement, fault à cela s'offrir,
Que le mary (quel qu'il soit) fault souffrir
Par quoy vault mieulx l'avoir à soy semblable,
Ou par nos meurs faict un peu plus traictable
Que par rigueur de jour en jour pire homme.
Que diras-tu si aulcuns je te nomme,
Qui ont ainsi leurs femmes corrigées ?

Dont, bien au pis nous sommes obligées
A nos mariz, et par raison plus ample.

Xanthippe.– Tu me diras adoncques un exemple,
De mon mary divers et different.

Eulalie.– Avec quelqu'un noble homme, et apparent
De singuliere (en meurs) dexterité
J'ay, long temps a, familiarité.
Cil avoit prins pour femme une pucelle,
Dix et sept ans avoit, et non plus, celle
En tout son temps ayant prins son repaire
Aux champs, nourrie au logis de son pere :
Car nobles gens, par la faulconnerie,
Communement, et pour la venerie
Ont de coustume, en leurs terres marchants,
Prendre plaisir de demourer aux champs,
Il la vouloit si mal apprinse, et sotte :
A celle fin qu'à sa mode, et sa sorte,
Il la peut plus facilement reduire,
Et commença premier à l'introduire
En la musique, et aux lettres apprendre
Pareillement l'accoustuma de rendre,
Ce qu'elle avoit au sermon entendu :
En luy monstrant aussi le residu,
Et aultre chose honneste en son bas eage,
Qui puis après pourroit estre en usaige.
Ces choses là, pour ce que bien nouvelles,
Estre sembloit à la fille, et rebelles,
Qui entre jeux et parolles oyseuses
Des serviteurs, et servantes joyeuses :
En sa jeunesse avoit esté nourrie,
Les commença d'avoir en fascherie.
Obtemperer du tout el'refusoit,
Et son mary la pressant, ne faisoit
Rien que plourer, à terre se jectant,
Battant son chef, comme mort souhaictant.
Comme il n'y eust à telles choses fin,
Dissimulant son cueur le mary fin
Si l'invita après ce long debat
D'aller ensemble ainsi que par esbat
Jouer aux champs au logis de son pere,
Quant à cela voluntiers obtempere.
Eulx là venus, il delaisse sa femme
Avec ses soeurs, et avecques sa dame.
L'ors s'en alla chasser avec son sire,
La commença (sans temoings) à luy dire
Comme il avoit esperé pour sa vie

Avec sa fille alaigre compaignie,
Et maintenant il la veoit lamentant
Tousjours pleurant, tousjours se tourmentant :
Et si ne veult par admonestement,
Estre sanée, et faire honnestement :
Si luy requiert de luy prester son ayde
Pour mettre au mal de sa fille remede,
Lors luy respond son sire, que donnée
Sa fille avoit, à luy abandonnée,
Et pour ce quand obeyr ne vouldroit
A sa parolle, il usast de son droict
Et d'un baston (si l'on ne peut sans ce)
La corrigeast.
Mon droict et ma puissance
Je cognois bien (dist le genre) et je scay,
Mais mieulx vouldrois, que tu feisses l'essay
De l'emender par ton art, et toy mesme
Que de venir à ce remède extreme
Son sire adoncq'luy promet, et lui jure
Qu'il y mettra son pouvoir, et sa cure.
Deux jours après, espia lieu et jour
Qu'avec sa fille il fust seul à sejour
Là, son regard mis à severité
Luy commença dire sa verité
Comme elle estoit de beaulté malheureuse,
Non amyable de meurs, mais ennuyeuse :
Qu'il avoit crainct souvent en cueur marry,
Ne luy pouvoir trouver aulcun mary.
Or, (disoit-il) j'en ay trouvé un tel,
(A grant labeur) qu'en ce monde mortel,
Nulle tant soit belle, et bien fortunée
Ne s'en tiendroit estre bien aornée.
Et toutes fois, toy mal recognoissant
Ce que pour toy j'ay faict ne cognoissant,
Quel mary as, que j'ay mis en ta main,
Lequel (sinon qu'il fust doulx et humain)
Ne daigneroit te mettre à peine en compte
De chamberiere, ou de toy tenir compte
Tu luy desplais, et rebelles en face.
A celle fin, que trop long ne le face,
Tant s'eschauffa la parolle du Pere
Qu'il sembloit bien, qu'à peine il se tempere
De la frapper, car il est bien subtil,
Et homme plein d'un esprit gentil
Qui sans avoir masque, ne faulx visaige
Pourroit jouer quelconque personnaige.
La fille alors partie esmeue en craincte,

Partie aussi par verité contraincte
Cheut aux genoulx de son Pere, criant,
Et d'oublier le passé, le priant
En promettant pour le temps qui viendroit,
Que son debvoir faire luy souviendroit,
Perdon luy feit, foy luy donnant aussi,
Qu'il luy seroit bon Pere : par ainsi
Qu'elle feroit la promesse impartie.

Xanthippe.– Quoy puis après ?

Eulalie.– La fille departie
Du parlement de son Pere, s'en va
Droict en sa chambre, où son mary trouva,
Luy chet aux piedz luy disant, Mon mary,
Jusques icy (dont j'ay mal demery)
Je n'ay jamais ne toy ne moy cognue,
Mais desormais toute aultre devenue,
Tu me verras : d'avoir je te supply.
Le temps passé seulement en oubly,
Ce mot receut d'un baiser son espoux,
Tout promettant, mais qu'en ce bon propos,
Perseverast de bon cueur, et remort.

Xanthippe.– Ce qu'elle feit ?

Eulalie.– Ouy jusques à la mort.
Et n'estoit rien si bas, ou peu valent
Qu'elle ne feit son mary le voulant,
Tres voluntiers de couraige joyeulx,
Tant grant amour, estoit né entre eulx deux.
Un temps après elle s'esjouissoit
Que d'un mary si sage jouissoit :
Si je ne fusse à tel homme rendue,
(Ce disoit el') j'estois femme perdue.

Xanthippe.– De telz maris, à celluy ressemblans
En est autant, comme de Corbeaulx blanz.

Eulalie.– Je te diray (s'il ne t'est pas trop grief)
Encore un mot d'un mary, (et bien brief)
Par la bonté de sa femme incité,
A vivre mieulx, voire en ceste cité.

Xanthippe.– Je n'ay que faire en rien pour le présent,
Et ton parler est à mon gré plaisant.

Eulalie.– Il est un homme assez de grand noblesse,
Qui (comme la coustume d'un noble est ce)
Chassoit souvent par fortune volage
Parmy les champs, en un petit villaige,
Il rencontra une jeune fillette

Qui fille estoit d'une pauvre vieillette,
Si commença d'aymer le personnage,
Combien que lui fust ja vieil par son âage,
Et pour l'amour d'elle le plus souvent,
Couchoit dehors soubz la pluye, et soubz vent,
Sa couverture, estoit d'aller chasser
Car venaison il alloit pour chasser :
Sa femme adonc (femme de grand bonté)
S'enquist du faict, et tout luy fut compté,
Et allant (ne sçay par quel' raison)
S'en alla veoir la rustique maison
En enquerant de tout : Où il beuvoit ?
Où il couchoit ? Quel banquet il avoit ?
Rien n'y estoit de mesnage appraisté,
Rien d'appareil, fors pure pauvreté.
En sa maison elle se transporta,
Puis retournant, avec elle apporta
Un très bon lict, mesnaige bel et gent,
Vaiscelle aussi d'argent, et de l'argent.
S'il revenoit, elle les admoneste,
De le traicter par moyen plus honneste
Non se disant sa femme. Cependant
Que sa soeur fust, leur donnoit entendant.
Un peu après leur mary retourné,
Voyant l'hostel de meubles mieulx aorné,
Si demanda : dont vient l'honnesteté ?
Une femme a cy très honneste esté
(Respondent ilz) qui est votre parente,
Portant cecy (femme très apparente)
Nous commanda que d'icy en après
Fussiez receu par plus propres appretz,
Lors luy frappa au coeur (selon l'effect)
Que c'estoit là, de sa femme le faict,
Il revenu au logis, luy demande
Incontinent, et dire luy commande
La vérité : Si en celle mesgnie
Avoit esté. Elle point ne le nye,
Puis derechef demande, à quel propos,
Elle y avoit du mesnaige dispos ?
O mon mary (dist elle sans envie)
Accoustumé tu es à meilleur vie,
Je te veoye avoir maulvais service :
Par quoy pensay, que c'estoit mon office,
(Puis qu'il te plaist, estre là sans mon sceu)
Que tu y sois honnestement receu.

Xanthippe.– O, que trop bonne estoit icelle matrone,

J'eusse plus tost soubz luy, et sa poiltron
Au lieu d'un lict, d'oreiller, et courtynes,
Mis un fardeau de chardons et d'espines.

Eulalie.– Mais, oy la fin, l'homme considerant,
La grand bonté, et doulceur attirant,
De son espouse, et femme debonnaire,
Oncq'puis ne fust furtif concubinaire :
Mais son plaisir print, sans aulcune diffame
En sa maison avec sa propre femme.

Juan Luis Vivès, Institution de la femme chrétienne, 1524-1542

*Né à Valence, Vivès échappe largement au contexte espagnol, c'est un humaniste européen par sa carrière, ses relations, le succès de son oeuvre. Etudiant à Paris, enseignant à Louvain, appelé à Oxford, précepteur de Marie Tudor, installé à Bruges à la suite de sa désapprobation du divorce d'Henry VIII, il correspond avec l'*intelligentsia *humaniste de la première moitié du siècle : Erasme, More, Budé...*

Son Institution de la femme chrétienne *s'inscrit parmi des tâches non moins caractéristiques de l'humanisme : édition commentée de la* Cité de Dieu, *publication d'un traité de la Sagesse. Un paradoxe très apparent spécifie la contribution de Vivès à l'élaboration d'une morale domestique, ce laïc marié se montre plus "clérical" qu'Erasme. La conception chrétienne persiste à faire du mariage un état qui est un pis aller rendu nécessaire à cause de la concupiscence. La femme se sanctifie dans la vie familiale mais très nettement est repris le vieux thème des pères de l'Eglise qu'il vaudrait mieux ne pas mettre au monde. La génétique aristotélicienne contribue d'autre part à donner des assises (scientifiques) à l'évidence naturelle de l'infériorité de la femme. Il reste évidemment au mari à s'efforcer de gérer au mieux l'épouse la conduisant par la confiance et l'éducation bienveillante... Traditionnel, Vivès affirme lui-même qu'il l'est, énonçant dans son Prologue à Catherine d'Aragon que pour ce qui est des Filles et des Veuves, soit deux livres du Traité, il écrit d'après les Docteurs de l'Eglise "plus par leurs auctorités que par nostre opinion". Cela ne signifie pas que son "opinion" soit réservée ou divergente mais que cette opinion fondée sur l'expérience directe de sa propre vie peut intervenir dans le livre central qui concerne les femmes mariées. Le livre est donc présenté comme rencontre entre l'érudition traditionnelle que possèdent les clercs et l'expérience propre qui, on ne peut s'y tromper, va donner une force nouvelle, on serait tenté de dire "moderne", au savoir hérité.*

Cet ancrage en quelque sorte intime d'un texte qui, de fait, est un collage érudit, on le retrouve chez le traducteur de 1542. Pierre de Changy traduit afin que les "bons enseignements" de Vivès ne demeurent "occultes et mussez par tel si haut latin à elles [*les femmes*] *non entendible", mais le propos général est inscrit dans l'intime du réseau familial du traducteur. C'est à "Marguerite, ma fille" que la traduction est dédiée, c'est "ton frère, maistre Jacques docteur ès droictz" qui l'a apporté de Dijon à Changy. Changy traduit et abrège, un traducteur ano-*

nyme dénonce en 1587 le travail de son prédécesseur qui a "si bien talhé et rongné par où luy a semblé, qu'à peine prendroit-on jamais son livre François pour estre la traduxion de celuy que Vivès a escrit en langue latine..." Une infidèle donc, on ne prétendra pas qu'elle est belle tout en préférant au fastidieux respect du pédantisme de Vivès cette version abrégée.

Aux trois livres de 1524, se trouve joint un traité de 1529 intitulé De officio mariti. *Les extraits cités appartiennent au livre* Des Femmes mariées *et à* L'Office du mari.

J.P.G.

LIVRE DE L'INSTITUTION DE LA FEMME CHRESTIENNE

tant en son enfance, que mariage et viduité.
Aussi de l'Office du mary,
naguères composez en latin par Jehan Loys Vivès,
et nouvellement traduictz en langue françoyse
par Pierre de Changy, escuyer.

Paris, Jean Kerver, 1542.

*(Nous citons d'après la réédition de Delboulle,
Le Havre, Lemale, 1891.)*

SECOND LIVRE CHAPITRE I

Que doit penser la femme qui se marye

La femme qui se marye doit reduire à memoire l'origine & l'institution de mariage & souvent revolver en sa cogitation, & en son esperit les loix, droictures & charges d'icelluy, & soy apprester d'entendre si grant mistere, pour après y pouvoir satisfaire. Le prince de si haultain oeuvre, après qu'il eut créé le masle, trouva decent ne le laisser seul, pour ce luy adjousta compaignie de forme semblable avec laquelle il peust converser, deviser, et suavement passer son aage, & consequemment procréer enfans ; car la conjonction n'a tant esté instituée pour lignée que pour la communion de vie, et indissociable societé. Le mary n'est point ainsi appelé pour nom de luxure, & volupté, mais de conjonction & d'affinité. Dieu donna la femme au masle, qui n'est autre chose, sinon qu'il estoit aucteur et consiliateur des nopces par institution du sacré mariage. Pour ce incontinent le mary ayma la femme selon le vouloir de l'instituant, & l'appella Virago, pource que de l'homme avoit esté formée, ordonnant que pour leur mutuel amour, l'homme laisseroit par après pere et mere, pour se joindre & adherer à sa femme pource qu'ilz seroient deux en une seule chair par conglutination de ce sacrement de mariage. C'est ung admirable mistere de faire ung de deux, comme dit sainct Paul, par la commixtion & copulation de maryez. Dont necessairement fault conclure estre chose très saincte, quant ainsi Dieu y assista familiairement & visiblement : car nul ne le pouvoit faire que la puissance divine.

Ainsi pensera la femme qui convolle en mariage, qu'elle n'est pas seulement appellée aux dances, jeux, convives, bancquetz ou à ses menus plaisirs : plus hault doit eslever son cueur : car Dieu ne veult telle conjonction pouvoir estre separée par homme vivant, quelqu'il soit, & tel neud ne peult estre deslié de main humaine que Dieu a serré, ny autre doit ouvrir, ce qu'est fermé à la clef que porte le seul aigneau immaculé. Appreste toy, femme, pour te copuler en amour comme Dieu t'a assemblé par sacrement. Rumine les charges et subjections futures plus que les plaisirs mondains, affin que telle association te soit facille et legiere, & que tu ne mette toy & la compaignie en moleste & fascherie inexplicable & misere perpetuelle. En ta main & puissance est tel affaire par pudicité, meurs, vertu, grace et amour : user de mary commode pour le gaigner par moyen, suyvant ses complexions, pour le reduire peu à peu selon l'exigence du cas, & vivre joyeusement avec luy, ou par ta dure teste et invincible ou trop opiniastre, le rendre austère, aspre, & reude envers toi jusques à la mort...

SECOND LIVRE CHAPITRE III

Comme elle se portera envers son Mary

Pour le deuxiesme poinct, longue recitation & difficile seroit à explicquer l'office de la femme. A peu de parolles l'a deschiffré nostre Seigneur quant il a dit, icelle estre une avec le mary : pour ce ne le doit autrement aymer que soy mesmes. Il a esté jà dit devant, mais le repeter ne sera inutile. Car après chasteté, c'est la souveraine vertu de la maryée. Ce signifie et recommande la société conjugale, qu'elle estime son mary par dessus tous, soit pere, mere, freres ou soeurs. Ainsi comme recite Homere de la chaste Andromaque.

Si l'amytié de deux personnes rend ung cueur & ung vouloir entre eulx, par plus forte & efficace raison, le fera mariage qui precelle & excede toutes autres amytiez, & faict de deux corps ung. Le mary luy sera beau comme Paris, vaillant comme Hector, fort comme Sanson, doulx comme Job, et ainsi des autres vertus & dons de grace. Lors par telle concordance d'amytié & de cueur uny ensemble, par estimation que l'on a l'ung de l'autre, est faicte une seule personne en une chair. Dieu commande à l'homme de laisser pere & mere pour se joindre à sa femme. Par plus grande raison elle est tenue de suyvre & adherer au mary, comme fille d'icelluy, plus molle & imbécille, de laquelle le mary est le chef & la teste, & par ce est à preferer : car elle a affaire de sa deffense, & sans mary elle est seule, nue, despourveue, & en dangier d'injure. S'elle est accompaignée de mary, elle a parens, maison, pays, richesses, & ce que luy est plus necessaire. La femme du roy Mitridates, nommée Hipsicratea, chercha son mary par les desertz fugitif, disant que là estoit son royaulme, sa richesse & son pays, là où estoit son mary, qui luy fut merveilleux soulas en sa fortune. Plusieurs desquelles l'on pourroit reciter contes innumerables, se sont bannies, proscrites, & rendues fugitives secretement en habitz d'homme ou dissimulé, pour suyvre leurs marys. Aucunes sont allez veoir leurs marys en prison pour les faires eschapper par changement d'habitz, & elles demeurerent prisonnieres pour eulx, au gros dangier & detriment de leurs personnes. La femme de Gonzalle Fernande, conte de Castille, persuada son mary qu'elle alla veoir en prison de muer & changer son habit pour se saulver, & elle demoura au peril de son mary : quoy sachant le roy de Castille, considerant tel amour et charité de la femme, pardonna à tous deux. Une dame en Angleterre s'exposa au danger de sa vie pour succer le venin du mary blessé au bras, & peu à peu attira le venin, dont la playe fut facille à guerir au medecin, ce que jamais autre ne voulut entreprendre. De telle bonne matrosne la gloire doit estre celebrée. Autres ont receu la mort voluntaire pour delivrer leur espoux, & autres ont voulu mourir avec leurs marys. Et plusieurs ès anciennes histoires se sont tuées ne voulant vivre seulles ; gectées en mer ou en feu, par regretz de leurs marys. Portia, fille de Caton, après la mort de Brutus son mary vaincu, voulut mourir, & pource qu'on luy osta tous ferremens, elle se suffoqua de charbons ardans. Cornelia, femme de Pompée, disoit chose indecente estre de non mourir de dueil après le decès d'ung vertueux mary. Telz actes sont proposez des histoires anciennes & payennes, pour inciter les dames à ne refuser choses mediocres & moindres pour la grant amour qu'elles doivent avoir avec leurs espoux, & demonstrer leur ingratitude & cruelle impieté, mesmement d'aucunes legières, à se preferer à leurs marys, leur dire injures & ignominies, maledictions, imprecations, & parolles des mescontentement. Elles ont le cueur plus felon que les bestes quant par telz actes & villenies, elles affligent et molestent leur sang, leur corps & elles mesmes en la personne de leurs marys, quant au contraire le devroient consoler, & y remedier par doulce remonstrance, ou diminution de leurs biens temporelz. La femme doit entendre, que non seulement elle se doit abstenir de objurgation pour cause legiere ou petit dommage, mais aussi pour eslargir & distribuer son patrimoine, selon l'exigence du cas ; autrement n'est digne d'estre appelée chrestienne ou bonne femme. A tard vouldroient exposer leur bien pour la rençon de leur baron, qui pour leur prochain chrestien le devroient faire.

Il ne suffit aymer son mary comme frere germain ou autre amy : car avec l'amour, crainte ou reverence doit grande obeyssance & service, selon les ordonnances des droictz de nature, qui commandent la femme estre subjecte à l'homme et luy obeyr. Entre les animaulx les femelles naturellement obtemperent aux masles, les suyvent, flattent, blandissent & permettent estre chastiées d'iceulx. Aussi nature a armé les masles de plus grant force comme voyez entre les cerfz, et le thoreau est plus robuste que la vache : qui demonstre que aux masles appartient de batailler, à la femelle de le suyvre, en sa tutelle et garde se confier, et en doulceur s'accommoder à ses meurs pour seurement vivre. Pour ce, dit Aristote au livre des animaulx, que les femelles sont moins nerveuses & robustes, ont la chair plus molle, le poil plus délicat, & moins de force que les masles. Bien devons surmonter les bestes par humaine raison ; pour ce en evitant insolence et arrogance, la femme se rendra obeyssante à son mary, quant elle pensera que luy seul est son pere, sa mere, ses parens, & tout ce qu'elle doit aymer. La femme folle & insensée qui ne honnore son espoux, peu devroit obeyr à ses supérieurs, & si à ses progeniteurs elle doit obeyr et ne les vouldroit molester, ne inquieter ou leur deplaire, moins le devroit faire à son mary par statutz naturelz, et commandemens humains et divins.

Il n'est femme si honorable qui voulust ou deust surmonter l'honneur de son mary. C'est chose ridicule et execrable, que la dame pervertissant & gastant les loix de nature, prefere sa reputation à celle de celluy qu'elle a prins pour seigneur et maistre : comme le chevalier qui veult commander à l'empereur, le paysant à son seigneur, la lune au soleil, & le bras à la teste. En union de mariage l'homme est l'ame et la femme le corps : l'ung commande & l'autre sert. Et, comme dict sainct Paul, l'homme est la teste de la femme. Si en passant oultre nous alleguons les divines institutions, nous les trouverons plus valloir que les raisons naturelles & humaines. Dieu par ses premieres loix establit & ordonna au nouveau monde & encores rudes, que Eve & les autres femmes seroient soubz la puissance de l'homme, lequel luy domineroit. Sainct Paul, maistre de divine sapience, en plusieurs lieux & passages, rend la femme subjecte au mary. Sainct Pierre, prince des Apostres, en promulgue edict pour non prendre par elle auctorité sur le mary. Ainsi obeyssoit Sarra, laquelle appeloit Abraham son seigneur. Sainct Hierosme conseille aux femmes garder l'auctorité de leurs marys. Tous ceulx de la maison doivent apprendre de toy espousée, combien l'on doit d'honneur au maistre par ton service & humilité ; tant plus sera estimée quant plus le honnoreras : car mieulx ne pourras aorner le corps que en la dignité de la teste, & tu ne le pourroist demonstrer plus grant en autorité que par ton obseque & service. Folles femmes & insensées ne se peuvent mieulx demonstrer que quant veulent presider à leur mary, duquel l'honneur leur depend : car en voulant accepter l'honneur elles le perdent. Les alliances, richesses, parentez ou fortune faillent à la femme & l'honneur, si le mary en a default. Qui pourra avoir le mary en reverence, quant on le voit subject à sa femme ? Mais par le contraire ignobilité ou povreté ne rendent mauvaise grace quant le mary est en reputation.

[...] Femme de petit vouloir ne fait compte du mary ou du voisin plus avant s'ilz sont egrotans & malades, que l'ung est à la maison & l'autre dehors. Et combien que vertu sans lumiere reluyst & resplendist en tenebres, toutefois je reciteray ce que je, & plusieurs autres, avons veu à Bruges, d'une femme nommée Clere, vierge tendre & specieuse qui fut amenée & joincte par mariage à Bernard Vauldeure, aagé de plus de quarante ans, laquelle le premier soir de ses nopces, veit son mary ulcéré ès jambes enveloppées de drappeaulx & oignemens. Lors congneut qu'elle avoit espousé mary malsain, caducque & maladif, lequel toutes fois elle n'eut en desdaing lors, ny après que icelluy Bernard cheut tantost en griefve infirmité, tellement que les medecins desperoient de son salut. Elle toutesfois & sa mere, en grant soing & sollicitude entour le lict du malade, firent tel debvoir que par six sepmaines entieres ne furent despouillées en lict, ne prindrent repos l'une ou l'autre plus d'une heure, pour subvenir au pacient du grief mal & contagieux que l'on dit la maladie de Naples ou d'Espaigne. Les medecins persuadoient de non luy toucher ny approcher : aussi faisoient ses parens & amys, disans qu'elle devoit entendre plus à son ame que au corps pour preveoir sepulture. De ce n'en fut estonnée, mais le nourrissoit à toutes heures, par humecter les potages qu'elle luy faisoit, & elle mesmes le nectoyoit de drapeaulx hault & bas par les conduictz qui deffluoient, & distilloient de son corps. Advint depuis que icelluy Bernard vint en convalescence par le bon & doulx traictement d'elle, comme affermoient les medecins, en sorte que ung de ses voisins facessieux & bon gaultier disoit, que Dieu avoit tué Bernard, mais sa femme l'avoit retiré & arraché de ses mains. Depuis icelluy Bernard rendit humeurs ardens de son chef par les narines, auquel les medecins ordonnerent petites herbes pulverisées, pour luy souffler par un thuyau, & pour ce que l'on ne peut trouver personne qui ne refusast tel labeur pour l'horreur de son infection, sa femme seule y mist ordre. Sa barbe & son visage fut tant arrosé de tel humeur infaict que nul barbier y voulut mettre le rasouer : sa femme lui tondoit des forces chascune sepmaine. En oultre, il tomba en autre griefve infirmité par l'espace de sept ans pendant lesquelz, par infatigable & merveilleuse diligence, luy appresta viandes, oignit ses playes, & contracta chascun jour ses jambes distillantes grosses infections intolerables, en quoy elle prenoit plaisir, comme s'elle eust sentu du musc ou bon odeur. Elle affermoit son alaine doulce, mais nul le vouloit approcher de dix pas. Pendant ce temps qu'il convint faire gros fraiz pour homme tant vexé de maladie, pour le nourrir & soulager en maison, de laquelle les gaings de longtemps avoient cessé, sa femme exposa en vente ses anneaulx, doreures, bagues & habillemens, desquelz liberallement elle se depouilloit, affin qu'en riens son mary ne fut necessiteux. Elle se contentoit de peu pour son vivre, affin de respargner à son mary tant passionné & affligé de douleurs. Vingt ans elle fut avec luy maryée, duquel elle eut des enfans, sans jamais avoir este entachée de la susdicte contagieuse maladie, ny aussi ses enfans. Finablement ce malade termina sa vie par mort, avec si grant regret d'icelle Clere, que ceulx qui la congnoissoient, disoient n'avoir jamais veu jeune mary, beau, riche & entier de son corps, laisser sa femme en telles lamentations. Plusieurs estimoient & taschoient à la resjouyr plus que à la consoler : desquelz elle rejectoit, desirant son mary tel qu'il estoit : & quoy qu'elle fust jeune vefve, depuis ne se voulut remarier, disant que jamais ne trouveroit tel qu'estoit son Bernard. A present est question du bon vouloir des maryées & de leur amour qui ne vient seul : car il est tousjours accompaigné de vertus, dont icelle Clere donne exemple, laquelle n'avoit pas seulement espousé le corps de Bernard, mais son cueur qu'elle estimoit comme le sien. Après son decez elle observa les ordonnances & commandemens de son mary en grant reverence, comme s'il eust esté vivant. Euripides eust autant loué les femmes comme il les a vituperées, s'il eust eu telle compaigne. Aussi eust faict Agamenon après la victoire de Troye. Telles histoires ne doivent estre celées, car moindres sont recitées pour memoire, affin de admonnester les maryées de leurs charges & offices. Icelle Clere jeune & delicate estoit accompagnée de servantes pour traicter son mary, s'elle l'eust souffert. Plusieurs nobles dames n'en ont pas moins faict, ce que seroit long à racompter : mais communement nous recollons plus les meffaictz passez que les actes vertueux.

Nous lisons la noble dame, femme de Temistocles, prince de Grece &

d'Athenes, & plusieurs autres princesses avoir esté cuysinieres, medecines & cirurgiennes à leurs marys. La royne de Bretaigne succeoit les playes de son baron. Les dames romaines ne souffroient les vieulx marys & malades estre traictez que de leurs propres mains. Toy, maryée, estime tu estre plus noble de sang ou de richesses que ces bonnes matrosnes ? Bien est vray que celles qui sont illustres de vertus & de hault faictz sont les plus nobles ; mais pour noblesse de lignée si tu fais autrement, tu demeureras ignoble & obscure, & ne sera congneue ta noblesse, morte ne vive, quoy que d'icelle tu en face cas & estime en ta pensée. Si tu viens à improperer que tu as chevance ou apporte douaire & mariage pour faire penser ton mary, il est doncques maryé à l'argent, non à toy. Femme insensée, pense tu estre espouse seulement pour ce que tu couches avec luy ? Et que en ce soit le sacrement de mariage ? Car si tu es inseparable compaigne, pourquoy as tu horreur de toucher les playes & fistures de celluy qui est un corps avec toy par conjonction sacramentalle ? A tard le ferois tu à tes progeniteurs, freres, seurs, ou parens, quant tu le desdaigne à ton mary, qui est à preferer à tous. Aussi telles femmes delaissantes leurs malades n'ayment ny sont aymées. Considere entre les bestes brutes les femelles lescher les playes des masles, soit entre beufz, chiens, lyons, ours ou autres. Et s'il ne vous desplait que je parle hardiment, celle qui ne veut veoir ni traicter les membres douloureux ou pourris de son mary, est souspesonnée que mieulx traicteroit l'adultere, comme advient aucunes fois : car elle en est retirée plus par vice que nature. En passant oultre je parleray d'autres especes des infortunez. Si l'homme est de mauvaises meurs, tu le dois supporter, non esguilloner par meschanceté : car jamais autrement n'auras fin de mal & misere : mais le dois admonnester doulcement, quant il est a sens rassis, de mieulx vivre, & par moyen remonstrer les inconveniens. Si par continuation il te escoute tu proffite à toy & à luy : s'il s'en escarmouche, ne l'en presse lors plus avant. Tu fais en ce ton debvoir en ayant patience : & en supportant sa mauvaisetié & malefice, tu en auras gloire du monde & remuneration de Dieu qui t'envoye telle persecution, comme dois penser, pour ton salut & tes pechez, affin de rachepter eternelz tourmens par petites peines de ce monde. Il y a aucuns marys folz, abandonnez des medecins, volages, prins du cerveau, opiniatres, incorrigibles : iceulx la femme les doit traicter par prudence & petits expediens, comme l'on apprivoise la beste sauvage ; & sera comme la bonne mere, laquelle est plus curieuse de l'ung de ses enfans difforme, debile ou mutilé que des autres, par pitié qu'elle en a. Ce qui dit est, c'est de tous cas d'infortune : car tel qu'il est, Dieu, l'Eglise & tes parens le t'ont donné, & tu l'as prins pour mary, maistre & seigneur, par quoy tu dois garder ta foy & ta promesse ; en quoy faisant de bon vouloir par consideration des choses dessusdictes, rien ne te sera grief.

L'improbité & meschante teste d'aucunes matrosnes a rendu difficile de sçavoir comme l'on doit obeyr au mary. Je dis quant aux choses honnestes, ou qu'elles ne sont en soy bonnes ou vicieuses, il n'est point de doubte que la maryée doit obeyr à son espoux : car le chef de la femme c'est le mary, oultre ce que la femme doit à Dieu par ses commandemens, elle ne luy doit aucune chose offrir ou donner oultre le gré du mary, soit vouer continence ou autre chose, car elle n'a pas puissance de son corps, comme avons dit. Par ce, si le mary a affaire de ton service, tu ne dois aller aux convives ne autres lieux de delices : car c'est affaire à femme abandonnée. Saches que tu n'y trouveras point Dieu. Il veut bien que tu aille à l'église au sermon, et pour ouyr la parolle de Dieu, mais que ce soit quant tu seras delivre des negoces & charges du mariage. Tu veulx visiter les chappelles : fais que ce soit quant le mary n'aura que faire de toy à l'hostel. Dieu ayme mieulx telle obeyssance de mariage & en y satisfaisant à telles charges, mieulx on luy peult complaire que par sacrifice. L'Evangile ordonne de non approcher à son autel, que preallablement on ne soit reconcilié à son amy ou ennemy : par plus forte raison ce ne doibt estre en hayne du mary, qui doit estre aymé sur tous autres, car obedience est preferée à sacrifice. Que te proffite visiter les chappelles, ou faindre longue devotion à l'eglise, quant le mary expressement prohibe le contraire ? Tu quiers Dieu au moustier, & tu as laissé le mary malade, fasché, ou prest à desjeuner. Auprès du lict en le servant ou à table est l'autel de Dieu, de sa mere, des Anges & des pardons. Là est paix, concorde & charité, pour ceulx qui sont associez & conglutinez par telle conjunction inseparable. Dieu a reservé à luy souverain honneur & reverence, & donné aux hommes mutuelle charité, singulièrement aux maryez.

Reconcilie toy à ceulx à qui tu es tenue, facillement tu auras appoinctement à luy : car il n'a gueres affaires de nostre service, & nous enjoinct pitié, amour & charité, pour vivre amyablement & paisiblement : & n'y a meilleure voye pour obtenir & avoir grace de Dieu que la charité & benevolence des hommes. Pour ce la femme assiste à glorieuses matines en consolant le malade. Elle tourne bons feuilletz de ses heures, quant elle le recouvre, & environne sacrées chasses quand elle circuyt la couche du pacient. Plusieurs sont qui frequentent les eglises, plus pour confabulations & accoustumances que par devotion : contre lesquelles n'est besoing de disputer : car assez a esté dit que à l'église se doivent taire & à l'hostel interroguer leurs marys. Lors s'il erre, il est seul coulpable & la femme excusée, quant ce n'est chose qui concerne la foy. Quant aux choses iniques & contre l'honneur de Dieu commandées par le mary, elle n'y doit aucunement obtemperer : car Jesu Christ est la teste & le chief de l'homme, sur tous superieur. Tel est et si fort le lyen de mariage que (comme dit Aristote de l'Office de la femme) les meurs du mary, c'est la loy donnée de Dieu à la femme par compaignie de conjonction sacramentale. S'elle les ensuyt de bon vouloir, facilement regira sa maison, autrement vivra à difficulté. De quoy est expedient que non seulement elle obtempere à son vouloir en choses prosperes, mais aussi en adverses. S'il y a deffault en luy par debilitation d'aucuns membres, ou alienation d'entendement, parquoy il luy fasse chose indigne ou indecente, le attribuera à douleur ou à ignorance, & le mettra en oubly : car tant plus qu'elle le servira, tant plus elle aura grace envers luy quand il sera delivre de la maladie.

Plus doit complaire la maryée à l'homme, que s'elle avoit esté acheptée comme esclave : car de grant pris est sa societé, & de grant valleur, comme unye en la vie commune & procreation des enfans. Femme mal adressée, s'elle eust vescu avecques homme fortuné, & de grant sens & sçavoir, elle n'eust jamais esté par la vertu illustrée, ne demontrée : mais se contenir moderement en fortune dure, aspre & diverse, vient à grant reputation & de hault vouloir.

Doncques elle doit prier journellement pour la conservation de son mary, & que aucun inconvenient ne luy advienne : toutesfois advient il autrement, le portera paciemment & elle rapportera grant louenge de supporter la calamité du mary infortuné. A l'exemple de Penelope & plusieurs autres matrosne exaltées par renommée éternelle, qui eust obfusquée, s'elles eussent eu prosperes marys : car il est facile en abondance trouver des participans, mais en adversité chacun s'en retire.

Par ce celles qui observent foy & loyaulté en temps nebuleux & fascheux sont dignes de gloire, quant ne contempnent en riens leurs marys par diminution d'honneur ny de service.

SECOND LIVRE CHAPITRE X

De la cure et soing qu'elle doit avoir envers ses enfants

Au commencement si la nouvelle maryée ne devient enceinte, non seulement le doit porter moderement, mais s'en doit resjouyr, car elle est quicte de l'incredible douleur que l'on a à l'enfantement. Innumerables langueurs adviennent aux pregnantes, perilz & dangiers à le porter, rendre, nourrir & entretenir avec grandes sollicitudes & doubtes qu'il ne soit pervers, face ou reçoive aucun mal. Je ne puis entendre la raison de ce désir à porter enfans. Veulx tu estre mere pour remplir le monde, comme si sans toy il deust finir ? C'est comme adjouster deux ou trois espiz aux champs des moissons. Ne soys curieuse de remplir la maison de Dieu : il y mettra bien ordre sans toy, deust il exciter enfans de pierres. Saches que la malediction ancienne de la sterillité est passée. Maintenant tu as autre loy, en laquelle virginité est preferée à mariage. Pour ce l'Evangile beatifie la sterilité & les mammelles qui n'ont alaicté : considere se tu es une d'icelles. En Flandres une femme approchante cinquante ans vefve se remarya, voulant essayer si c'estoit par elle ou son feu mary qu'elle n'avoyt eu aucuns enfans. Au bout de l'an, elle enfanta en extreme douleur, & le lendemain fut enterrée avec son filz. Tu desire veoir tes enfans : seront ilz autres que ceulx que tu congnois, par quoy tu doive avoir telz appetits immoderez, quant tu peulx choisir enfans pour adopter & aymer comme tiens ? Si on voyoit en figure ou paincture les calamitez & grevances que les enfans engendrent à leurs meres, l'on auroit en crainte de porter comme serpens venimeux. Quelle resjouyssance trouvez vous aux enfans ? S'ilz sont jeunes, peine immortelle : s'ilz sont adolescens, crainte & soucy à quoy ils se inclineront ; s'ilz sont maulvais, regret éternel ; s'ilz sont bons, perpetuelle sollicitude qu'ilz ne se changent, qu'ilz s'absentent, qu'ilz ne meurent, ou qu'il ne leur vienne inconvenient.

Octavie, seur de l'empereur Auguste, le tesmoignera, & plusieurs autres joyeuses meres, mortes en griefz regretz par affliction des enfans. S'il y en a plusieurs, plus y a d'anxietez, & la vice de l'un efface la joye des autres. Quant sont femelles, ymagines quelle cure y a à les dresser, garder & loger ; joinct que peu souvent les pere & mere voyent leurs enfans bons & vertueux, s'ilz ne viennent à grant aage, car la vraye bonté est accompaignée de sapience. Platon dit estre heureux celluy qui en vieillesse a vertu & sçavoir, & lors les progeniteurs sont redigez en cendre. La femme est ingrate qui ne recongnoist tel benefice de Dieu de non porter enfans ou les perdre, avant que d'avoir l'infortune d'iceulx, comme dit Euripides.

Bien je concede que comme naturellement chascun animal appete conserver son espece par engendrer son semblablc, ainsi la femme appete d'estre mere, sans lequel désir ou plaisir peu de femmes en feroient les oeuvres. Ne reproche ou impropere à ton mary la sterilité, que la coulpe ne soit en toy par nature ou volunté de Dieu. Peu d'hommes produict nature sterilles, femmes plusieurs. Ce appert par la raison des philosophes qui dient que à concepvoir enfans l'homme y fournit plus que la femme. Par ce ne fault inculper à Dieu les faicts très justes qui faict tout pour le mieux. Auquel seul l'on doit demander lignée, comme bonté ès enfans, car ce sont dons de Dieu, pour lesquelz obtenir l'on peult justement le prier, remettant le tout à son sainct vouloir, sans y adjouster autres remedes que prieres, oraisons, ou aulmones. A Dieu l'on doit requerir lignée, & bonne ; car s'elle estoit mauvaise, mieulx vauldroit engendrer ung dragon ou ung loup. Faitz requeste comme la mere de Samuel, celle de la Vierge Marie, de sainct Jehan Baptiste, de Ysaac, Samson & d'autres, par larmes & prieres, avec sainctеté de vie : autrement conceuz, ne peuvent estre que vicieux. L'ange admonesta la mere de Samson de non boire vin, ne cervoise, en luy annonceant sa conception, qui denote sobresse devoir estre ès pregnantes & enceinctes. Si la femme a des enfans, seroit chose difficile à expliquer & deschiffrer la cure d'iceulx par le menu. Pour le premier, elle estimera & reposera tous ses tresors en iceulx.

Une dame (laquelle estoit du pays qu'on appelle maintenant Terre de labeur en Italie) riche & opulente, arrivée à Romme, logea en la maison de la dame Cornelie des Gracchiens. Elle monstra grans tresors d'habitz, metaulx, & de toutes sortes de pierres precieuses, priant son hostesse luy monstrer ceulx de son hostel & son cabinet. Le soir que ses enfans furent venus de l'estude, les luy monstra en luy disant : voylà mon seul tresor de ces quatre filz qui sont ma totalle richesse, & en iceulx j'ay ma seule sollicitude. A tel tresor conserver & augmenter, l'on ne doit refuser labeur : car charité & amour le rendent legier. La bonne dame les nourrira de son propre laict quant seront nayz, comme elle faisoit en son ventre, s'elle peult : ainsi font les autres animaulx. Nature convertit, tant est sage & benigne, le sang duquel l'enfant estoit nourry au ventre en laict, & le transmect blanchy aux mammelles pour l'en substanter, selon que a esté dit au premier livre. Apres s'elle sçait les lettres, les apprendra en jeunesse, pour user d'une mesme mere, nourrice, maistresse & mieulx aymée. Aux filles monstrera l'art muliebre de filer laynne, lin et chanvre, couldre & administrer le faict domestique, en luy commettant peu à peu à garder clefz. Il ne sera dur à la bonne mere lyre choses devotes & sainctes pour rendre ses enfans meilleurs : car ilz reçoivent les premieres informations & conduictes qu'ilz ont veu ou ouy de la mere, & les incorporent dès jeunesses, qui sert beaucoup plus que l'on ne pense, car selon ce la mere les peult rendre bons ou mauvais. Pour ce reduyrons briefvement aucunes instructions.

La mere evitera de parler rusticquement, que telle façon ne croisse avec l'aage des enfans & continue longuement. Adolescens ne retiennent leur parler commun que de la mere en vices ou en vertus, comme ilz oyent dire à leurs meres. Dont advient que eulx venus en aage, ilz ont le cueur & vouloir tendre & mol ; car par accoustumance on leur dit plusieurs mensonges qui les reduict à difficulté de sçavoir prudence, comme recite Platon. Ainsi avons veu en plusieurs pays complainctes, comme en ceste ville de Valence & autres, que les enfans ont longuement retenu le langage de leurs meres. Pour ce auront les progeniteurs livres d'histoires ou fables honnestes, tendans à commandation & louenge des vertus & extirpation des vices. Et combien que l'enfant n'entende que c'est vice ne vertu, toutesfois il se habituera & acoustumera selon qu'il apprendra de la mere. Elle l'admonestera selon son aage, en louant les vertus & deprimant les vices. Le repetera souvent pour l'infiger & imprimer ès cueurs rudes & vollages : car ilz retiennent en memoire & incorporent ce que la mere faict ou dict. Ilz vont à elle & l'interroguent, ilz croyent ce qu'elle leur dit comme l'Evangile. Elle leur doit remonstrer les richesses, puissances, honneurs, gloire, noblesse, forme, beaulté & force estre vaines & à contempner ; & par le contraire justice, continence, doulceur & charité estre vertus qui subliment la personne en ce monde & en l'autre. S'elle entend aucun bienfaict, sagement & industrieusement l'extollera & le louera ; mais s'il est de malice, le redarguera, & improperera par grande reprehension. Quand elle baisera son enfant, ne priera Dieu qu'il ait grans tresors comme Crassus, haulz honneurs comme Cesar, heureux comme Auguste : mais ainsi Dieu te doint estre juste, imitateur de sainct Paul, entier comme Caton, bon comme Senecque, docte comme Aristote, eloquent comme Ciceron ou Demosthenes ; & pour le meilleur souhait de les veoir en Paradis.

[...] J'ay veu & leu peu de gens estre elevez sans bonne instruction. Les corps ne sont plus debilitez que de delices ; par quoy les meres perdent leurs enfans, quant voluptueusement les nourrissent. Aymez comme devez, en sorte que l'amour n'empesche les adolescens de les retirer de vices, & les contraignez à crainte par legieres verberations, castigations, & pleurs, affin que le corps & l'entendement soyent faitz meilleurs par severité de sobresse & nourriture : Meres, entendez que la plus grande partie de la malice des hommes vous est a imputer, car vous ryez de leurs meffaictz par vos folies ; vous leur ingerez perverses & dangereuses opinions, & de vertu les attirez aux laz dyaboliques par voz larmes & faintives compassions ; car vous les aymez mieulx riches ou mondains que bons. Telle fut Agripine mere de Neron, laquelle par oracles fut advertie qu'il serait empereur, mais qu'il ferait tuer sa mere, comme depuis il advint. Vous craignez que les enfans n'ayent froit ou chault pour leur faire apprendre vertus, & en les traictant en delices, vous les rendez vicieux ; dont après vous plorez à chauldes larmes & regrettez ce que vous avez faict. La fable est notoire de l'adolescent qu'on alloit pendre, qui pria de parler à sa mere, & luy arracha l'oreille, pour ce que mal l'avoit chastié en jeunesse. Que pourra on dire de la fureur & folie des meres, qui ayment leurs enfans vicieux, yvrongnes, noyseux, & esgourdys, plus que vertueux, sobres, modestes & pacifiques ? Les veneurs estiment le chien meilleur celluy que la chienne prent le premier, ou que mieulx elle traicte ; mais entre les enfans, celluy que la mere a le plus cher, est communement le pire.

Jamais mere ne ayma son filz mieulx que la mienne, mais c'estoit sans m'en appercevoir : car oncques ne me monstra bon visage, ne pardonna une faulte sans correction ; mais se j'estoys absent, elle estoit moult curieuse de moy & au retour ne faisoit apparence de son désir. A Paris, j'avoys un compaignon qui se resjouyssoit de la mort de sa mere, pour ce que s'elle eust vescu, il ne fust allé à l'estude, tant le nourrissoit en ses menus plaisirs & voluptez. Prudente femme eslira plus tost la mort honneste de son filz que vivre en reproches.

La mere sainct Loys roy de France desiroit plus veoir le decez de son filz unique que le veoir commettre ung peché mortel. Pour ce devez appeter aux enfans plus bon renom que vie deshonneste, comme l'on recite des dames de Lacene qui ont occis plusieurs de leurs enfans lasches & meschans, disans qu'ilz n'estoient à elles ne du pays de Lacedemonie. Auguste mere de sainct Symphorien, incita son filz à martyre. La dame Sophie près de Rome mist en sepulture de ses mains trois de ses filles qu'elle veit joyeusement endurer la mort pour la gloire de Jesu Christ soubz l'empire de Adrian. Pour ce apprendront les progeniteurs choses sainctes aux enfans plus que proffitables & les feront suyvre gens vertueux, plus tost que ceulx qui en brief sont devenus riches. Non sans cause l'on reprent les Megarenses qui apprenoient à leurs enfans fructifier par avarice, & acquerir par quelque moyen que ce fust : car lors ilz desiroient la mort de leurs parens, & aucuns les ont estainctz & faict mourir par venin pour leurs longues vies, & leur reprochoient que leurs cupiditez les avoient nourris en telz vices. Si sera cohibée telle insacieté par severité de saincte discipline au premier aage des enfans, qu'ilz n'ayent abandonnement aux vices dont à difficulté ilz soyent revocquez. Le Sage dit que la verge ne doit estre espargnée au dos du filz & moins à la fille. Le pardon corrompt les masles, mais les femelles en sont totalement perdues. Par licence les filz sont faictz pires, & les filles adonnées à tous vices, s'elles ne sont refrenées. Prenez advis, parens, de ne faire ou dire chose indecente devant la fille, car elle ne prendra en gré le chastiment de ce qu'elle fera comme vous non plus que le cinge : car plus induict l'exemple que la remontrance & la veue que l'ouye. Si le filz jure, la folle femme dit qu'il sera rustre & gallant ; s'il faict quelque tromperie, qu'il sera fin, & telle louenge les exalte en vices. Le proverbe est non sans cause : de bonne mere prens la fille ; car ce n'est pas peu d'estre apprins & acoustumé ou nourry d'une sorte ou d'autre.

QUATRIESME LIVRE DE L'OFFICE DU MARY

CHAPITRE II

De Eslire femme

Avant que d'entrer en propos, je deteste ceulx qui ne cherchent femmes, mais les ravissent ou fraudent. Amour est attiré par autre amour, parfaicte foy & vertu, non par violence. Adam ne ravist Eve, mais Dieu luy donna pour acquerir amytié. Qui considere & experimente les meurs & conditions de ceulx que voulons aymer : par plus forte rayson le devons faire à eslire femme, princesse d'amytié. Aucuns preferent beaulté ou richesse à amour, & aymerent mieulx detriment & dangier de leur personne que de leurs biens temporelz, combien que l'argent ne surmonte l'estude : mais ce advient par leurs desordonnées affections, comme aucuns souffreroient plustost estre expulsez & privez de tous leurs biens que autres de partir ; ainsi que l'ung veult asprement venger petite injure, & ung autre souffreroit estre batu & oultragé. Si doncques à choisir amy (avec lequel on a peu à converser) fault precogiter de près ses façons de vivre, combien est il expedient à eslire femme, laquelle doibt perpetuellement demourer avecques toy, à table, au lict, en chambre, & en ton cueur ? Si tu te absente, tu luy commetz la maison, tes negoces, ta famille, tes enfans, qui t'est la chose plus chere. Elle te convoye, elle te reçoit au retour, elle te baise & embrasse. Si tu as quelque joyeuseté nouvelle, tu luy communiques ; elle participe en ta tristesse. Pour ce y a double voye & doubteuse en mariage : l'une attire à misere l'autre à felicité ; pour ce qu'il est bien expedient sur ce deliberer. Election, est prendre la chose que l'on presume plus utile pour la fin : pour ce le sage considère plus la fin que son affection. Or n'est aucun sage, s'il n'a experience, ou usage & notices des choses. Pour ce empeschent l'election, l'imprudence & affection tant aux jeunes que ès vieulx. Doncques doivent referer aux parens l'election de la femme, qui les vouldroient conseiller comme eulx mesmes : & doibt bien craindre le jeune que la perturbation de son esperit par desordonné désir compense sa briefve volupté en sempiternelle & perdurable penitence.

Souvent trouverez clandestins mariages & frauduleux se mal porter ; & peu malheureux qui sont faictz par conseil & advis des parens & amys curieux & experimentez, lesquel doivent principallemen avoir en esgard & consideration de eslire telle femme que en paix, tranquilité & amour, l'on puisse converser & vivre avec elle, sans avoir esgard singulier aux puissances, auctorité ou richesses : dont, par après, eulx & leurs enfans ont regret. Et sur le tout en telle election (comme en tous autres actes) fault songneusement implorer & demander la grace de Dieu pour avoir femme sage & de bonne vie. Car le douaire est donné des parens, mais de Dieu la prudente : pour ce est le proverbe commun, qu'il est mal ney qui est mal maryé. Mais avant que de parvenir à celle election, fault explicquer & entendre l'esperit

& l'entendement, affin qu'on ne se tienne pour deceu de plusieurs cas survenans. L'homme consiste du corps & de l'ame. En l'ame y a deux parties : la supérieure, en laquelle est jugement, conseil & raison, qui est dicte la pensée, & l'inferieure, en laquelle sont les mouvemens, affections & perturbations. Les voluntez naiscent d'opinion, & les opinions sont diverses, petites, moyennes ou excessives selon les corps. Pour ce les affections sont communes aux masles & femelles en tous estatz comme les persuasions, plus grandes aucunes fois en l'ung qu'en l'autre. Naturellement quant la semence de l'homme est receue au ventre maternel, s'elle est en suffisante chaleur, l'homme engendre le masle, autrement la femelle. Pour ce par deffault de celle vive chaleur, la femme est plus imbecile par nature, moins en seureté, plus caduque, averse & craintive, dont plusieurs choses luy sont necessaires qui l'occupent en la cure de maintes petites négociations ; comme ung édiffice ruyneux, & par crainte, est souspesonneuse, quereleuse, envieuse & agitée de diverses cogitations. Par quoy en gros & long negoce elle est imprudente, & par son occulte imbecilité, elle a suspition d'estre desprisée, comme de plus debile matiere ; dont comme en estouppes facillement est enflammée à ire & convoiteuse de vengeance. Et d'autant qu'elle s'estime mesprisée & debile, elle ayme estre aornée & parée, & repute à honneur petites choses, comme estre saluée des princes ou regardée du peuple. D'icelle crainte provient superstition, comme sapience persuade religion ; & par consequent loquacité par varieté & multiplication d'affections : Ces choses avant dictes adviennent par nature, non par sexe. Pour ce voyons plusieurs hommes imbeciles, plus muliebres que les femmes par nature ; car assez trouverez ès histoires romaines & cathalogues des sainctes la force & virilité de plusieurs dames. Entendez que ces choses avant dictes sont recitées pour demonstrer que, comme l'on ne peult totalement muer, divertir ou changer les complexions naturelles de l'homme, aussi ne faict on pas de la femelle, qu'elle ne soit femme ; & comme le masle, imbecile, muable, maladif, subjecte à ses passions. Par quoy qui se veult joindre à elle doit supporter ses complexions, ou les moderer par moyen comme nous endurons les mauvaises conditions d'ung amy. Par plus forte raison devons supporter telles façons en femmes ; car s'elles avoient force virille, facillement ne se laisseroient gouverner ne dominer, non plus que les hommes qui, soubz umbre de liberté couverte d'orgueil, ne veulent estre suppeditez. Pour ce par ta force robuste & agu esperit ou prudence, tu domineras sur elle, en vivant avec ses inclinations naturelles : car il est plus grief endurer mauvais seigneur que mauvais serviteur. Il n'est a doubter qu'il convenoit la femme estre telle, quant subjecte estoit establie à l'homme, & Dieu qui faict tout pour le mieulx n'en doit estre reprins. Et ores que les affections feminines pourroient estre muées en virilles, on le devroit recuser.

Si la femme estoit aussi robuste en corps & en esperit, comme se rendroit elle en la subjection d'ung pareil ou moindre de soy ? Qui la tiendroit à l'hostel ? Qui conserveroit le faict domestique, consistant en tant de menus et petites choses necessaires ? qui feroit la cuisine ? Qui nourriroit les enfans ? Plustost renonceroit à tout, & yroit demourer ès foretz que en telle subjection.

Son parler est souvent blandiment & recreation au mary, quant il revient des negoces, & apprent ses enfans à parler, ce que desdaigneroit le masle. Son aornement pur & nect est utile, non seulement à la mundicité du faict domestique & commodité de vie, mais aussi à santé, à recreation d'esperit : car on ne peult se resjouyr à veoir choses immundes. Son envie aguise ses vertus, son industrie & art, sa diligence, quant par icelle, elle mect peine de faire mieulx que sa voisine. Je ne treuve superstition en la femme estre intollerable, quant elle n'estainct ou opprime la religion catholicque, car par son ignorance est souvent en doubte. Ce sont les promptitudes du sexe feminin & de leur esperit qui se peuvent adonner à bien, comme sera desduyt cy après. Par quoy n'est leur entendement à répudier non plus que le viril, & telles les convient avoir, si l'on veult vivre seul ; mais entre icelles, par plusieurs raisons et conjectures, on peult choisir les moins vicieuses. La fin du mariage est procreation de lignée, en quoy plusieurs deffaillent, car ilz ne sont pas comme le bon laboureur, qui considère la bonne terre, & choisit la necte semence pour semer. Quelle follie est plus grande de non considerer les meurs, vie, vertus ou esperit & parenté de la femme, avec laquelle tu propose vivre & mourir, quant pour t'accompagner en quelque voyage, tu craindrois le fol ou arrogant, dissemblable à tes complexions ? Pour ce est à considerer le corps & l'entendement d'elle principallement, qu'elle n'ayt au corps maladie héréditaire, qui se transfunde & passe des parens aux enfans. Tu ne la peulx choisir trop saine : car assez adviennent d'inconveniens, & te greveroit veoir tes enfans tormentez de maladie, comme de toy mesmes. Quant à la façon de vivre, entendz, que amour, dont procede l'amytié, naist d'opinion de chose bonne & honneste. Pour ce entre les bons seulement est la vraye & durable amour : car entre les pervers elle languist. Pour ce fault preveoir & premediter les biens & les maulx, comme en l'entendement celerité, tardité, simplicité, malignité, hebetitude, l'art, experience, dureté, prudence, promptitude à vice ou vertu.

En corps l'aage, la stature, la disposition, la force, la santé, la corpulence. Et par dehors, l'alliance, le lignage, le bruyt & renommée, la dignité, la grace, la condition ; lesquelles choses aucunes sont venues à l'oeil, les autres sont plus obscures qui ne se peuvent congnoistre que par conjectures de la physionomie. L'on condidère le cheminer, l'asseoir, le repos, le visaige & yeulx d'icelluy, le geste de tout le corps, le son de la voix : Les plus certains & exprès sont les meurs, qui sont congneuz par la parolle ; laquelle non seulement est enunciative & desclaire l'entendement, mais aussi les affections : car d'abondance de cueur la bouche parle. Pour ce disoit Socrates à ung jeune escollier que son pere luy avoit amené pour l'instruire & enseigner : Parle, affin que je te veoye ; car par son parler il le povoit mieux congnoistre que par sa physionomie. A veoir la femelle parler, pourrez congnoistre ses meurs, affections, vices ou vertus, & ce à quoi elle se delecte : chascun ayme son semblable. Pour ce doibt l'homme veoir la femme, toucher, odorer, confabuler & deviser avec elle, boire, manger & jouer par fois pour entendre ses complexions & attirer d'elle ce qu'il y desire de congnoistre.

CHAPITRE IV

De la Discipline des Femmes

Plusieurs disputent s'il est expedient à femme sçavoir lettres & les etudier & instruire en lettres & sciences. Aucuns livres sont pour composer & aorner son langage, autres pour voluptez & passetemps inutiles comme fables & inventions de mensonges, composées par gens oyseux, ignorans ou vicieux. Ilz sont du tout à rejecter, comme le Peregrin, Tristan, Lancelot, Ogier le Danois, Artus de Bretaigne & autres ; mais j'appreuve en femme la lecture des livres sainctz, induysans à vertus & bonnes meurs. L'homme n'est imprudent, & ne sçait bien ou mal que ce qu'il apprent, combien qu'il est plus prompt à vices. Pour ce est bon & utile lyre bons exemples de la louenge des bons, de la punition des mauvais & instructions de vertu, pour se congnoistre & reprimer ses affections desordonnées, que mieulx on ne peulx sçavoir que par estudes & lectures de bonnes lettres, ou enseignements et remonstrances ; autrement on parviendroit par accoustumance de peché à contempner honnesté & vilipender vertus.

La femme est créée raisonnable comme l'homme, ayant l'esperit doubteux à bien & mal, flexible & muable par usage & conseil. Si plusieurs en y a de perverses, cela n'argue ny monstre la malice de la nature, non plus que des hommes, entre lesquelz plusieurs sont larrons, meurtriers, faulx & desloyaulx. Entre iceulx aucuns ont escript par leur curiosité invectives contre le sexe feminin, qui les devoient attribuer à tous les deux. Si les hommes sont plus sçavans, c'est par science des lettres. N'est-ce pas grande follie mieulx estimer ignorance que sçavoir ? Vouldriez vous la plus ignare estre la meilleure ? S'elles apprennent à se parer, filler, couldre & broder, pour quoy non à congnoistre chose salutaire & de vertu ? A l'heure le bien, utilité, honneur, & guerdon de pudicité, ne pourra elle plus estimer, ny sa chasteté, que l'imbecile ? Aucuns estiment ainsi de leurs enfans, & les reputent meilleurs, s'ilz sont ydiotz, ignorans, sans aucun sçavoir, que clercs & lettrez. Telz les fault pour engendrer & nourrir asnes. Si erudition nuyt à probité & vertu, mieulx est doncques les nourrir aux champs que entre gens sçavans. J'ay leu, mais je n'ay trouvé femmes plus vertueuses que sçavantes ; & plusieurs autres ay leu viles & abjectes par leur nourriture & ignorance de leurs meurs. Quelle difference seroit entre la personne & les animaulx, se n'estoit l'instruction ? Pour ce voyez par experience les femmes advisées à religion & martyre, comme capables de sapience haultaine, aussi bien que les hommes. S'elles ne sont doctes, elles doivent estre instruictes de leurs marys, comme le filz du pere, ce que par necessité luy impose & commande sainct Paul. Le mary l'endoctrinera se congnoistre, estimer chascun, la cure domestique, crainte de faire ou dire chose qui mette macule en son honneur par reputation, aymer Dieu sur tout & vertus avec pitié, & autres cas selon sa vocation, affin qu'elle sache moderer le temps d'abondance & de necessité, que l'ung ne la deçoive, & l'autre ne l'induyse à iniquité. S'il la voit defaillir par nourriture en aucune vertu, blasmera vice & louera la vertu contraire, pour successivement l'en corriger ou reprimer ses passions. Pour ce delaissera les livres de vanité & de batailles, qu'elle ne adjouste feu aux estouppes, & verra livres de religion & de bonnes meurs. S'elle a taciturnité, tant plus sera à louer. Mais en toutes ces choses l'exemple du mary est souverain pour induyre sa femme aux meurs & vertuz qu'il demonstre par effect en operations & parolles : car elle l'ensuyvra, pour autant que non seulement ce les persuade, mais construict, comme voyez en guerre que si le chief s'expose au peril, si faict toute l'armée.

Comme obtemperera ou obeyra la femme redarguée de continence par le mary lubricque, & d'intemperance par homme glout ? Entre la conduicte du mary servira moult à la femme l'exemple des vertueuses & sainctes dames, mesmement celles de son parenté, & des matrosnes de la cité, qui l'incitera par honneste envie de les ensuyr. Car nous sommes fort induitz des exemples voisins, par louenge de vertu ou griefve correction de iniquité. La collocution & devise soit entre maryez simple & familaire, honnesteté gardée avec reverence. Appelle ta femme par nom de signification d'amour, comme ma fille, ma seur, ma commere, à l'exemple de sainct Paul qui appelle ainsi la sienne. Elle t'appellera par nom d'amour & veneration, comme seigneur. Ainsi faisoit Sarra de Abraham. Les devises seront de bonnes meurs, de vertus, de l'erreur des mal vivans, du faict domestique & regime d'icelluy, de l'art, science & vaccation de leur estat ; de supporter les fortunes adverses, de la nourriture des enfans, comme on les fera preud-hommes, non riches, ou constituez en auctorité ; & supporter les affections de la femme, molle matiere, qui ne peult soustenir grief faix. Pour ce, parfois sont honnestes iceulx à entrelasser aux sollicitudes, sans curiosité. Es femmes gardans leurs maisons, seront rentes sollicitudes (sic), les joyeuses nouvelles & inventions de la ville, & de ce que l'on faict, pour plus apeter la demourance de la maison close, sauf toutesfois que telles recitations ne soyent indecentes ou telles qu'elles corrompent les bonnes meurs. Et non seulement l'on se doibt abstenir de jeux illicites, mais de cogitations impudicques, que plus le mary ne se monstre amoureux que mary ; car l'amateur trop ardent à sa cupidité est equiparé à l'adultere, & la femme est nom de compaigne, non de volupté. Pour ce ne soys pas cause le premier d'inflammer la luxure d'elle : car par les yeulx, oreilles, atouchements, & par tous membres, luxure est excitée. A ceste cause doivent estre rejectées les parolles lubricques & de lascivité, comme l'on faisoit anciennement en aucunes religions, esquelles on ne souffroit masles & femelles pourveoir leur copulation. A Romme ès sacrifices de la bonne deesse n'estoit permis paindre ung masle ; ny en Lacedemone & l'isle de Delos les chiens n'entroient au temple pour leur prompte luxure.

Les nouvelles maryées, virginité perdue, doivent se contenir à la maison quelque temps, comme fist la bonne dame Elizabeth, laquelle vieille avoit esté congnue de son mary. Comme dict Saint Paul : Sache ung chascun posseder son vaisseau en sanctification, non en volupté, pour cohiber & reprimer l'immoderée sensualité. Mariage est sacrement de très grant mistere ; pour ce ne doibt estre pollu par immundicité desordonnée, comme lisons de l'hystoire Thobie. Car sur ceulx qui se maryent pour leurs menus plaisirs seulement pour vaquer à leur effrenée luxure, a le Dyable puissance, car ilz rejectent Dieu arriere d'eulx. Pour ce les vertueux anciennement s'abstenoient de congnoistre leurs femmes enceintes, considerans que nopces sont plus introduictes pour propagation d'enfans que pour luxure ; en quoy les hommes sont plus brutaulx que les autres animaulx. Il ne fault ignorer le dict de sainct Paul, de l'homme qui n'a puissance de son corps, ains plus tost la femme, ny la femme du sien mais le mary : pour ce nul d'eulx n'en peult disposer sans injure de l'autruy. Celle qui communique son corps a autruy, offense grandement sa partie, & Dieu aucteur de telle conjunction, qui les punira esgalement, comme violateurs de sa majesté & ordonnance, de quelque estat qu'ilz soient ; car il n'a acception de personne. Pour ce doivent les marys diminuer de leurs menus plaisirs. Aussy ne doivent maryez defrauder l'ung l'autre, se n'est par mutuel consentement, pour vaquer à jeusne ou oraisons, ou par maladie, puis retourner à leur debvoir selon le conseil de sainct Paul, docteur de l'Eglise, pour dangier de incontinence, comme le cheval trop gras par sejour, & le maigre & deffaict ne sont decentz à porter fardeaulx ; mais ne doibt estre faicte separation par discorde ou contristation. Pour reveler conseil à la femme, deux choses sont à noter en elle : l'une est l'amour d'entre eulx, qui le faict celer ; l'autre est prudence & discretion qui le sçait faire, car taciturnité se regit par le clou de prudence. A l'imprudente & garruleuse l'on ne doit reciter que cela que l'on veult chascun sçavoir, car telle ne celle que ce qu'elle sçait. Tel apologue est narré de la mere aux regnardeaulx, laquelle ne declare à ses petitz son entreprise, pour la conservation d'iceulx, & que eulx ne soyent surpris ou revelez.

J.B. Giraldi Cinzio, Dialogues Philosophiques... touchant la vie civile, 1565-1583

Le petit traité que représentent ces Dialogues de la Vie Civile *est inclus, ainsi que différentes compositions poétiques, dans le recueil des Cent nouvelles* (Hecatommiti) *de Giraldi. Suivant la fiction qui est de règle pour les recueils de nouvelles depuis Boccace, le point de départ est une rupture de l'ordre quotidien, à savoir l'occupation de Rome par les troupes luthériennes en 1527. Une compagnie de "Gentilshommes et Damoiselles" a fui les horreurs du sac pour rejoindre Marseille par mer : dix escales, dix séries de récits. A Gênes les plus âgés et les plus sérieux du groupe passent le temps en devisant de "quelle manière de vivre se doit proposer l'homme en cette vie". Ce long intermède philosophique (220 pages de la première édition) qui examine en trois dialogues successivement l'enfance, la jeunesse et l'âge d'homme, a été détaché par la suite du recueil complet et G. Chappuis publia d'abord les nouvelles (1583) puis peu après, la même année les Dialogues (réédités en 1584 comme les nouvelles).*

La présence même de ce traité philosophique au milieu d'un recueil de nouvelles, permet de comprendre quelle orientation Giraldi voulait donner à son oeuvre. Sa préface, (en latin à la fin du XVIe siècle !) l'explicite : condamner les vices, développer les bonnes moeurs, honorer la sacrosainte autorité pontificale et la dignité de l'Eglise Romaine. L'inspiration sera plus nettement philosophique et morale que dans la majorité de ces dialogues à la manière de Platon, si fréquents au XVIe siècle : les dames n'y ont point part, la discussion reste généralement assez abstraite (Giraldi enseigna la philosophie et la rhétorique) et imprégnée d'un didactisme moral constant. C'est le moment où la Contre Réforme triomphe en Italie et éprouve le besoin de réaffirmer un certain nombre de règles de vie (cf. à ce sujet en appendice des extraits du Concile de Trente). Après les déviations d'un néo-platonisme qui a pu se prêter à des interprétations mondaines, voire libertines, il apparaissait nécessaire de réaffirmer la primauté de la famille sur l'individu, et de l'épouse-mère sur la femme. Les préoccupations de Giraldi l'amènent ainsi à renouer avec l'orientation d'Erasme ou de M. de Navarre (à qui certaines nouvelles des Hecatommiti doivent beaucoup).

Le ton de toute l'oeuvre est donné par les dix nouvelles du Prologue visant explicitement à démontrer "qu'entre les humaines amours se trouve seulement repos en celle qui est entre le mary & la femme, & qu'il n'y en a point aux amours deshonnestes". La satire de la femme ne vise plus que la courtisane, cible favorite de ce défenseur de l'orthodoxie morale, alors que les épouses apparaissent comme des exemples de "loyauté", de "prudence & bonté" dont l'habileté discrète ou la fidélité intrépide ramène au foyer une paix temporairement troublée.

La mise en oeuvre de ces principes aboutit à des récits pesants, et le recueil, même allégé des Discours, *reste peu lisible. Il donne un exemple assez représentatif de cette littérature post-tridentine que la menace de l'Index orientait vers des fins édifiantes. C'est bien pour leur valeur didactique que Chappuis traduisit ces Dialogues, recherchant, dit-il, "le grand profit & advancement des Jeunes Seigneurs & Gentilshommes lesquels lisans ce livre... se peuvent heureusement dresser & habituer à la vertu".*

Rappelons pour mémoire que Giraldi est surtout connu pour l'Orbecche, *première tragédie italienne régulière, et pour certaines nouvelles des* Hecatommiti *où a puisé Shakespeare* (Othello *et* Mesure pour Mesure).

M.F.P.

DIALOGUES PHILOSOPHIQUES

et très utiles italiens-françois,
touchant la vie civile,
contenans la nourriture du premier âge,
ornez de tres excellens traitez
des facultez de nos esprits, du duel, du destin,
de la predestination et de l'immortalité de l'âme.
Traduits de M. Jan Baptiste Giraldi Cynthien,
par Gabriel Chappuys.
Paris, 1583.

DIALOGUE I

Lelio : "Entre les Philosophes, d'Oria, qui ont escrit de la vie humaine et des moeurs, Platon et Aristote ont surpassé tous les autres ; desquels l'un a escrit avec plus d'abondance, l'autre avec plus d'ordre. Et pource qu'ils ont esté tous deux très excellents, je ne m'astraindray pas en ce mien discours à suivre l'un et l'autre, mais je prendrai d'iceux ce qui me semblera plus propre à accomplir vostre désir. Et si d'avanture me souvient d'aucune chose dite par autres très nobles escrivans et gentils esprits, je ne feray difficulté de la vous amener, pour vostre plus grand et plus parfaict contentement".

"Je seray bien aise", dist le jeune Seigneur d'Oria, "que vous faciez ainsi ; car je pense que je recueilleray plus grand fruict si vous nous exposez ce qui vous semblera le meilleur, et d'eux sus nommez, et des autres, que si vous preniez seulement à un d'iceux". Et comme chacun se fust déjà rendu attentif, Lelio commença son discours, disant :

"La fin en toutes choses qui adviennent au monde est premierement considérée par ceux qui le doivent faire, combien qu'elle s'obtienne la dernière. Et comme elle a le nom d'effect, depuis qu'elle est conduite au terme auquel celuy qui s'estoit adonné à faire ou à ouvrer avoit conceu en son esprit de la conduire, aussi est elle cause d'induire toutes les autres à la mettre et produire en effect. Parquoy voulant traiter de la fin que vous m'avez demandé, et qui est maintenant la premiere chose qui nous incite à parler, il faut avoir recours aux principes qui peuvent estre cause de conduire l'homme à celle fin.

Et me seroit besoin, devant que passer outre, parler de la generation des hommes : car comme les semences produisent leurs fruits convenables et propres, ainsi advient il souvent ès hommes : car les enfans pour la plupart sont tels que le Pere et la Mere. Et en outre me fauldroit monstrer que celuy lequel veut estre louablement Pere, doit avoir principalement soin, non seulement à luy (lequel je veux presupposer orné de tout ce qui appartient à un gentil esprit et à un beau corps) mais aussi à la Mere. Car combien qu'elle ait la semence du Pere, et que l'opinion d'aucuns soit que la semence de la Mere n'est concurrente à la génération (opinion contraire à Hippocrate, à son divin interprete et pareillement à Platon), ce neantmoins (encore que cela fust vray) les enfans conceuz prennent la nourriture au ventre de la Mere, jusques au temps de l'enfantement : à raison de quoy advient souvent que l'on void aux enfans les vices des Meres. Et pour ceste cause chacun doit bien adviser qui veut prendre femme, de ne la prendre innoble, ny vicieuse, ny lascive, ny difforme, ny imparfaicte, de ne la prendre boiteuse, begue ou ayant autres semblables defaults : mais noble, vertueuse, pudique, de gracieux regard, de belle, grande et parfaite stature de corps, ayant la parole pronte et agreable, afin que de Peres et de Meres nobles, vertueus, modestes, de corps accomply et de convenable proportion, naissent aussi enfans ornez de telles qualitez. Et de là est advenu que l'on dit en commun proverbe : "Pren femme telle que tu veux que soient tes enfans". Cela fut cause qu'Archidame, Roy des Lacedemoniens, ayant espousé une petite femme, fut condamné par ses citoyens, pource qu'ils disoient qu'il avoit prins une femme qui leur enfanteroit non des Rois, mais des homonceaux, leur semblant qu'une grande partie de la majesté Roialle fust en la forme du corps, et non sans cause. Car l'on trouve escrit qu'une belle apparence d'homme est la premiere chose digne de commander.

Mais pource qu'en vostre demande vous voulez que je parle seulement de l'enfant né, commançant dès sa naissance, il me semble qu'il me suffit de monstrer comme il doit estre nourry et enseigné, jusques à tant qu'il soit venu au terme de se pouvoir gouverner soimesme, de se cognoistre et vivre à sa discretion, pour dresser toutes ses actions à la fin derniere et meilleure ès choses humaines... Comme donc l'âme de la vie que nous appelons vegetative est fondement necessaire à toutes les autres âmes, à raison dequoy elle demeure moins noble que toutes les autres, ainsi l'age d'enfance est le fondement de tous les autres et pour ceste cause de moindre noblesse, pour la necessité qu'il porte avec luy. Mais pource que sur iceluy se reposent tous les autres, il faut mettre telle diligence à le faire passer les plus nobles, que l'on ait esperance que, de l'enfance bien conduite, l'enfant puisse entrer en une louable jeunesse et passer d'icelle à l'âge de maturité par le moyen et guide des vertus [...]

Estant donc la plus infime âme celle par laquelle nous sommes nourriz, nous croissons et soustenons la vie, et de laquelle nous avons ce corps, touchant l'accroissement ou maintien duquel, ou nous dormons ou nous veillons, sans aucune nostre industrie elle pratique continuellement sa vertu, pourveu que nous ne faillons pas de luy bailler la nourriture convenable et propre. Elle se monstre puissante en cela en l'enfant ; et aussi tost qu'il est né, elle suscite en luy le desir de la viande convenable à le nourrir, et à donner peu à peu force au corps, afin qu'en croissant il devienne propre à l'usage de l'âme à laquelle il est donné pour instrument, aux autres opérations plus nobles et plus dignes de l'homme.

Et l'enfant ayant à tirer la premiere nourriture du laict de la mere ou de la nourrice, j'estime qu'il vaudra mieux qu'il prenne aliment de la mere que de personne estrange, car il est à croire que la nourriture de la mere conviendra mieux à la nature de l'enfant que celle de la femme estrangere. Et de là est venu que les maistres de la vie domestique ont dict appartenir au Pere d'enseigner l'enfant, et à la mere de le nourrir. Car les Sages disent que la Nature a donné les mamelles à toutes les femmes, non seulement pour la defense du coeur, comme aux hommes, mais afin qu'elles ayent le moyen de nourrir leurs enfans ; et leur en a baillé deux, afin que si d'aventure elles enfantoyent deux, la mere les puisse nourrir tous deux. Et cela sert beaucoup à accroistre l'amour de la mere envers l'enfant et d'iceluy envers elle, et du Pere et de toute la famille aussi.

Toutesfois si par quelque accident la mere est empeschée de ce faire, ou si elle veut bailler son enfant à nourrir à une autre femme, il faut mettre peine de choisir une nourrice de telle nature que le petit enfant prenne de la nourriture une honneste maniere de vivre et louables moeurs... Or afin que par la qualité de la nourriture que l'enfant prend de la nourrice, il ne tire avec l'aliment une habitude vicieuse, les plus sages qui en ont escrit veulent que l'on baille l'enfant à une nourrice qui ne soit vile, afin qu'il soit nourri à la noblesse, qui ne soit de nation estrange, afin qu'elle ne luy donne estranges moeurs et non convenables à la maniere de vivre de la maison et de la ville en laquelle il est né et doit vivre. Après, ils la veulent de louable vie et de bonnes moeurs, afin qu'avec le laict de la nourrice l'enfant reçoive de bienvivre.

Et pource que les nourrices se peuvent tenir en la maison et dehors, je conseillerois tousjours que les peres et meres les tinssent en leurs maisons, afin que l'enfant s'accoustumast à cognoistre le pere et la mere aussi, et les autres de la maison, et apprint peu à peu les façons de faire et coustumes domestiques. Car les esprits des enfans tandis qu'ils sont tendres, sont comme les branches des arbres, tandis qu'elles sont molles et comme elles se plient et tordent ainsi que l'homme veut, les esprits tendres aussi prennent les coustumes, qui leur sont données premierement, et les maintiennent long temps.

Et pour ceste cause Phocilide dit :

Cependant que l'enfant est en son age tendre
Les genereuses moeurs fais luy soudain entendre.

Ou bien,

Au tendre enfant monstre les bonnes moeurs.

Pour ceste cause, les Peres doivent mettre grande peine à ce que les enfans s'accoustument aux bonnes moeurs en leurs maisons, et au giron des nourrices, lesquelles ne doivent estre aux enfans trop plaisantes ny trop austeres.

Henri Corneille Agrippa, Traité de l'Excellence de la Femme, 1509-1529-1578

Le bref traité d'Henri Corneille Agrippa de Nettesheim De Nobilitate et praeccelentia foeminei sexus *écrit en 1509 et publié seulement en 1529, peut apparaître au lecteur moderne comme le plus singulier exemple de jeu absurde. Le thème est paradoxal sans pour autant être vraiment original, l'essentiel du livre étant repris de l'ouvrage d'un espagnol du XV*e *siècle Juan Rodriguez del Padron.*

*Traité étrange, mise en oeuvre délirante du raisonnement scolastique dans ce qu'il a de plus sclérosé, le texte pourrait avoir pour premier mérite d'imposer au lecteur moderne sa singularité significative. En effet, il ne s'agit pas ici d'une fantaisie née d'un cerveau déréglé qui serait restée sans écho dans son siècle, le traité d'Agrippa est l'un des plus répandu du genre au XVI*e *siècle. L'observation du développement extrême d'une logique qui n'est pas celle de notre temps justifierait la présence de quelques pages du traité dans ce recueil.*

*Cependant, le texte du traité comporte également quelques lignes, souvent citées, qui font apparaître que le fou pouvait ne pas manquer de sagesse. En effet, Agrippa est l'un des rares, non le seul certes, à placer le problème de l'infériorité de la femme non pas sur le plan de la nature, mais sur celui de l'éducation. Manifestation de bon sens qui pourrait permettre de lire l'édifice gothique délirant qu'est l'ensemble du traité comme un témoignage dramatique de l'impossibilité dans laquelle se trouve l'intellectuel du XVI*e *siècle de rationaliser le rapport des sexes autrement que selon le schéma imposé par toute la tradition : la supériorité de l'homme sur la femme. Le traité ne se pose que comme jeu paradoxal, mais son absurdité même révèle peut-être mieux que tout autre la force oppressive des raisonnements, au fond tout aussi arbitraires, d'hommes comme Luis Vivès qui avec bienveillance organisent et rationalisent l'infériorité de nature de la femme.*

Le "De nobilitate" *imprimé en 1529, fut aussitôt traduit en français en 1530, et cette traduction fut imprimée en 1537 sous le titre* "Déclamation de la noblesse et preexcellence du sexe féminin". *François Habert, le Banny de Liesse, en tira une mauvaise adaptation en vers publiée en 1541 et dédiée à Anne de Pisseleu, duchesse d'Etampes maitresse du roi. Le traité réapparait à la fin du siècle dans une traduction de Loys Vivant, version que nous avons reprise. Il serait possible de suivre au delà du XVI*e *siècle* *la destinée du traité puisqu'il en existe une traduction – citée par Telle – faite au XVIIIe siècle. Il faut encore ajouter que le succès du livre fut européen et qu'il en existe des traductions anglaises et italiennes. L'ouvrage de Telle* "L'oeuvre de Marguerite de Navarre et la querelle des femmes" *donne une analyse qui permettra de resituer les passages cités ci-dessous.*

Renonçant à citer les passages qui ne sont que des catalogues d'exemples illustres, nous avons choisi l'interprétation de l'épisode de la Genèse, chapitres I et II, création de l'homme et de la femme, mythe capital pour la civilisation occidentale, ainsi que les dernières pages où se manifeste le rôle de l'éducation dans l'esclavage des femmes.

J.P.G.

TRAITE DE L'EXCELLENCE DE LA FEMME

faict françois du latin de Henri Corneille Agrippe
par Loys Vivant, Angevin.
Paris, 1578

Dieu très bon et le très grand créateur de toutes choses, le pere et le seul bien de l'un et l'autre sexe, très abondant en toute puissance et fertilité a créé l'homme masle et femelle, remembrances de sa propre divinité. Lesquelles deux natures ne sont différentes, l'une d'avec l'autre, que pour raison de la situation des parties du corps, esquelles l'usage d'engendrer requeroit une difference et variété nécessaire. Mais il a donné une mesme forme d'âme et du tout indifférente au masle et à la femelle : Entre les quelles formes ne se trouve aucune séparation de sexe et diversité de nature. Mesme que la femme a esté douée d'un mesme sens, entendement, raison, & parole que l'homme : avec ce, elle tend à un mesme but de béatitude et félicité que lui : En laquelle, il n'i aura aucune division et diversité de nature humaine. Car suivant la vérité de l'évangile : Ceux qui ressusciteront en leur propre nature ne s'emploieront au devoir auquel ils s'adonnoient durant la première vie, mais il leur a esté promis soubs asseurance qu'ils seroient faicts semblables aux Anges. Dont il s'ensuit qu'il n'i a point de prééminence de noblesse entre l'homme, et la femme, qui puisse estre pretendue de la part de l'un ou de l'autre, à cause de son essence et substance spirituelle. Mais bien qu'à tous deux a esté advoué de nature une égale et juste part d'une franche réputation et liberté. Or quand à ce qu'i reste à l'homme, outre la divine essence de son ame : en ce l'engeance très louable des femmes devance par tous poincts la rude et lourde race des hommes : ce qu'un chacun aura pour arresté et du tout asseuré par devers soi quand je me seré aquitté selon mon mieux de declarer ceci mesme qui est l'intention de ceste mienne entrerpinse sans que je me veuille ayder d'aucun desguisement, fausseté, ou fard de paroles, ni mesme d'aucune surprinse des Logiciens, soubs la faveur desquelles un bon nombre de ces philosophes à gaiges et à sots honneurs a de coustume d'enlacer et empieger les hommes simples et prompts à croire, mais seulement j'ay délibéré me fonder tant sur la deffense des autheurs suffisans et bien receuz, et sur la vérité des choses passées, desquelles les histoires font foi, que me cautionner par les témoignages des lettres sainctes et sacrées, et pareillement par les loix et les ordonnances portées en l'un et l'autre droict [...]

Et finalement, il [le Créateur] a créé deux hommes à son image et semblence, sçavoir est le masle le premier, et la femelle la dernière, en l'oeuvre de laquelle les cieux ont esté parfaicts, la terre, et tout le pourpris et l'appareil du monde. Car le créateur venant à la création de la femme, s'est reposé en l'achevement d'icelle, comme n'ayant rien entre les mains plus honorable à créer, et en icelle s'est comprinse et consommée toute la sagesse et puissance du Créateur, outre laquelle il ne se trouve ni se peut penser ou feindre d'autre créature : Donc, attendu que la femme est la dernière créée de toutes les autres créatures, et qu'elle est la fin et le plus parfaict accomplissement des oeuvres de Dieu, et la perfection de l'Univers, qui sera-ce qui dira au contraire, qu'elle ne soit plus la digne en noblesse et grandeur par sus toute autre créature ? sans laquelle ce monde ici (maintenant très bien fourni de tout ce qui lui faut) seroit imparfait, lequel n'a peu estre comblé de sa perfection que par la créature la plus parfaicte d'entre toutes autres créatures. Ce seroit certainement s'esloigner trop de raison de penser que Dieu eust achevé un si grand oeuvre par une chose non parfaicte ; Car d'autant que le monde a esté créé de Dieu comme un rond cercle très parfait et entier, il a fallu aussi une juste liaison et assemblement de ce qui avoit esté la dernière créée de toutes autres créatures, quant au temps de l'effect mais elle a aussi esté prédestinée entre les autres, et conçeue en l'entendement Eternel la première de toutes, tant en authorité qu'en dignité, ainsi qu'il est escrit d'elle par le Prophete : Devant que les cieux fussent créez Dieu l'avoit esleüe, et devant esleüe pour habiter en son tabernacle : car c'est là mesme le commun de dire de ceux qui font profession en philosophie, que la fin est toujours la première en intention et la dernière en execution. Or donc la femme fut le dernier chef-d'oeuvre de Dieu laquelle il a mise en ce monde. Comme la Roine et dame d'ycelui en son palais, jà apresté pour elle accoutré et enrichi de tous presens et largesses. Ce n'est donc qu'à juste occasion que toute autre créature l'aime, l'honore, la revere, et à bon droict s'esclave à elle et luy obeist, puisqu'elle est la roine de toutes créatures, la fin, la perfection et la gloire accompagnée de toutes graces [...]

Donc la bénédiction a esté donnée (à Adam, à Abraham, à Jacob) à cause de la femme, et la loy à cause de l'homme : la loy, dis-je, de courroux et de malédiction : Car le fruit de l'arbre avoit esté deffendu à l'homme et non pas à la femme : laquelle n'estoit pas encore créée : Car Dieu a voulu que dès le commencement elle fust franche et libre. L'homme à ce compte pecha donc, et non pas la femme : l'homme apporta la mort, et non pas elle. Et nous tous avons péché en Adam, et non en Eve ; et nous aportons avec nous le peché originel, non pas de la mere qui est femme, mais seulement, du père, qui est homme : Et partant la loy ancienne commanda que tout masle fust circoncis, mais que les femelles demeurassent sans estre circoncises, n'entendant et n'ordonnant que l'on eust à punir le peché originel qu'en ce sexe seulement, qui l'avoit commis : Dieu aussi ne blasma point la femme, par ce qu'elle avoit mangé du fruit, mais par ce qu'elle avoit donné occasion à l'homme de mal faire : ce qu'elle feist sans y penser en mal, pour autant qu'elle estoit tentée du Diable. L'homme donc a offensé à son escient, et congnoissant bien qu'il faisoit mal : mais la femme est tombée en faute par ignorance et tromperie. Car elle fut premierement tentée du diable, comme celle qu'il sçavoit estre la plus excellente d'entre toutes autres créatures. Et comme dit saint Bernard : Le Diable voyant sa merveilleuse beauté, et sçachant qu'elle estoit telle qu'il avoit veu premierement en la lumiere divine, jouïr de la familière parole de Dieu par sus tous les anges, il vomît son envie sur la femme, incité à ce faire, par l'excellence qu'il voyoit en elle. Adonc Jesus-Christ a voulu naistre en ce monde ici le plus humblement qu'il estoit possible, afin que par son humilité il reparast la faute du premier pere, et a voulu prendre le sexe viril, comme celuy qui estoit le plus vil, et non pas le feminin : parce qu'il estoit le plus hautain et le plus noble. D'avantage, parce que nous avons esté condamnez par l'offence de l'homme et non pas de la femme, Dieu a voulu que la reparation de l'offence se fist en ce sexe là auquel elle avoit esté faicte, et que la vengeance s'en feist par celuy qui avoit été trompé et deceu par ignorance [...]

(Corneille Agrippa passe ensuite en revue les "Dames Illustres" et exalte la liberté dont jouissaient les femmes de certains peuples barbares, Scythes, Thraces et Gaulois).

[...] Mais pour le jourd'huy la liberté qu'avoyent les femmes est reserrée par la tyranie des hommes, qui se bande contre tout droit et loix de nature. Maintenant, me direz vous les loix la defendent, la coustume et l'usage l'abolist, la nourriture l'esteint et l'anéantist : Car dès l'heure que la femme est née, elle est retenue dès ses premiers ans en toute nonchalance, et ne luy est permis de se mesler d'autre chose que de son fil et de son esguille, comme si elle n'estoit capable de manier et conduire plus hautes charges. De là après qu'elle est venue à l'aage de quatorze à quinze ans, elle est livrée souz le jaloux commandement d'un mari, ou bien est renfermée en quelque cloîstre de religieuses pour jamais. Les offices publics luy sont pareillement défendus. Il ne luy est permis de plaider en jugement. D'avantage elles ne sont receues à tenir juridiction, jugements, à faire adoption, ès oppositions, procurations, tuteles, curatèles, ès affaires testamentaires et criminelles. La chaire de la parole de Dieu leur est refusée formellement contre l'écriture, en laquelle Dieu leur a promis le don du S. Esprit par Johel disant : Et vos filles prophetiseront : de mesme qu'elles enseignoyent du temps des Apostres, comme nous avons dit d'Anne, des deux filles de Philippe et de Pricille : Mais la malice de nos nouveaux faiseurs de loix a esté si grande qui n'ont tenu compte du commandement de Dieu, à cause de leurs traditions qu'ils ont arresté par entre eux, que les femmes valoyent moins que les hommes, encores qu'en conscience ils confesseroyent (s'il leur plaisoit) qu'elles sont plus nobles en prééminence de nature et crédit que les hommes. Parquoy les femmes sont contrainctes d'obéir à ces loix ici comme pauvres captives en guerre à leurs vainqueurs : non point par aucune necessité ou raison divine ou naturelle, mais par je ne sçay quelle coustume, nourriture, et tirannique fortune et occasion qui cause cela. Et qui plus est, il y en a, qui s'amassent de l'authorité de la religion, et veulent prouver leur tirannie par lettres sainctes, lesquels n'ont autre chose en la bouche que la malédiction d'Eve : Tu seras souz la puissance de l'homme et il te seigneurira. Si on leur répond que Dieu a osté cette malédiction là, ils rapporteront le mesme des paroles de saint Pierre, et de sainct Paul : Que les femmes soyent sujetes aux hommes et qu'elles n'aient voix en l'Eglise. Mais quiconque aura congneu les diverses manieres de paroles de l'escriture, et les affections d'icelles, il pourra voir aisément que cela n'est pas contraire comme il semble de prime face : Car il y a un tel ordre en l'Eglise, que les hommes sont preferez aux femmes

au ministère comme les Juifs aux Grecs, en la promesse qui leur a esté faicte. Dieu toutesfois n'a point acception de personnes : car en Jesus-Christ il n'y a eu masle ni femelle, mais une nouvelle créature, et davantage il a esté permis aux hommes plusieurs autres choses contre les femmes, comme aux Juifs auxquels jadis furent concédez les répudiations, lesquelles toutesfois ne sont rien au désavantage des femmes : veu que mesmes les hommes defaillans à leur devoir, les femmes auront pouvoir de juger sur le mal-fait des hommes. Et la Royne Saba doit juger les hommes de Jerusalem. Donc ceux qui estans justifiez auront esté faits enfans d'Abraham par la foy : enfans dis-je, de promission, sont sujets à la femme et tenus au commandement de Dieu disant à Abraham : En tout ce que te dira ta femme Sara entens à sa voix.

Le revers de l'humanisme, la femme sorcière, Jean Wier - Jean Bodin

Au revers des textes bienveillants, deux textes, simples indices que l'humanisme vire, que l'infériorité mal exorcicée peut revenir sous le mode d'une altérité radicale, fascinante, fabuleuse, dangereuse, celle de la sorcière. Certes, Jean Wier a pour nous le beau rôle qui est aussi celui du courage car à supposer que la sorcellerie puisse n'être que pure imagination, chose "frivole", on passe vite pour sorcier. Bodin ne réfute pas, il soupçonne et accuse au nom de "l'honneur de Dieu", dont il se fait le champion, l'impie qui ne songe qu'à "accroistre le règne de Sathan". Cependant entre médecin et juriste la connivence est évidente quand il s'agit de la nature de la femme. Si Wier innocente la sorcière, c'est bien semble-t-il parce qu'il pense la femme trop imbécile pour faire des choses sérieuses avec Satan. A tout prendre Bodin ravale moins la femme... Pour l'un, la femme est possédée des mirages qui lui tiennent lieu de pensées, pour l'autre, investie par le Malin, elle a grandeur et courage dans la perversion. La part de Wier est cependant la plus ingrate, car l'autre contre l'imaginaire délirant sait dresser les "faits", les "tesmoignages", l'obstination des "confessions jusques à la mort", tout ce qui fait l'horreur prodigieuse et commune de "l'expérience ordinaire de procez infinis". Pour s'en démêler, il faudrait mettre en cause l'homme, le mâle, douter du juge et peut-être aussi du médecin, de l'Humanisme dévoilant soudain une dimension agressive, meurtrière, hystérique. Ce que les analyses récentes du phénomène tendent à manifester s'aperçoit dans cet affrontement de cuistres régurgitant leur culture en un carnaval atroce.

J.P.G.

HISTOIRES, DISPUTES ET DISCOURS DES ILLUSIONS ET IMPOSTURES DES DIABLES, DES MAGICIENS INFAMES, SORCIERS ET EMPOISONNEURS

le tout compris en six livres
par Jean Wier,
médecin du duc de Clèves.

(Nous citons d'après la réédition du texte dans la Bibliothèque diabolique, Delahay et Lecrosnier, 1885. Il s'agit de l'édition de la traduction anonyme publiée en 1579, neuf ans après celle de J. Grévin tenant compte des multiples additions apportées entre temps par Wier à son texte.)

LIVRE III, DES SORCIERES

CHAPITRE VI

De la facile croyance et facilité du sexe féminin

Le diable ennemi fin, ruzé et cauteleux, induit volontiers le sexe féminin, lequel est inconstant à raison de sa complexion, de legère croyance, malicieux, impatient, melancolique pour ne pouvoir commander à ses affections : et principalement les vieilles debiles, stupides et d'esprit chancelant. Pour ceste cause il s'adressa à Eve, qui estoit un peu plus convenable organe à ses persuasions, que n'estoit Adam, alors qu'ils estoyent encor seuls en ce monde : aussi la vainquist-il par une assez legière dispute. De là sainct Pierre a nommé à bon droict les femmes vaisseaux debiles : et sainct Chrysostome (si c'est luy) en la seconde partie de ses homelies sur sainct Mathieu, le sexe des femmes, dit-il, est imprudent et mol, pour autant que facilement elle fleschit, ou du mauvais au bon, ou du bon au mauvais. Il dit encore sur la seconde epistre aux Corinthiens, homelie 23, que le propre des femmes est d'estre deceuës. Sainct Hierosme, ou, comme il me semble, quelqu'un d'autre escrivant de la reigle des religieuses à Eustoche, chapitre 16 ; Vostre sexe, dit-il, est debile, fragile et mol, depuis que l'on le laisse au commandement de sa volonté. Il dit encore fort bien, Le sexe des femmes, disoit Eleazar en Aristée, fuit volontiers les afections et facilement se laisse tomber à cause de son imprudence, et de sa nature debile. Quintilien dit que la femme est chose imbecille. Et Valère le grand au neuvième livre des choses memorables, chapitre 1, leur attribue une imbecillité d'esprit. Caius parlant pour Lucille en Strobée, sermon 17, escrit que la femme croit facilement et principalement lorsqu'elle est en calamité. Fulgence dit que la crédulité est mere de tromperie. Aristote au commencement du neuvième livre de l'histoire des animaux, escrit que les femmes sont plus facilement deceuës, et qu'elles desespèrent beaucoup plus tost que les hommes : autant en dit Albert au commencement du huictième livre des animaux, la plupart duquel il a transcrit du neuvième d'Aristote.

CHAPITRE XXXV

Je dis que tout ainsi que les sorciers ne vont cercher la doctrine de leur esprit corrompu, avec les infames magiciens, par longues peregrinations, labeurs ou estude : ainsi n'ont elles aucuns livres par le moyen desquels elles soyent instruites ou promues en leur profession : aussi n'ont elles aucune formes prescrites de leurs conjurations, lesquelles elles suyvent, n'aucun diable enfermé en un anneau, ou emprisonné en l'espesseur d'un chrystal, pour leur servir à faire leurs operations, ainsi que plusieurs magiciens le font accroire. Elles reverent et adorent seulement leur fantaisie, comme leur seul docteur, corrompue de plusieurs imaginations que le malin esprit leur fournit, auquel ajoustans le plus souvent trop de foy elles sont miserablement deceuës et perduës. Aussi ne peuvent-elles rien de particulier et davantage que ce qu'elles sont accoustumé à cause de leur lourdesse d'esprit, et inhabileté d'iceluy, ce que toutesfois le diable fait facilement à cause de sa subtilité et tendreté. Et encores que je voulusse soustenir qu'il n'est fait aucune mention de celles que nous nommons sorcieres, dedans les saintes lettres, je pense que paraventure je n'en serois pas aisement convaincu. Car aussi le fils de Dieu estant en terre n'eust oublié la guerison et l'amendement de ces monstres trompeurs, si ceste peste pernicieuse eust regné de son temps. D'avantage, j'asseure librement avec Cardan, sous correction d'Agrippa mon précepteur (qui a escrit un livre de telles folies) que toutes ces choses sont frivoles et mises en avant par l'instinct de Satan : à savoir, que les sorcieres puissent ensorceler, et par le moyen seulement des excremens de celuy auquel elles en veulent : comme sont l'urine, la fiente, le sang, les cheveux, et les rongeures des ongles enfermez dedans les membres d'un chien, aucunement semblables aux parites et excremens qui sont en l'homme, puis renfermez là dedans avec l'os d'un homme mort, et enterrez au nom de quelqu'un, les uns sous le seuil del'huis, les autres aux carrefours et les autres aux torrens. Comme si ces femmes hebetées pensoyent que ces choses du tout inutiles et frivoles eussent quelque puissance à faire le mal, qui toutes fois aparoit estre fait par le diable, ou autrement par une occulte volonté de Dieu, ou bien procreé par un vice naturel : principalement lors que faussement persuadées, elles pensent que ces choses soyent remplies de quelque nouvelle efficace par le murmurement sot et plein de blasphèmes ou par les maudissons qu'elles y ajoustent.

DE LA DEMONOMANIE DES SORCIERS

par Jean Bodin
A Paris, Jacques du Puys, 1580

"Sur le poinct de le mettre sous presse", Bodin complète un traité déjà écrit, il vient d'avoir connaissance du De lamiis *de Jean Wier. Il diffère donc l'impression du livre et pris d'une "juste colère", il écrit, peut-être un peu "aigrement", selon son aveu, contre Jean Wier une "réfutation" qui termine désormais la* Démonomanie.

Wier calomniant cest article de la loy de Dieu (que la Sorcière meure soudain, Exode 22) n'a pas pris garde pourquoy la loy n'a pas dit le sorcier : Car ce n'est pas pour espargner les sorciers, ny les Medecins et Apoticaires, s'ils empoisonnent, et qui s'entendent beaucoup mieux aux poisons, que non pas les femmes : Mais la loy de Dieu a voulu monstrer que les hommes sont moins infectez de ceste maladie, et que pour un homme, il y a cinquante femmes, comme il est dit au proverbe Hebrieu : Plus de femmes, plus de Sorciers, c'est à dire *merob naschim : merod Ih eschapim.* C'est pourquoy Pline dit que les femmes sont excellentes en sorcelleries, c'est à dire, *Feminarum scientiam in veneficio praevalere* : ce qu'il n'entend pas poison, car il met pour exemple Circé, qui changeoit les hommes en bestes, ce que tous les poisons du monde ne sçauroient faire. Aussi Quintilian *(in Declamatio)* dit, que la presomption est plus grande que la femme soit sorciere que l'homme, plustost voleur que la femme : *Latrocinium in viro facilius, veneficium in foemina credam.* Qu'on lise les livres de tous ceux qui ont escrit des sorciers, il se trouvera cinquante femmes sorcières, ou bien demoniaques, pour un homme, comme j'ay remarqué cy devant. Ce qui advient, non pas pour la fragilité du sexe à mon advis : Car nous voyons une opiniastreté indoutable en la plus part, et qu'elles sont bien souvent plus constantes à souffrir la question que les hommes, comme il fust esprouvé en la conjuration de Néron (Tacitus, lib. 14), et après la mort d'Hippias Tyran d'Athènes, que les femmes se tranchoient la langue pour oster toute esperance de tirer la verité. Et de plusieurs femmes martyres, il y auroit plus d'apparence de dire, que c'est la force de la cupidité bestiale, qui a réduit la femme à l'extremité pour jouyr de ses appetis, ou pour se venger. Et semble que pour ceste cause Platon met la femme entre l'homme et la beste brute. Car on voit les parties visceralles plus grandes aux femmes qu'aux hommes, qui n'ont pas les cupiditez si violentes : Et au contraire les testes des hommes sont plus grosses de beaucoup, et par consequent ils ont plus de cerveau et de prudence que les femmes. Ce que les Poëtes ont figuré, quand ils ont dit que Pallas Deesse de sagesse estoit née du cerveau de Jupiter, et qu'elle n'avoit point de mere : pour monstrer que la sagesse ne vint jamais des femmes, qui approchent plus de la nature des bestes brutes. Joint aussi que Sathan s'adressa premierement à la femme, par laquelle l'homme fut seduit. D'avantage je tiens que Dieu a voulu ranger et affoiblir Sathan, luy donnant puissance ordinairement et premierement sur les creatures moins dignes, comme sur les serpens, sur les mouches, et autres bestes, que la loy de Dieu appelle immondes, et puis sur les autres bestes brutes plustost que sur le genre humain : et sur les femmes plustost que sur les hommes, et sur les hommes qui vivent en bestes plustost que sur les autres. Joint aussi que Sathan par le moyen des femmes attire les marys, et les enfans à sa cordelle. Et par ainsi la resolution de la loy de Dieu demeurera, que la sorciere soudain doit estre mise à mort, et la calomnie de Wier contre la loy de Dieu, et des Magistrats executans son mandement sera rejectée. Car Wier est d'accord *(lib.2, c.4 et lib.4, c.14, et lib.5, c.9, De praestigiis et saepe alibi)* que les sorcieres ont communication et paction avec les diables, et qu'elles font beaucoup de meschancetez à l'aide du diable, et neantmoins au livre *De Lamiis,* il dist tantost qu'il n'y a point de paction et tantost qu'on ne sçauroit le prouver, tantost qu'il ne faut pas croire la confession des sorcieres, et qu'elles s'abusent de penser faire ce qu'elles disent, et que c'est la maladie melancolique qui les tient. Voilà la couverture que les ignorans ou les Sorciers ont prise, pour faire evader leurs semblables, et accroistre le regne de Sathan : Par cy devant ceux qui ont dit que c'estoit la melancholie, ne pensoient pas qu'il y eust des Demons, ny peut estre qu'il y eust des Anges, ny Dieu quelconque. Mais Wier confesse qu'il y a un Dieu (comme les diables le confessent aussi, et tremblent soubz sa puissance, ainsi que nous lisons en l'Escriture, *Epistolae Jacobi 2*) il confesse aussi par tous ses escrits qu'il y a de bons et malings esprits, qui ont intelligence et paction avec les hommes. Il ne falloit donc pas attribuer les transports des Sorciers, leurs malefices, et actions estranges à la melancholie, et beaucoup moins faire les femmes melancholiques, veu que l'antiquité a remarqué pour chose estrange que jamais femme ne mourut de melancholie, ny l'homme de joye, ainsi au contraire plusieurs femmes meurent de joye extreme *(Pline, Lib.7, Valere Max., Solin.),* et puis Wier est Medecin, il ne peut ignorer que l'humeur de la femme ne soit directement contraire à la melancholie aduste, dont la fureur procede, soit qu'elle vienne à bile *flava adusta, aut a succo melancholico,* comme les Medecins demeurent d'accord. Car l'un et l'autre procede d'une chaleur et seicheresse excessive, comme dit Galen au livre *De atra bile.* Or les femmes naturellement sont froides et humides, comme dist le mesme autheur, et tous les Grecs, Latins, et Arabes, s'accordent en ce point icy. Et pour ceste cause Galen *(in libro de atra bile)* dit aussi que l'homme estant d'un temperament chaut et sec, en region chaude et seiche, et en Esté tombe en la maladie melancholique, et neantmoins *Olaus le grand, Gaspar Peucerus, Saxo grammaticus,* et Wier mesmes est d'accord avec tous les inquisiteurs des sorciers d'Allemagne, que souz la region artique, où la mer glace, et en Allemagne aux monts des Alpes et de Savoye, tout est plein de Sorcieres. Or, est il certain que les peuples de septentrion, tiennent aussi peu de la melancholie comme les peuples d'Afrique de la pituite. Car on voit tous les peuples de Septentrion blancs, les yeux vers, les cheveux blonds et desliez, la face vermeille, joyeux et babillards, chose du tout contraire à l'humeur melancholique. D'avantage, Hippocrate au premier livre des maladies populaires, et Galen au mesme livre tiennent que les femmes generallement sont plus saines que les hommes, pour les flueurs menstruales qui les guarentissent de mille maladies. Jamais, dit Hippocrate, les femmes n'ont la goutte, ny ulceration de poulmons, dit Galen *(in libro de venae sectione),* ny d'epilepsies, ny d'apoplexies, ny de frenesies, ny de lethargies, ny convulsions, ny de tremblement tant qu'elles ont leurs flueurs, ou pour mieux dire leurs menstrues et flueurs. Et combien que Hippocrate *(in libro de Morbo sacro)* dit que le mal-caduc, et de ceux qui estoient assiegez des Demons, qu'on appeloit maladie sacrée, est naturelle : neantmoins il soustient que cela n'advient sinon aux pituiteux, et non aux bilieux : Ce que Jean Wier estant Medecin, ne pouvoit ignorer. Or nous avons monstré que les femmes ordinairement sont demoniaques plustost que les hommes, et ques les Sorcieres sont transportées souvent en corps, et souvent aussi ravies en extase, estant l'ame separée du corps par moyens diaboliques, demeurant le corps insensible et stupide. Encores est il plus ridicule de dire que la maladie des sorcieres provient de melancholie, veu que les maladies procedans de la melancholie sont toujours dangereuses. Neantmoins on void des Sorcieres qui ont fait ce mestier quarante ou cinquante ans, et de l'aage de douze ans, comme Jeanne Harvilier, qui fust bruslée vive le vingtneufiesme Avril mil cinq cens septante huict, et Magdeleine de la Croix, Abbesse de Cordouë en Espaigne, mil cinq cens quarante cinq, avoient eu accointance ordinaire et copulation avec le diable, qui dura quarante ans à l'une, et trente ans à l'autre. Il faut donc que Wier confesse que c'est une incongruité notable à luy qui est Medecin, et ignorance par trop grossiere (mais ce n'est pas ignorance) d'attribuer aux femmes les maladies melancholiques, qui leur conviennent aussi peu que les effets louäbles de l'humeur melancholique temperé qui rend l'homme sage, posé, contemplatif, (comme tous les anciens Philosophiques et Medecins ont remarqué, *Aristot. in Proble. Sectio.30 Princip.)* qui sont qualitez aussi peu compatibles avec la femme, que le feu avec l'eau. Et mesmes Salomon qui cognoissoit aussi bien l'humeur des femmes que homme au monde, dit qu'il a veu de mil hommes un sage, mais de femmes qu'il n'en a pas veu une seule *(in Proverbiis).* Laissons donc l'erreur fanatique de ceux qui font les femmes melancholiques.

Discipline et liturgie du mariage chrétien

*Ce n'est pas en quelques pages que l'on peut prétendre produire une anthologie qui rende efficacement compte de l'apport proprement chrétien aux lectures et écritures du XVI*e *siècle concernant la question de la femme.*

Au commencement est Eve, tout y revient comme à ce qui permet au plus grand nombre d'interpréter le rapport au réel, le mythe biblique échappe à la culture livresque comme lui échappe le mythe de Marie. Comme échappent encore dans une large mesure les filiations d'Eve et de Marie, les perverses, Dalila ou Hérodiade, les saintes, Madeleine ou Catherine. Le légendaire pieux est infini et il subsiste même si le théâtre des miracles et des mystères s'étiole, même si, cela va peut-être de pair, un humaniste comme Vivès déplore le succès de la Légende dorée.

Ce passé chrétien que tout le monde vit encore même si la culture humaniste le refoule, la Réforme, on le sait, l'interroge profondément et ce serait là une autre question d'analyser la perturbation de l'imaginaire de la femme que put produire le rejet de la mariolâtrie romaine dans les églises réformées, rejet accompagné d'un développement sensible de la révérence des grandes héroïnes vétéro-testamentaires.

Des pratiques populaires à la culture des théologiens nourris des textes patristiques et de ceux des docteurs médiévaux, Bernard ou Thomas, il y aurait encore bien des problèmes à signaler... Nous nous sommes bornés à un aspect "disciplinaire" concernant le mariage chrétien. Là encore, la Réforme produit des ruptures extrèmement profondes. D'une part la nature proprement "sacramentelle" du mariage est contestée, d'autre part le célibat et la chasteté consacrée ne sont plus tenus pour un moyen supérieur de salut qui est imposé aux clercs.

Sur ce dernier point, on peut apprécier d'abord un effort de "réalisme" moral. La Lettre à la noblesse chrétienne de la nation allemande *exhibe des abus que ne nient pas les études d'un abbé Toussaert sur les pratiques religieuses en Flandre maritime avant la Réforme. Cependant, là encore, l'imaginaire vient peut être dépasser le simple réalisme dans la mesure où ce qui est atteint c'est bien la représentation du corps social en trois ordres, dont l'un, supérieur aux deux autres, fermé aux femmes, se caractérise symboliquement par l'exclusion de ses membres des pratiques sexuelles du plus grand nombre. Désormais, le modèle familial préconisé dès le début du siècle par les humanistes s'impose. La femme n'est plus l'exclue fascinante d'un monde clérical ;*

sa sanctification par la lecture personnelle de la Bible lui ouvre même d'indubitables possibilités culturelles. Il demeure que le mariage n'est bien encore pour les anciens clercs qui fondent les églises réformées qu'un remède à la concupiscence, comme l'écrit Calvin c'est "la vraye bride". Quant à la faiblesse de la nature pécheresse, c'est encore dans la femme qu'elle trouve sa manifestation la plus dangereuse. La stricte discipline des cités protestantes n'est guère plus libératrice que la tolérance des cités catholiques. C'est un protestant, Lambert Daneau, qui exhuma les virulentes polémiques de Tertullien et de Cyprien contre la vanité des femmes.

Quelle que soit l'importance de la dispute théologique sur la nature sacramentelle du mariage, la liturgie calviniste en fait un acte religieux éminent. C'est d'ailleurs l'essentiel des lectures utilisées par le rituel romain qui se trouve réinvesti dans une cérémonie célébrée en français et surtout, à la différence de la liturgie romaine centrée sur la messe et donc sur l'analogie mystique entre le couple humain et celui du Christ et de l'église, une cérémonie organisée autour du consentement des époux.

Outre la donnée fondamentale qui soumet la femme au mari – donnée développée jusqu'à l'invraisemblance dans la prière de supplication figurant dans le rite romain jusqu'à ces dernières années –, les dispositifs liturgiques présentent des soucis communs qui sont liés à la nature à la fois civile et religieuse du mariage. L'indissolubilité est, on le sait, une occasion de discorde, la casuistique développée par les églises protestantes à partir des mêmes principes évangéliques étant récusée par l'église romaine. L'accord est, en revanche, flagrant sur le souci de socialisation de l'acte religieux. Il ne s'agit pas seulement du respect de la dignité de l'acte mais aussi de son efficacité sociale, la société n'ayant pas attendu le XIXe siècle pour se soucier de gérer les sexualités. Le concile de Trente se montra d'ailleurs en retrait par rapport à une exigence civile qui était de soumettre la validité du sacrement au consentement des parents. Pasquier montre comment par assimilation au rapt on peut contraindre l'autorité ecclésiastique réticente à prononcer la nullité des mariages sans accord paternel cf. Interprétations des Institutes, *1.I, ch.37.*

Par delà les aspects techniques qui ne sont pas de notre compétence, ces textes, spécialement ces canons conciliaires, ont ici leur place puisqu'il semble bien que ce renforcement disciplinaire eut pour corollaire un intense développement littéraire fondé sur la mythisation de la transgression. Du mariage secret de Roméo et Juliette *qui contrevient à toutes les dispositions tridentines aux mariages multiples par "paroles de présent" conclus par Don Juan – bien moins séducteur qu'épouseur à toutes mains –, un puissant imaginaire dramatique, réactivant parfois de vieux récits, se constitue sur la transgressivité.*

J.P.G.

DECRETS ET CANONS DU CONCILE DE TRANTE

1563

LES DECRETS ET CANONS, TOUCHANT LE MARIAGE

et autres choses concernantes,
publiez en la huictiesme Session du Concile de Trante,
souz nostre sainct pere le Pape Pie quatriesme de ce nom,
l'unziesme jour de novembre. 1563.

Traduicts de latin en françois par Gabriel Du Préau

Le premier pere du genre humain, par l'instinct du sainct Esprit prononça jadis le perpetuel, & indissoluble lien de mariage, quand il dit : Cest oz est maintenant de mes oz, & ceste chair, est de ma chair. Par quoy l'homme delaissera pere & mere, & adherera à sa femme, & seront deux en une chair.

Mais Jesus Christ a plus apertement enseigné, que deux seulement devoient estre couplez & conjoincts par ce lien, quand en recitant ces dernieres parolles, comme ayans esté prononcées de Dieu, il a dict : Parquoy ils ne sont desjà plus deux, mais sont une chair. Et incontinent après a confermé la fermeté d'iceluy lien, ayant esté de si long temps au paravant par Adam prononcée, par ces parolles : Donq'que l'homme ne separe ce que Dieu a conjoinct.

Or iceluy Jesus Christ instituteur & consommateur des venerables sacrements, nous a merité par sa passion, la grace laquelle perfeist & consommast ce naturel amour, & confirmast ceste unité & conjonction indissoluble & sanctifiast les mariez. Ce que l'Apostre sainct Paul denote quand il dit : Hommes, aymez voz femmes, comme Jesus Christ a aymé son Eglise, & s'est soy mesme livré pour elle. Et ajoustant consequemment : Ce sacrement (dit-il) est grand, voyre dy-je en Jesus Christ & en l'Eglise.

Veu doncq' qu'en la loy evangelique, le mariage est par la grace de Jesus Christ trop plus excellent, que les anciens mariages, les saincts Peres, & les Conciles, & la tradition de l'Eglise universelle, ont justement & à bon droict tousjours enseigné devoir estre annombré entre les sacremens de la nouvelle loy. A l'encontre de laquelle tradition, les impitoyables hommes de ce siècle forcenans, non seulement ont mal senty de ce venerable sacrement, mais (suyvant leur coustume) soubz le pretexte & couleur de l'Evangile, introduisans une liberté charnelle, ont tenu & affermé tant par escrit que par parole, plusieurs choses reculées du sens & intelligence de l'Eglise catholique receuës & approuvées par coustume, depuis le temps de Apôtres jusques à icy : non sans grand'perte & detriment des fideles de Jesus Christ, A la temerité & oultrecuydance desquels, le sainct & universel Concile voulant obvier, a trouvé bon d'exterminer les plus insignes heresies & erreurs des susdicts schismatiques : de craincte que leur pernicieuse contagion n'en attire à elle plusieurs, decretant ses Anathematismes contre iceux heretiques & leurs erreurs.

CANONS DU SACREMENT DE MARIAGE

Canon premier

Si quelcun dit que le mariage n'est pas vrayement & proprement un des sept sacrements de la Loy Evangelique, institué par nostre seigneur Jesus Christ, ains qu'il est en l'Eglise introduict par les hommes, & qu'il ne confere point de grace : qu'il soit retranché.

Canon cinquiesme

Si quelcun dit le lien de Mariage se pouvoir dissoudre à cause d'heresie ou pour une fascheuse cohabitation & mauvais menaige du mary ou de la femme, ou pour l'absence affectée de l'un des mariez : qu'il soit retranché.

Canon septiesme

Si quelcun dit : l'Eglise avoir erré, quand elle a enseigné & enseigne, suyvant la doctrine Evangelique & Apostolique, que le Mariage ne peut estre dissoulz pour l'adultere commis par l'un ou l'autre de ceux qui sont mariez, & que ny l'un ny l'autre, mesme l'innocent qui n'a point donné d'occasion qu'iceluy adultere fust perpetré, ne se peut remarier du vivant de l'un ou de l'autre, & que celuy là paillarde, qui ayant delaissé sa femme adultere, se seroit remariée à une autre, & celle qui ayant abandonné son mary adultere, se seroit remariée à un autre : qu'il soit retranché.

Canon huistiesme

Si quelcun dit que l'Eglise faille, quand pour plusieurs autres causes outre l'adultere, elle fait separation entre gens mariez, quand au lict & cohabitation, & qu'elle ordonne que cela se peult faire, pour un certain ou incertain temps : qu'il soit retranché.

Canon neufviesme

Si quelcun dit que les Clercs constituez ès sacrez ordres, ou les Reguliers qui solennellement ont fait profession de chasteté & continence, peuvent contracter mariage, & estant contracté qu'il est bon & valable, nonobstant la loy ecclesiastique, ou le voeu qu'ils en ont fait, & que l'opposite n'est autre chose que condamner le mariage : & que tous ceux qui ne se sentent point avoir le don de chasteté, bien qu'ils ayent vouée, se peuvent marier : qu'il soit retranché, veu que Dieu ne denie point ce don à ceux qui bien & deuëment le luy demandent, ny ne souffre que nous soyons tentez par dessus nos forces, & outre nostre portée.

Canon dixiesme

Si quelcun dit que l'estat matrimonial doit estre preposé à l'estat de virginité ou de continence, & qu'il n'est meilleur ne plus salutaire de demeurer en virginité ou continence & celibat, que de se marier : qu'il soit retranché.

DECRETS SUR LA REFORMATION TOUCHANT LE MARIAGE

Decret premier

Combien qu'il ne faille doubter, que les mariages ocultes & clandestins faits du libre & volontaire consentement des contractans, ne soyent vallables & vrays, tout le temps que l'Eglise ne les rend vains & de nul effect & valeur, & que pour ceste cause ceux-là ne soyent de droict à condamner (comme aussi le sainct Concile les condamne par une anathematization & retranchement qu'il fait d'eux) qui les nient estre vallables & vrais, & qui faucement afferment les mariages contractez par les fils de famille, sans l'adveu & consentement de leurs pere & mere, estre vains & de nul effect, & qu'il est en la puissance d'iceux leurs peres & mere, de les rendre vallables ou de nulle valeur : toutesfois la saincte Eglise de Dieu, pour très justes causes les a tousjours detestez & defenduz. Mais le sainct Concile considerant, que pour la desobeissance des hommes, telles defenses & prohibitions ne profitent rien maintenant, & qu'il apperçoit les gros pechez qui sourdent de ces mariages clandestins, & principalement de ceux-là qui persistent en estat de damnation, quand après avoir abandonné leur premiere femme avec laquelle ils avoyent secrettement & à cachette contracté, ils se remarient avec une autre publiquement et devant tous, & vivent avec elle en adultere perpetuel (auquel mal, veu qu'il n'y peut estre secouru par l'Eglise, qui ne juge jamais des choses occultes, si plus efficacement il n'y est remedié) à ceste cause en ensuyvant les vestiges & traces du sacré Concile de Latran, célébré soubz Innocent troisiesme, il veult & commande, que d'oresnavant premier que le mariage se contracte, soit par trois fois publiquement, durant la Messe, dénoncé & publié par le propre Curé des contractans, par trois jours de feste consécutifs, qui sont ceux entre lesquels se doit contracter le mariage. Après lesquelles dénonciations faites, si nul empeschement legitime n'y est opposé, qu'il soit procédé à la célébration d'iceluy mariage en face d'Eglise. Ou le Curé après avoir interrogé l'homme & la femme, & après avoir entendu leur mutuel consentement, ou qu'il dise : Je vous conjoins par le lien du mariage, au nom du Pere, & du Fils & du sainct Esprit. Ou bien qu'il use d'autres paroles, selon la coustume receuë en une chacune province. Que s'il advenoit, qu'à quelque fois il y eust suspition probable, que le mariage peut estre malicieusement empesché, si tant de dénonciations precedoyent, que lors ne se face qu'une denonciation, ou que le mariage se célèbre en presence pour le moins de deux ou de trois tesmoings. Puis devant la consommation d'iceluy mariage, qu'en l'Eglise se facent lesdites denonciations & advertissemens, afin que s'ils y restent encores quelques empeschemens, ils soyent plus facilement descouvers : sinon que l'ordinaire trouvast plus expédient que ces susdites denonciations fussent remises. Les quelles choses le sainct Concile remet à la prudence & discrétion d'iceluy. Ceux qui autrement qu'en la présence du curé, ou de quelque austre prestre (de la licence & permission d'iceluy Curé, ou de l'ordinaire) & de deux ou de trois tesmoings, attenteront de contracter & passer un mariage, le sainct Concile les rend totallement inhabiles à ainsi contracter, & ordonne que de telz contracts soyent nuls & de nulle force & vertu, comme aussi par le présent décret, dès maintenant, les casse & annulle. Et si d'avantage il veult et comande que le Curé ou autre prestre, qui avec nombre moindre de tesmoings, & les tesmoings mesmes qui auroyent assisté à un tel contract, ensemble les contractans, soyent griefvement punis, au vouloir & arbitre de l'ordinaire.

D'avantage le sainct Concile enhorte tous ceux qui se veulent ensemble marier, de n'habiter en une mesme maison avant la benediction sacerdotale : qu'ils doyvent recevoir au temple. Et si veult & ordonne qu'icelle benediction se face par le propre Curé des contractans, & que permission ne soit faite à un autre prestre quiconque soit, de faire icelle benediction, fors que par iceluy Curé ou ordinaire, nonobstant toute coutume, mesme immemoriale (qui se doit plustost appeler corruption) ou privilège quelconque. Que si quelque Curé, ou autre prestre, soit régulier ou séculier (ores qu'il debatte estre licite de se faire par privilege, ou coustume immémoriale) est si osé & hardi de s'ingérer à conjoindre par mariage, ou à beneistre ceux qui estant d'une autre paroisse se veulent espouser, sans le congé & permission de leur Curé, que de droict il soit suspend, jusques à ce qu'il soit absoult par l'ordinaire d'iceluy Curé, qui devoit assister audit mariage, ou duquel devoit estre prinse ou receuë la benediction. Que le Curé ait un livre, auquel il escrive la demeurance & manoir tant des mariez, que des tesmoings & le jour & le lieu où le mariage aura esté contracté, lequel il garde diligemment chez soy. Finalement le sainct Synode enhorte & admoneste ceux qui se veulent espouser, qu'avant qu'ils contractent, ou pour le moins trois jours avant la consommation de leur mariage, ils se confessent de toutes leurs offenses & pechez, & en toute humilité & devotion, reçoyvent le sainct Sacrement de l'autel. Si quelque provinces usent en cest endroit d'autres loüables coustumes & ceremonies outre les susdictes, le sainct Concile les prie affectueusement de les retenir. Mais à fin que tous sçachent & entendent ces tant salubres commandemens, iceluy sacré Synode enjoinct à tous ordinaires, qu'au plustost qu'ils pourront facent, publier & expliquer au peuple ce Decret, en une chacune Eglise parrochiale de leurs dioceses. Et que cela se face souventes fois la premiere année : & puis après toutes & quantes fois qu'ils verront estre expedient. Il ordonne d'avantage, que ce Decret commence à avoir sa force & vigueur en une chascune paroisse, trente jours après la premiere publication, en comptant du jour & date qu'elle aura esté faicte en icelle paroisse.

LITURGIE DE MARIAGE CALVINISTE

1552

(Ce texte liturgique calviniste est extrait de la Forme des prières *adjointe au psautier huguenot de Clément Marot et Théodore de Bèze publié à Genève en 1552, il remonte à la liturgie de Claude Farel, publiée à Neuchâtel en 1532 et reprise par Calvin à Genève en 1542.)*

Il faut noter que devant celebrer le Mariage, on le publie en l'Eglise par trois Dimanches : à fin que si quelqu'un y savoit empeschement, qu'il le vinst denoncer de bonne heure : ou si aucun y avoit interest : qu'il s'y peut opposer.

Cela fait, les parties se viennent presenter au commencement du sermon.

Lors le Ministre dit :

Nostre aide soit au nom de Dieu, qui a fait le ciel et la terre. Amen.

Dieu, nostre Pere, après avoir créé le ciel et la terre, et tout ce qui est en iceux, crea et forma l'homme à son image et semblance, qui eust la domination et seigneurie sur les bestes de la terre, et les poissons de la mer, et les oyseaux du ciel : disant, après avoir creé l'homme, il n'est pas bon que l'homme soit seul : faisons luy une aide semblable à luy. Et nostre Seigneur fit tomber un gros sommeil sur Adam et ainsi qu'Adam dormoit, Dieu print une des costes d'iceluy, et en forma Eve : donnant à entendre que l'homme et la femme ne font qu'un corps, une chair, et un sang. Parquoy l'homme laisse pere et mere, et est adhérent à sa femme, laquelle il doit aimer ainsi Jesus aime son Eglise : c'est à dire les vrais fideles et Chrestiens, pour lesquels il est mort. Et aussi la femme doit servir et obeir à son mari, en toute sainc-teté et honnesteté. Car elle est subjette, et en la puissance du mari, tant qu'elle vit avec luy. Et ce sainct mariage institué de Dieu, est de telle vertu, que par iceluy le mari n'a point la puissance de son corps, mais la femme : aussi la femme n'a point la puissance de son corps mais le mary. Parquoy conjoincts de Dieu ne peuvent estre separez, fors que par aucun temps du consentement de l'un et de l'autre, pour vacquer à jeusne et oraison : gardans bien qu'ils ne soyent tentez de Satan, par incontinence. Et pourtant doyvent retourner ensemble. Car pour eviter fornication, un chacun doit avoir sa femme et une chacune son mari, tellement que tous ceux qui n'ont le don de continence, sont obligez par le commandement de Dieu, de se marier : à fin que le sainct temple de Dieu, c'est à dire nos corps, ne soyent violez

et corrompuz. Car puis que nos corps sont membres de Jesus Christ, ce seroit un trop grand outrage d'en faire membre d'une paillarde. Parquoy on les doit garder en toute sainctеté. Car si aucun viole le temple de Dieu, Dieu le destruira.
Vous doncques (nommant l'espoux et l'espouse N.N.) ayant la cognoissance que Dieu l'a ainsi ordonné, voulez vous vivre en ce sainct estat de mariage que Dieu a si grandement honoré ? avez-vous un tel propos comme vous tesmoignez devant sa saincte assemblée, demandans qu'il soit approuvé ?

Respondent :

Ouy.

Le Ministre :

Je vous pren tous qui estes icy presens, en tesmoings, vous priant en avoir souvenance, toutesfois s'il y a aucun qui sache quelque empeschement, ou qu'aucun d'eux soit lié par mariage avec autre : qu'il le die.

Si personne n'y contredit, le Ministre dit ainsi :

Puisqu'il n'y a personne qui contredise, et qu'il n'y a point d'empeschement, nostre Seigneur Dieu conferme vostre sainct propos qu'il vous a donné : et vostre commencement soit au nom de Dieu, qui a fait le ciel et la terre. Amen.

Le Ministre parlant à l'espoux, dit ainsi :

Vous, N. confessez icy devant Dieu et sa saincte congrégation, que vous avez pris et prenez pour vostre femme et espouse N. icy presente, laquelle promettez garder, en l'aimant et entretenant fidelement, ainsi que le devoir d'un vray et fidele mary est à sa femme : vivant sainctement avec elle, luy gardant foy et loyauté en toutes choses selon la saincte Parole de Dieu, et son sainct Evangile.

Respond :

Ouy.

Puis parlant à l'espouse dit :

Vous, N. confessez icy devant Dieu et sa saincte assemblee, que vous avez pris et prenez N. pour vostre legitime mary : auquel promettez obeir, luy servant et estant subjette vivant sainctement, luy gardant foy et loyauté en toutes choses, ainsi que une fidèle et loyale espouse doit à son mary : selon la parole et le Sainct Evangile.

Respond :

Ouy.

Puis le Ministre dit :

Le Pere de toute miséricorde qui de sa grace vous appelez à ce sainct estat, pour l'amour de Jesus Christ son fils, qui par sa saincte presence a sanctifié le mariage, faisant là le premier miracle devant les Apostres : vous doint son sainct Esprit pour le servir et honorer ensemble d'un commun accord. Amen.
Escoutez l'Evangile : comme nostre Seigneur veut que le S. mariage soit gardé, et comme il est ferme et indissoluble : selon qu'il est escrit en sainct Matthieu au dixneufiesme chapitre.
Les Pharisiens s'approchent de Luy le tentans et disans : Est-il loisible à

l'homme de laisser sa femme pour quelque occasion ? Luy respondant, leur dit : N'avez-vous point leu que celuy qui fit l'homme dès le commencement, il fit le masle et la femelle ? et dit, Pource l'homme delaissera pere et mere, et s'adjoindra à sa femme, et seront deux en une chair : et par ainsi ils ne sont plus deux, mais une chair. Donc, ce que Dieu a conjoinct, l'homme ne le separe point.

Croyez à ces sainctes paroles que nostre Seigneur Jesus a proférées, comme l'Evangeliste les recite et soyez certains que nostre Seigneur Dieu vous a conjoincts au sainct mariage, parquoy vivez sainctement ensemble en bonne dilection, paix et union gardans vraye charité, foy et loyauté l'un à l'autre, selon la parole de Dieu.

Prions tous d'un coeur Dieu nostre Pere.

Dieu tout puissant, tout bon et tout sage, qui dès le commencement as preveu qu'il n'estoit bon que l'homme fust seul : à cause de quoy tu luy as creé une aide semblable à luy, et as ordonné que deux fussent un : nous te prions et humblement requerons puisqu'il t'a pleu appeller ceux-cy au sainct estat de mariage, que de ta grace et bonté leur veuilles donner et envoyer ton S. Esprit, a fin qu'en vraye et ferme foy selon ta bonne volonté, ils vivent sainctement, surmontans toutes mauvaises affections, edifians les autres en toute honnesteté et chasteté : leur donnant ta benediction, ainsi qu'à tes fidèles serviteurs, Abraham, Isaac, et Jacob : que ayans saincte lignée, ils te louent et servent : apprenans icelle, et la nourrissans en ta louange et gloire, et à l'unité du prochain et l'avancement et exaltation de ton sainct Evangile. Exauce-nous, Pere de misericorde, par nostre Seigneur Jésus Christ, ton tres cher fils. Amen.

Nostre Seigneur vous remplisse de toutes graces, et en tout bien vous doint vivre ensemble longuement et sainctement.

Deuxième partie
La philosophie de l'amour et les arts d'aimer

La philosophie de l'amour et les arts d'aimer

L'attention portée à la femme par les théoriciens de l'ordre bourgeois était étroitement liée à une conception de la vie qui faisait de la famille le pivot de la société. La norme proposée s'adressait essentiellement à l'épouse ou au couple. Un autre type de relations entre hommes et femmes s'était développé en Italie durant la deuxième moitié du XVe siècle, dans le cadre de ces cours seigneuriales puis princières qui peu à peu s'organisaient et se raffinaient. A Milan, Ferrare, Urbin, Mantoue, les courtisans des deux sexes se côtoyaient constamment dans leur gravitation autour du couple ducal. L'art de la conversation ou de la versification, les jeux mondains et galants occupaient, en temps de paix, les journées de cette aristocratie oisive qui devait réserver le meilleur accueil à la "philosophie" ou "science" de l'amour, inspirée du néo-platonisme florentin. Si Marsile Ficin avait, grâce à ses traductions et à ses commentaires, mis dès 1463 Platon à la portée des lettrés, la génération qui suivit prolongea cet effort en direction du public mondain, et particulièrement des dames. Du grec on était passé au latin, du latin au vulgaire, en même temps que le traité devenait commentaire, et le commentaire adaptation. Ce faisant, les préoccupations de Ficin, soucieux de redonner à la foi chrétienne la dimension mystique qu'elle avait perdue, s'estompent et le champ de la philosophie néo-platonicienne se restreint à une philosophie de l'amour. Des différents dialogues traduits par Ficin, on retint surtout Le Banquet *et son commentaire, celle de ses oeuvres qui associe le plus directement l'amour divin et l'amour humain, faisant "de l'état amoureux la condition naturelle de l'âme" (A. Chastel). Les dissertations sur l'amour se multiplièrent au début du XVIe siècle et leur aura néo-platonicienne permit aux gentilshommes de donner à leurs manèges galants une coloration métaphysique. Le néo-platonisme en vint ainsi à redonner une nouvelle jeunesse aux idéaux courtois, souvent réduits à un jeu mondain et formel, mais dont le souvenir, grâce au Dolce Stil Novo et à Pétarque, était resté plus vivant en Italie qu'en France. Le Pétrarquisme du XVIe siècle se nourrit de ces traités sur l'amour et c'est la justification philosophique de sa poésie que représentent pour Bembo* Les Azolains. *Ce grand texte qui joua un rôle décisif dans la vogue d'une certaine philosophie de l'amour et du pétrarquisme, a d'ailleurs pour cadre et pour prétexte (comme quelques années plus tard* Le Courtisan*), les conversations d'un groupe de seigneurs et de dames réunis à la cour de la reine de Chypre à Asolo. Les détenteurs d'une* *autorité qui, au début du XVIe siècle, se fait de plus en plus absolue, ne pouvaient que se féliciter de voir leurs sujets plongés dans une casuistique qui reléguait au second plan les préoccupations du "civis" soucieux des affaires de sa ville ou de son pays. Néo-platonisme et pétrarquisme apparaissent comme étroitement liés aux raffinements mais aussi aux impuissances de la société courtisane à qui ils offrent une image embellie d'elle-même.*

En France cette "nouvelle" philosophie bénéficiait du prestige culturel transalpin ; de plus elle se présentait aux lecteurs sous un jour particulièrement attrayant. Les oeuvres, quasiment toutes dialoguées, qui la font connaître, sont à mi-chemin entre le traité de philosophie et la littérature narrative et veulent souvent refléter la vivacité d'une conversation mondaine entrecoupée de plaisanteries, de poèmes, de croquis même. Leur organisation se place sous le double patronage de Platon et de Boccace pour réunir dans un cadre souvent verdoyant et toujours raffiné, d'aimables philosophes qui vont révéler les secrets de Platon à leurs toujours charmantes interlocutrices. En comparaison, Guevara et Vivès étaient, pour les femmes, de bien ennuyeux prêcheurs, et si Erasme avait trouvé dans la forme dialoguée un instrument de persuasion peut-être plus efficace, l'idéal proposé restait centré sur la soumission inconditionnelle de l'épouse et l'exaltation de ses vertus domestiques. Tout enrichissement culturel même n'était toléré que dans la mesure où il contribuait à fortifier la foi conjugale. De telles perspectives n'étaient pas toujours séduisantes pour des femmes que d'importantes incompatibilités d'âge ou de caractère séparaient de leurs époux. Au contraire, la philosophie de l'amour, courtoisement orientée vers le respect et l'exaltation des dames, affirmait volontiers l'égalité des sexes, voire la supériorité de la femme dans l'ordre du beau et donc dans l'ordre du divin. Les lettrés s'adressaient souvent aux dames, confiants dans leurs capacités de compréhension et de jugement. Surtout, donnant la première place à l'analyse minutieuse et à la codification du sentiment amoureux, ils mettaient la femme au centre même de leur conception de la vie. De la nature d'amour, La philosophie de l'amour, Les Dialogues d'Amour, La diffinition et Perfection d'Amour *: traductions de l'italien ou interprétations françaises, ces titres ficiniens ne permettent pas de saisir combien, dans certains cas, les préoccupations métaphysiques et religieuses s'effacent devant les applications possibles de cette philosophie à la vie sentimentale.*

Dans cette perspective tout le monde était philosophe, même les femmes, traditionnellement aptes à comprendre les choses d'amour – on se souvient de la chanson de Dante "Donne ch'avete intelletto d'amore". L'exaltation des relations amoureuses fait la part belle aux femmes qui peuvent la concilier avec le maintien de la foi conjugale puisqu'elle oppose l'Aphrodite Céleste à l'Aphrodite Terrestre, le vrai amour à la rage vénérienne et met l'accent sur la hiérarchie des sens, chère à Ficin. Non seulement il n'y a pas alors conflit entre amour et honneur, mais cet adultère bien compris est même une garantie de l'honneur féminin (Castiglione, Héroet). Situation difficile certes, réservée à une élite, faite par là même pour flatter la femme glorifiée dans sa beauté et dans sa vertu, mais qui présente l'avantage de ne contredire en rien les efforts déployés d'autre part pour restaurer le mariage : la dame de cour, la parfaite amie sont aussi de bonnes épouses. Il peut même arriver que, contrairement à l'opposition médiévale entre amour et mariage, l'amoureux néo-platonicien épouse son amie (Castiglione, Charles Fontaine, Caviceo). Le perfectionnement réciproque des âmes inspiré de Platon, s'accomplit alors dans la légalité matrimoniale chrétienne et cette situation est généralement représentée comme l'idéal que seule la pression des contingences matérielles sur l'élaboration des mariages empêche trop souvent de réaliser (Castiglione, M. de Navarre). A une affection conjugale qui apparaissait chez Erasme et Vivès comme le résultat d'un compromis lourd de résignation, vient se substituer une passion "légitime" où l'on peut voir le germe des nombreux développements romanesques des siècles suivants. Cette direction prise par le néo-platonisme sera en effet soutenue par la Contre-Réforme qui mettra l'accent sur "l'amour honneste", celui qui mène au mariage.

C'est également la "philosophie de l'amour" mondanisée, banalisée, qui va, dans la première moitié du XVIe siècle, cautionner la magnification de l'amour humain, indépendamment de toute référence morale, sous ses aspects les plus païens et les plus panthéistes. L'amour des beaux corps était toléré par Ficin en fonction des possibilités de dépassement qui lui donnaient sa dignité ; replacé dans la hiérarchie du beau, l'amour de la beauté terrestre semblait abolir la vieille contradiction entre la chair et l'esprit, la vitalité la plus élémentaire méritait le respect. Une étape fut franchie quand les écrivains, laissant dans un perpétuel futur l'ascension vers le beau suprême, se contentèrent d'admirer la divinité dans "Les Beautés des Dames". Il ne peut y avoir rien de mal dans l'amour, et le livre II des Azolains *justifie par le rappel du mythe de l'androgyne l'union des amants qui ne pèchent pas davantage que les animaux ou les plantes. Cet hédonisme mondain et sensuel que la Pléïade exploitera abondamment, rejoignait ainsi curieusement une conception naturaliste de l'amour que quelques allusions à Platon suffisaient à "moraliser". La femme redevient alors une proie qui ne vaut qu'autant qu'elle est belle est jeune, et c'est l'illusion de la puissance que lui donneront les raffinements que l'on met à la conquérir. La "fruition de beauté" prend son sens le plus concret, la philosophie de l'amour devient art d'aimer.*

On ne s'étonnera donc pas de nous voir faire figurer à la suite de trois ouvrages de philosophie mondaine des exemples de la vogue que connurent parallèlement les recueils de conseils à l'usage des amoureux. L'amour courtois avait trouvé dans le De amore *d'André le Chapelain ses règles de conduite, le* Courtisan *de Castiglione envisage de très près les conséquences pratiques des principes évoqués, en un code raffiné et strict qui fait passer l'honneur avant le plaisir. A peu près à l'époque où le* Courtisan *était traduit pour la première fois en France, on demande aux traductions d'Ovide des conseils moins sévères, on en tire des adaptations convenant à la morale de cour, et on fait grand cas de ces oeuvres mineures d'Alberti que sont* L'Hécatomphile *et* La Déïphire. *Critères permettant de reconnaître le véritable amour, comportement à observer, méthodes pour entretenir l'amour ou pour s'en débarrasser : ces différents préceptes permettent de mesurer quel fossé existait entre la spéculation philosophique et la pratique quotidienne. Enfin, ces ouvrages ont suscité leur propre parodie dans* La Raffaella, *dialogue à la manière de Platon encore, et le plus concret des arts d'aimer : poussant à leur extrême les impératifs du dévouement familial, de la respectabilité et de la sensualité, il réussit à les concilier au prix d'une hypocrisie constante, admirablement codifiée.*

Ainsi convient-il sans doute de nuancer les affirmations qui voient dans le néo-platonisme l'occasion pour la femme d'une promotion réelle. Certes les affirmations d'égalité des sexes ne manquent pas, le droit des femmes à la culture est souvent proclamé et dans la Querelle des Femmes les néo-platoniciens se rangeront du côté du sexe faible. Ces acquis ne sont pas négligeables même s'ils sont destinés à rester longtemps sur le plan des principes. Mais l'importance accordée aux relations amoureuses limitait à l'extrême l'autonomie concédée à la femme. Celle-ci reste l'objet du discours masculin et ne doit son importance qu'à l'effet d'écho qu'elle produit. De plus, l'image flatteuse qu'on lui propose d'elle-même lui enlève toute possibilité de refus : présentée comme belle, vertueuse, sage et modeste, elle

ne pourra que tenter de s'identifier à ce modèle. Loin de mener le jeu et d'accroître son autorité et son indépendance, la femme reste en définitive ce qu'un système masculin a voulu qu'elle soit.

M.F.P.

Pietro Bembo, Les Azolains, 1505-1545

Les Azolains évoquent la réunion, dans le château d'Asolo, résidence de la reine de Chypre, de trois gentilshommes et de trois dames venus assister aux noces d'une jeune demoiselle. A trois reprises il vont passer les heures brûlantes du jour sous la fraîcheur des arbres où ils devisent de la nature de l'amour. Leurs entretiens sont réunis en trois livres où chaque homme expose sa conception de l'amour et dirige un entretien auquel les trois dames prennent peu de part. Les deux premières journées se contredisent et se complètent : pour Perrotino l'amour-amer est cause de douleurs infinies, alors que pour Gismondo il est une impulsion naturelle source de tous biens. La troisième journée dépasse cette opposition insoluble en traitant du véritable amour, celui qui est désir de "celle grande splendeur, dont le Soleil n'est seulement qu'un rayon". Cette suite de discours sur l'amour s'inspire bien évidemment du Banquet *de Platon : on y retrouve le récit de la division de l'androgyne primitif, l'éloge de l'amour universel, et Lavinello s'en remet aux leçons de l'ermite comme Socrate à celles de Diotime. Et pas plus que le discours de Socrate n'enlève son poids à celui d'Aristophane ou d'Eryximaque, le discours de Lavinello n'annulle les précédents : tous trois traitent de l'amour, chacun contient une part de vérité.*

On ne saurait cependant rendre compte de cet ouvrage, en y voyant seulement un traité de "platonisme pour les dames" selon une expression justement célèbre. Les livres I et II en particulier apparaissent comme d'aimables propos galants qui reprennent bien des concepts courtois ou des thèmes utilisés par Pétrarque. Quant au livre III, c'est à Dante qu'il emprunte la distinction entre désir naturel et désir soumis au libre arbitre de l'homme. A travers ces modèles, Bembo se replaçait dans une tradition de la lyrique amoureuse dont ses trois héros s'affirment les disciples. Leur discussion philosophique reste fort lâche, elle proclame plus qu'elle ne démontre ; les passages quelque peu théoriques que nous avons choisis interrompent une longue rêverie dont l'émotion éclot en de nombreuses chansons qui donnent à chaque livre sa tonalité affective.

Tel se présente cet ouvrage, premier témoignage de la rencontre des doctes et des mondains. Son pétrarquisme platonisant était appelé à connaître son heure de gloire en France, avec, entre autres, l'Olive *et les* Sonnets de l'Honneste Amour. *En 1545 Jean*

Martin en donna une traduction à la fois fidèle et élégante qui fut réimprimée en 1547, 1551, 1553, 1555, 1560, 1571, 1572, etc...

M.F.P.

LES AZOLAINS

de Monseigneur Bembo,
de la Nature d'Amour,
traduictz d'italien en françoys par Jan Martin.
Paris, M. de Vascosan, 1545.

LIVRE II

(Gismondo vient de rappeler le mythe de l'Androgyne).

Gismondo : "Certainement mes damoiselles, vous ne sçauriez estre sans nous, ny nous sans vous. Et sans que je m'estende à en dire davantage, chascun le peult facillement apercevoir par les dispositions ordinaires : mais pour le mieulx specifier, entendez que la generation humaine ne pourroit longuement consister en essence, si nous vivions separement. Et quand ores ainsi seroit que nous pourrions naistre sans participation de sexe, il ne seroit possible que sçeussions vivre separez, pour autant que ceste vie (à qui bien la contemple) est plaine de travaulx innumerables, que l'un ny l'autre sexe par soy ne seroit suffisant de porter [...] . Comment donc pourroient les hommes, labourer, edifier, naviguer, & faire autres negoces necessaires à la sustentation de la vie, s'il leur convenoit faire ce que vous faictes entre vous femmes ? Comment seroit-il possible que nous peussions tout en un temps donner les loix aux peuples, & les tetins aux petis enfans ? Comme aussi pourrions nous entre leurs crieries & gemissemens, escouter les differens des hommes pour en faire decision & les mettre hors de querelle ? Comment se pourroit accorder que demeurissions en noz chambres, gisans en lictz de plumes, prenans la pluspart de nos ayses, pour passer le temps de la grossesse, & estre à la campagne au vent & à la pluye, garnis de toutes armes pour resister aux outrages de nos ennemys, en deffendant les personnes & biens, s'ilz venoient assaillir nos frontieres ? Il n'y a point de doubte, que si nous hommes ne pouvons excercer tout en un temps voz offices & les nostres, vous de vostre costé n'avez en rien plus d'avantage, d'autant que pour la pluspart estes moins fortes que nous, & non tant convenables au labeur. Ce que nature prevoyant dès le commencement du monde, elle (qui facillement nous pouvoit former d'une seule matiere comme les arbres) nous departit & divisa en deux ainsi quasi comme une noix, puis en l'une des parties reduisit vostre sexe, & en l'autre le nostre : tellement qu'en ceste sorte nous meit au monde propres à l'un ou à l'autre labeur. Vray est toutesfois qu'elle vous assigna le moindre, pour estre plus tolerable à voz membres delicatz, & à nous le plus lourd, comme duysant à noz espaules robustes

& vigoureuses. Puis nous sçeut si bien accomoder & soubmettre à ses loix, que vous avez tousjours besoing de nostre aide, & nous de la vostre, en sorte qu'il n'est possible nous passer les uns des autres, non plus que deux compagons qui vont à la chasse, l'un desquelz porte le pannier, & l'autre tient le bout du filé, mais nonobstant ce soient deux choses diverses, si est-ce que quand ilz ont fait proye, que l'un n'emporte pas tout sans en faire part à l'autre : ains s'assiessent souz quelque arbre, & là departent egalement leur butin. Ainsi les hommes & les femmes destinez à deux negoces contraires entrent en ceste chasse labourieuse de la vie & chascun sexe y a besoing du secours de l'autre : car ilz sont si debiles chascun par soy, que nul ne sçauroit exercer autre charge sinon celle qui luy est ordonnée. Parquoy quand les femmes antiques de Lemnos, & les Amazones tant renommées voulurent faire experience du contraire, elles trouverent que ce fut leur ruine : car pendant que tout en une saison cuiderent embrasser les ofices des masles & femelles, lors elles exterminerent par toutes leurs terres & seigneuries leur sexe avec celuy d'autruy.

A ceste cause si les hommes sans les femmes, & les femmes sans les hommes, n'ont moyen de vivre en ce monde, mesme que chascun sexe n'ait en soy sinon la moitié de ce qui est requis pour venir au point de la vie, & que la chose qui ne peult consister sans ajunction de pareille, ne peult estre appelée totalité, ains une moytié toute simple, je ne puis apercevoir, mes Damoiselles, que nous soyons separement autre chose qu'une partie de vous, & vous de nous, ny que l'homme & la femme joinctz ensemble puissent estre fors Unité. Ne le vous semble il point ainsi ? Ne vous est il avis (en bonne foy) que vos seigneurs portent ordinairement une partie de voz personnes ? Je croy certes quand ilz s'en vont en loingtains voyages, que vous sentez quelque portion de voz cueurs delaisser voz poitrines, pour se conjoindre aux leurs, dont puis après (quelque distance qu'il y ait) cela vous tient lyez d'une forte chaine, & rend vostre Amour inseparable. Chose qui provient seulement de ce qu'ilz sont vostre moitié, & vous la leur, comme je suis celle de ma dame, & que de sa part elle est la mienne. Et si je l'ayme d'affection entiere, comme sans point de doubte je fais & feray toute ma vie, si n'est ce pourtant à dire qu'elle & moy aymions autruy, ains chascun l'autre moitié de soy mesme. Voila, mes Damoiselles, comme il en prent & prendra tousjours à tous vrays amoureux. Parquoy pour venir à la fin de ceste dispute je conclus que si les hommes & les femmes en s'entreaymant desirent l'autre partie d'eulx mesmes, ilz peuvent sans difficulté avoir la parfaicte fruition de leurs Amours, à tout le moins s'il est vray ce que vous, seigneur Perotino, avez mis en avant, qu'on ne peult avoir entiere jouyssance d'une chose qui soit estrangere. Mais puis que ne pouvoir jouyr de la chose aymée est seulement ce qui cause passion, si les amans bien fortunez peuvent acquerir le bien de leurs desirs, je ne puis bonnement cognoistre que la conclusion par vous prise en cest endroit, soit valable, disant que Amour rend les cueurs des personnes melancholiques, & à peine que n'avez dit pertroublez...

[...] Il n'y a point de doubte, mes damoiselles, que la bonté d'amour dont je doy maintenant parler, est inexplicable & infinie, car encores que l'on en dye tout ce que l'on peut imaginer, si ne la peut on jamais toute mettre dedans les cerveaux des escoutants. Ce néantmoins, dedvisant à ceste heure combien elle est profitable & delicieuse, l'on pourra plus facilement cognoistre le peu qui s'en pourra tirer, que si l'on s'en taisoit du tout, comme ainsi soit que tant plus sont les fleuves qui derivent de quelques fontaines grans, larges & navigables, puis est il à presupposer que leurs sources sont abondantes. Je dis donc, commençant à l'utilité, que tant plus une chose est cause de biens grands ou extremes, tant plus est elle utile & profitable. Or amour n'est seulement cause motive d'aucun de ces biens, ains la principale origine de tous ceulx qui se font sous le ciel, de quelque qualité qu'ilz puissent estre, & par ainsi fault accorder qu'il est utile & recommendable, plus que toutes les autres choses du monde. Je pense bien mes damoiselles qu'il vous semblera presentement que je commence un peu trop hault à parler de cest amour & luy fais la teste trop grosse comme si je vouloys mettre celle d'Atlas sur le corps d'un homme de moyenne stature. Mais certes, j'en parle comme je doy, & n'en dy un mot de plus qu'il ne fault. Pour laquelle chose prouver je vous prie considerez combien le monde est spacieux, de quantes diversitez il est capable, puis combien de manieres d'animaux estranges il contient & nourrit en soy. Entre toutes celle multitude innumerable, il n'y a rien qui ne se sente de l'amour, & ne cognoisse de luy sa naissance & procreation, comme de premier pere & progeniteur, lequel s'il ne conjoignoit deux corps separez, idoines à engendrer leurs semblables, il ne se produirait ny naistroit aucune chose sur la terre, car encore que par vive force deux humains habiles à generation se peussent accoupler ensemble, si amour ne se mesloit entre eux, & ne disposoit leurs affections à un mesme vouloir, ilz pourroient demourer mille ans avec l'autre, que jamais ne sçauroient engendrer. Le poisson cherche entre les ondes sa femelle qu'il désire, & elle de l'autre part le quiert, & ainsi voulant une mesme chose, ilz donnent multiplication à leur espece. Les oiseaux s'entrefuyent en l'air, les bestes sauvages se cherchent parmy les foretz, ou s'assemblent en leurs repaires, & dessouz une mesme loy toutes ces creatures simples perpetuent en s'entr'aimant chascun sa vie transitoire & debile.

[...] Finalement, mes damoiselles, quelle suavité pensez vous que ce soit de s'entretenir par les mains, & sentir tout au long de la poictrine une liesse arrousant le cueur & les veines, comme si c'estoit un fleuve de manne tiede & celeste. Je tais les autres joyeusetez inexplicables, qui touchent les cueurs au vif, mais puisque nostre humanité est subjecte à nature, & que sommes venus au monde par le moyen de volupté, je dy que c'est une chose doulce, & non reprouvable, que d'accorder à son vouloir, & que devons sans resistance faire princesses de nostre vie, celles que les antiques proposerent à leurs scenes *. Quel contentement d'avantage cuidez vous qu'il y ait, quelle satisfaction, & allegeance de courage, à deviser privément avec sa dame de

* Un contre-sens rend ici incompréhensible le texte de Bembo dont la traduction est la suivante : "et que nous devons prendre pour loi de notre vie celle qui régissait les banquets des Anciens : ou tu t'en vas, ou tu bois".

negoces, accidens, aventures, malheurs, oultrages ou plaisirs, en telle & aussi grande asseurance que l'homme oseroit raisonner à part soy ? Est il rien du monde si doulx, que ne cacher un seul secret à l'ame, compagne de la sienne, & sçavoir certainement qu'elle aussi ne luy cele aucune chose ? O Dieu c'est une oeuvre delectable de communiquer ensemble toutes ses esperances & desirs, voire n'eviter charge ny peril pour le soulagement de sa partie, non plus que l'on feroit pour soymesme, ains suporter doulcement & de bon visage tout mal & tout bien, jusques à vivre ou mourir l'un pour l'autre. Cela fait sans point de doubte que les choses prosperes s'en rendent plus agreables, & les sinistres moins offensives, pour autant que la delectation des bonnes croist & augmente à grand force quand l'on sent qu'elles plaisent à qui l'on porte affection. Et au contraire quand les tristesses sont egallement parties, elles perdent incontinent assez de leur premiere violence, & petit à petit s'evanouissent comme neige au soleil, en confortant, conseilmant & secourant l'un l'autre, ou pour le moins elles sont tant ombragées de nouveaux plaisirs, & si tresavant mises au fleuve d'oubliance avec les passées, qu'à peine peult ont dire si elles ont esté ou non.

[...] Mesmes tout ainsi que la santé est tousjours utile & profitable, aussi [l'amour] est il tousjours plaisant à toutes créatures humaines, soit en montaigne, soit en planure, soit en la terre, ou en la mer, soit en portz, soit en forteresses, soit en bonnes fortunes ou en aversitez. Il esgaye les pastoureaux dedans les cavernes champestres, & emmy leurs pauvres maisonnettes. Il reconforte dans les palais & souz les toicts des chambres dorées les testes pensives des Roys & grands seigneurs. Il apaise les rompemens de teste des juges & senateurs. Il restore les travaux des gens de guerre après les combatz, & mesle avec les loix la doulce ordonnance de nature. Puis souventesfois au milieu des cruelles & sanglantes batailles apporte une paix pure & non assez louable. Il repaist les jeunes hommes, il soustient ceulx qui sont aagez, delectant aussi bien les uns que les autres. Il fait la plupart du temps ce qui semble si admirable, à sçavoir sous les vieilles escorces retourner la seve d'une jeune plante, & souz les peaux blondes & delicates fait naistre avant la saison mille pensemens chanuz. Il plaist aux bons, il contente les sages. Brief, il est salutaire à tous. Il dechasse les melencolies, il bannit les tristesses. Il oste les frayeurs des courages. Il appaise plaidz & proces. Il fait les nopces & festins, il augmente le nombre des familles. Il enseigne à parler, il apprend à taire, & monstre entierement toute courtoisie. Il fait les doulces departies, à fin que les retours soient agreables & de trop plus vive force. Il rend les demeures plaisantes, veu qu'en pensant aux biens que l'on possede, toutes les absences s'oublient. Il fait user les jours en joye, & iceulx veoir souventesfois deux Soleilz singulierement gracieux en lumiere. Mais de nuict se font ses grands miracles, car nous n'y perdons tousjours l'apparence de nostre Soleil &, quand il est absconcé, le songe doulx & amiable ne fault point à rapporter les mesmes passetemps & delices, dequoy sommes privez en veillant.

LIVRE III

Préambule de l'auteur

Je pense (à mon avis) que plusieurs me donneront Vitupere de ce que je convie les Dames & Damoiselles à l'inquisition de ceste vérité, & diront qu'il estoit plus raisonnable les laisser en leurs offices de mesnage, que les mener en la queste des choses de telle importance. Toutesfois je ne me soucie aucunement de leur dire : car s'ilz ne veulent du tout nyer que l'Ame raisonnable a esté donnée par le createur aux femmes, aussi bien qu'aux hommes, je ne sçay pourquoy il ne leur sera autant loisible, comme à nous, de chercher ce qu'elles doivent suyvre, & fuyr ce qui est mauvais, principallement en ses questions qui sont paraventure le blanc en la butte de toutes nos speculations & ouvrages, & environ lesquelles toutes sciences tournent & se meuvent, comme la Roue à l'entour de son moyeu. Si doncques Dames & Damoiselles, ne s'employent totallement aux exercices qui leur sont propres & convenables, ains passent une partie de leur loysir à l'estude des bonnes lettres, il ne fault prendre garde à ce qu'en pourront dire ces repreneurs tant severes, pource que le Monde cognoistra cy après quelle commodité ou incommodité ce peult estre, & à mon jugement donnera louenge à celles qui auront suivy la meilleure partie. Mais escoutons à ceste heure les raisons du seigneur Lavinello.

Discours de Lavinello

[...] Certainement il advient souventesfois que les aventures prosperes dont messire Gismondo a parlé, suyvent ceux qui ayment de bonne sorte, à sçavoir reveillement d'esprit, privation de follie, accroissement de valeur, & detestation de toute volunté villaine ou basse, mesmes treuvent tousjours remede & expedient en tout temps & en toute place contre les ennuis & tribulations de ceste vie, ou qui ayme pour mauvaise fin, jamais ne luy sçauroit sinon mal avenir, ains la pluspart du temps luy succedent les griefes traverses dont le Seigneur Perotino a parlé, qui sont scandales, suspeçons, repentances, jalousies, souspirs, larmes, douleurs, perdition de toutes bonnes oeuvres, de temps, d'amis, de conseil, de vie, & destruction de soymesmes. Ne croyez pas toutesfois messire Gismondo, qu'encores que je parle en ceste sorte, je vueille pourtant maintenir que l'amour soit bon en la guise que vous l'avez painct, car certes je suis aussi loing de ceste opinion, que vous estes de la vérité, de laquelle grandement variastes au sortir des limites de deux sentimens premiers, & de la pensée, quand vous laissastes legierement transporter à vostre desir, non content des choses simples. Qu'il soit vray, c'est une maxime toute certaine, & à nous parvenue des escoles plus aprouvées des antiques difinisseurs, que bon amour n'est autre chose fors desir de beaulté. Si donc vous eussiez mis autant de peine par le passé à cognoistre quelle est ceste beaulté, comme vous en princtes hier pour nous paindre subtillement les perfections exterieures de vostre dame, à la vérité vous n'eussiez pas aymé comme avez fait, ny conseillé aux autres de poursuivre ce que vous cherchez en amours, car beaulté (puis qu'il fault que je le dise) n'est sinon une grace qui provient de proportion, convenance, & armonie des choses, & tant plus est parfaicte en ses subiectz, plus les rend elle gracieux & desirables, pour estre non moins accidentalle aux espritz des hommes, qu'elle est à leurs parties corporelles. Et comme le corps est estimé beau, duquel les membres ont proportion correspondante, tout ainsi est beau le courage duquel les vertus font armonie entr'elles. Et tant plus sont l'un & l'autre participans de la grace que je dy, plus sont ilz douez de beaulté, d'autant que leur convenance est plus parfaicte & accomplie. Le bon amour donc est un désir de telle beaulté de courage & de corps. Et cest amour bat tousjours ou estend ses aesles pour aller à elle comme à son vray object. Or pour faire ce vol, il a deux fenestres propices, l'une par où il tend à la beaulté de l'ame, & ceste là est l'ouye, & l'autre par où il volle au corps, & ceste là est la veüe, car ainsi comme par les formes qui se manifestent aux yeux, nous cognoissons quelle est la beaulté du corps, ainsi par les voix & parolles que les oreilles reçoivent nous comprenons quelle est celle du courage. Et certes le parler ne nous fut à autre fin donné par la nature, que pour estre demonstrateur entre nous de noz affections & pensées. Mais pource que la fortune & l'accident peuvent souventesfois empescher à nos desirs le passage pour aller à leurs objectz, nous eslongnant (comme vous avez dit) la chose qui n'est presente, jusques à qui l'oeil & l'oreille ne sçauroient estendre, le penser nous pourveut de la mesme liberté que ces deux sentimens nous avoient donnée, à fin que quand il nous plairoit, peussions parvenir à la jouissance de l'une & l'autre de ces beaultez. Or comme les perfections du corps, & semblablement celles de l'esprit se presentent à nous par la pensée, dont vous fistes hier unc digression bien longue, & qu'à toutes heures & momentz pouvons, si bon nous semble, avoir la jouissance de ce bien, sans qu'aucun empeschement y obvie, & comme il n'est possible d'ataindre aux beaultez du courage par odorement, attouchement ou goust humain, ainsi ne peult on en absence arriver à celles du corps au moyen de ces sentimens pour ce qu'ilz sont cloz & serrez entre hayes ou fermetures plus espesses & materielles que celles de nostre esprit, car encores que vous, messire Gismondo, vinssiez à sentir les fleurettes, ou estendissiez la main entre ces herbes, voire quand vous en gousteriez d'aucunes, si ne seroit il pourtant en vostre pouvoir determiner laquelle de toutes est plus odorante, vertueuse, amere, douce, aspre ou delicate, & si vous les regardiez, jamais ne sçauriez dire que elle est la plus belle, non plus qu'un aveugle pourroit juger de la perfection ou imperfection d'une figure qu'on luy mettroit devant les yeulx. A ceste cause si le bon amour est, comme j'ay dict, desir de beaulté, & si aucuns de nos sentimens autres que l'oeil, l'oreille & la pensée, ne peuvent attaindre à ce but, tout ce qui est cherché par les amoureux, avec ces sentimens excluz, hors ce qui fait au soustenement & substrantation de la vie, ne sçauroit estre bon amour, mais inique & reprouvable.

Lavinello raconte ensuite à ses compagnons un rêve au cours duquel un viel ermite lui a exposé ce qu'était le vrai amour...

[...] "Mais pour retourner aux discours de vostre Gismondo, lequel a eslevé jusques aux nues le passetemps des Amoureux, dont le moindre ne se peult acquerir sans mille incommoditez angoisseuses : je vous demande, quand est ce que le mieulx fortuné de toute ceste trope (encores qu'il soit au beau meilleu de ses plaisirs) ne souspire, & ne se tourmente, desirant quelque autre chose davantage ? Ou quand il advient que l'on treuve en deux parties Amoureuses celle conformité de voluntez, celle communication de pensées, & occurences de fortune, ou celle concordance de vie, dont il a tant longuement harangué ? Quand voit on aussi un homme qui ne discorde chascun jour en soymesmes ? De sorte que s'il se pouvoit laisser, comme deux font l'un l'autre, il en est plusieurs qui se quitteroient à tous les coups pour prendre un autre corps, ou un autre courage. En vérité, seigneur Lavinello, pour entrer tout d'une voye aux Amours par vous alleguées, si elles induisoient à desir d'un object plus utile que celuy qu'elles presentent je vous asseure qu'elles me satisferoient en partie, & passerois quasi en vostre opinion, pour autant qu'elles peuvent conduire l'homme à meilleure fin & moins reprouvable que celle de vos compagnons. Mais bon Amour (comme vous estimez) n'est seulement desir de simple beaulté, ains de la parfaicte, celeste, eternelle, & divine, non mortelle ou subjecte à changement & diminution, & à laquelle ces beaultez transitoires nous peuvent indubitablement eslever, pourvu qu'elles soient contemplées comme requerent le devoir & la raison. Or que peult on dire en la louenge de cest Amour divin, qui ne soit plus que convenable, & non jamais trop excessif ? Certainement ceulx qui sont pris de ses doulceurs, vivent en ce monde comme Dieux, consideré que les humains desprisant ces choses mortelles semblent participer de la Divinité : car comme terriens, ilz aspirent aux choses divines, & comme Dieux, conseillent, discourent, prevoient, & ont tousjours leur pensement à l'eternité, qui leur fait moderer & gouverner le vaisseau à eulx presté pour ce passage, ainsi quasi que les creatures divines disposent des corps à elles donnez par le createur de toutes choses. Mais quelle beaulté peult estre entre vous celle dont vous avez parlé, disant qu'elle est si joyeuse & si ample ? Quelle proportion à elle des parties qui se trouvent en capacité humaine ? ou quelle convenance & harmonie, si qu'elle puisse parfaictement nous assouvir de vraye satisfaction & liesse ? O filz, ne sçavez vous que nostre forme corporelle n'est rien sinon ce qu'elle monstre & que toutes les autres semblablement ne sont que ce qu'elles apparoissent par dehors ; mais que le courage de chascune fait l'homme tel qu'il est, non la figure qui se peult monstrer avec le doigt ? Croyez que noz ames ne sont de telle qualité qu'elles se puissent conformer à aucune de ces beaultez terrestres & de nulle durée, pour en attendre allegeance parfaicte. Car quand vous pourriez mettre devant vostre courage toutes celles qui sont souz le ciel, & luy donner le choix de toutes, voire quand bien vous auriez la puissance de reformer à vostre mode celles qui vous sembleroient avoir default en aucun endroit, si est ce que ja ne seriez content de cela, & ne partiriez moins triste des plaisirs perceuz de toutes ces beaultez ensemble, que faictes ordinairement de celuy que recevez en ceste vie, consideré que nos espritz immortelz ne se peuvent contenter de choses qui soient perissables. Mais comme toutes les Estoiles prennent leur lumière du Soleil, ainsi tout ce qui est beau oultre ceste beaulté fragile, prend essence & qualité en la divine & eternelle. Et quand aucune de ces humaines se presenteront aux courages ainsi rectifiez, elles leur plaisent en partie, & les contemplent volontiers comme figure de la vraye, mais ja ne s'en contentent ny satisfont entierement, pource qu'ils sont curieux & desireux oultre mesure de la perfection eternelle & divine, de laquelle ont tousjours souvenance, à cause qu'elle les aiguillonne & stimule d'une poincture occulte pour se faire incessamment chercher & querir. Donc tout ainsi que quand un homme ayant grand appetit de repaistre, surpris de sommeil, s'endort, & songe de menger, toutesfois ne se rassasie pour ce que la vision de la viande n'est suffisante de contenter le sentiment qui cherche de s'assouvir, mais la viande essentielle ; ainsi pendant que nous amusons à quérir la vraye beaulté & le plaisir parfaict, qui ne sont en ce Monde, leurs umbres, qui se demonstrent en ces factures corporelles & terriennes, & aux Amusemens qui en proviennent, ne paissent noz Courages de Choses bonnes, mais les abusent & deçoivent : à quoy faut bien que nous prenions garde, afin que nostre bon conservateur ne se courrouce, & nous laisse en puissance du commun ennemy, voyans que nous portons plus d'affection à une petite bouchette d'un visage feminin, & aux delices miserables, corruptibles & decevantes, que ne faisons à celle grande splendeur, dont le Soleil n'est seulement qu'un rayon, & à ses singularitez veritables, bienheureuses & eternelles".

Angelo Firenzuola, des beautés des dames, 1548-1578

Ecrit par Firenzuola en 1540-41, ce Dialogue, *dédié aux nobles et belles dames de Prato, ne fut publié comme les autres oeuvres de ce prêtre réduit à l'état laïc, qu'en 1548, après la mort de l'auteur. Le prétexte du premier discours* De la beauté des Dames *est donné par la réunion, dans un jardin de Prato, d'un jeune homme, Celse (l'auteur) et de quatre jeunes femmes de la ville. Peu après un second dialogue* De la Parfaite Beauté d'une Dame *poursuivra l'entretien dans la maison d'une des interlocutrices. Comme dans la plupart des ouvrages de philosophie mondaine, les quatre dames se contentent d'inciter Celse à parler et c'est un véritable exposé composé et progressif qu'il leur donne, avec les plaisanteries et les digressions sentimentales désormais de règle dans ce genre de conversation. Il commence par la définition de la beauté en général et par le rôle de la beauté dans la vie des hommes, désireux, grâce à elle, de reformer dans l'amour l'androgyne primitif. Chacune des parties du corps, tout au moins celles "qui se portent découvertes", est ensuite définie grâce à de nombreux croquis, à des rapports géométriques qui se réfèrent explicitement à des procédés picturaux, et grâce à des exemples pris chez les dames de Prato. Enfin, Celse s'efforce de préciser ces aspects abstraits de la beauté que sont la grâce, la majesté, le charme, et autres notions difficilement traduisibles. Le second discours passe à l'application des principes précédents pour construire une femme parfaite dans chaque partie de son corps : ainsi s'élabore une "chimère" à qui chacune des assistantes prêtera ce qu'elle a de plus beau, Firenzuola avouant suivre en cela le procédé déjà employé par Zeuxis, Lucien et Trissino. Et l'orateur s'arrête là, ne se jugeant pas capable de compléter cette perfection formelle par l'évocation de qualités morales et intellectuelles qui en seraient le pendant. Les Beautés des Dames sont restées fort concrètes.*

*Ces deux dialogues apparaissent donc comme un effort multiforme tentant de cerner la notion, fondamentale à l'époque, de la beauté. Peintres et architectes s'y étaient essayés dans leurs écrits théoriques (en 1516 on publia une traduction de Vitruve), et, à la suite de Firenzuola, Luigini (*Il libro della bella donna*) et Niccolò Franco (*Dialogo delle Bellezze*) se livreront également à des études objectives, et souvent moins pudiques, du corps féminin. Car celui-ci apparaissait à ces écrivains comme plus apte que toute autre apparence sensible à donner aux hommes l'intuition de la beauté ; son harmonie que Firenzuola tâche, après Léonard, de* *mettre en formules est l'exemple quotidien de l'harmonie mathématique de l'univers. L'entreprise de Firenzuola, si proche soit-elle d'un culte sensuel de la beauté, est cependant en relation directe avec l'éthique néo-platonicienne du beau. Celse doit pourtant constater que toutes ses tentatives de définitions, qu'elles soient théoriques, mathématique ou subjectives, restent en deçà de leur objet et il se voit contraint de recourir à l'exemple. Par le langage, il s'efforce alors de se mesurer avec les maîtres des arts figuratifs : sa chimère veut nous donner le pendant de ces exemples de beauté parfaite qu'on trouve dans les toiles de Raphaël ou de Titien. Dans leur ambiguité philosophico-galante,* Des Beautés des Dames *a fixé l'idéal esthétique d'un moment de la Renaissance.*

M.F.P.

DISCOURS DE LA BEAUTE DES DAMES

prins de l'italien
du seigneur Ange Firenzuole, Florentin,
par Jean Pallet, Saintongeois.
1578.

LE PREMIER DIALOGUE

Venons donc à la definition plus vraie & particulière de beauté.

Ciceron dit en ses Tusculanes, que la beauté est une propre figure de membres, avec une certaine douce couleur ; autres, comme Aristote, ont asseuré que c'est je ne sçay quelle proportion bienseante, qui resortit de la proprieté des membres divers les uns des autres. Le Ficin Platonic sur le banquet en la seconde oraison est d'advis que la beauté est une grâce qui naist de l'agencement de plusieurs membres, & il dit agencement, d'autant que ce mot semble porter quand & soy un certain ordre plein de gaillardise, & signifie quasi un amas subtilement assemblé. Dante en sa collection, qui pour se comparer à Platon auroit besoing de boire un coup *, juge que la beauté est une harmonie. Nous autres, non pour dire mieux que ceux là, mais à raison que discourant avec Damoiselles il est necessaire d'expliquer les choses un peu plus facilement, ne difinissant point proprement, ains plutost declarant, nous dirons que beauté n'est autre chose qu'une concorde bien ordonnée, ou comme une harmonie qui reussit occultement de la composition, union, & amas de plusieurs, & divers membres, où il est requis que de soy, & en soy selon leur propre qualité, ils soient bien proportionnés & beaux en toute façon. Iceux premiers que s'unir à la formation entiere du corps sont entre eux dissemblables ; or je dy concorde & harmonie comme par similitude, car tout ainsi que l'accord faict en Musique du dessus, du bas & des autres tons divers engendre la beauté de la voix harmonieuse, ainsi certes un membre gras, un delicat, un blanc, un noir, un droit, un vouté, un petit, un grand composez & unis ensemble de nature par une proportion incompréhensible, font ceste union agreable, ceste bienseance, & temperament que nous appelons beauté ; je dy aussi occultement, car nous ne sçaurions rendre raison suffisante, pourquoy ce menton blanc, ces levres vermeilles, ces yeux noirs, ce gros flanc, ce petit pié, ressortissent en vraie

* Un jeu de mots assez mal rendu par le traducteur compare le *Banquet* de Platon au *Convivio* (Banquet) de Dante, que Firenzuola juge très inférieur du point de vue de la liqueur spirituelle abreuvant le lecteur.

beauté, & toutesfois nous voions qu'il est ainsi : si une Dame estoit velüe elle seroit laide, si un cheval estoit sans crin, il ne seroit pas beau, la bosse que le chameau porte sur le dos luy donne grâce, & à la femme siet très mal. Cela ne peut venir d'ailleurs, fors d'un ordre caché de nature, ou selon mon advis n'attaint fleche aucune de l'arc de l'esprit humain. Mais si l'oeil (qui de nature mesme a esté constitué juge sur le different de ceste cause) confesse que la chose va ainsi, il est force de se tenir à sa sentence sans appel quelconque. D'avantage je dy divers, d'autant que (comme il a esté dit) la beauté est union de choses differentes. Car comme la main du sonneur & l'intention qui meut la main, l'archer, la lyre, & les cordes, sont choses diverses les unes des autres, & toutesfois rendent la douceur de l'harmonie, ainsi le visage qui est différent du sein, & le sein du col, & les bras des jambes, reduits & unis ensemble en une creature, par la sage & occulte intention de nature y engendrent, voire par force, la beauté. Ce que dit Ciceron touchant la douceur de la couleur, me semble superflu, veu que toutes les fois que les membres, par le moien desquels est formée ceste beauté, seront beaux en leur particulier, & bien proportionnés en ce qui leur est requis, il sera force qu'ils ombragent le corps, lequel ils composeront de ceste douce couleur qui luy est necessaire pour la perfection de sa vraye beauté. Car comme en un corps bien temperé & composé également des quatre Elemens, se trouve la santé, & la santé produit une vive couleur, marque exterieure du dedans de soy, aussi les membres parfaictz à part eux, pour l'establissement du total fourniront la couleur necessaire à la parfaite union & beauté accordante du corps.

Plutarque escrit qu'Alexandre le grand rendoit une odeur souesve de la sueur de son corps, n'attribuant cela sinon à une bonne, ains parfaicte temperature d'humeurs, & de toute sa complexion. Ainsi donc pour retourner sur nos erres, il faut que les joues soient blanches, & faut que ceste blancheur aye une certaine lueur en soy, comme l'ivoire, & toute autre que la blancheur qui ne resplendit point à la façon de la neige. Si doncques les jouës pour estre dictes belles demandent une blancheur luisante, & le sein une blancheur seulement, & s'il est necessaire pour estre la beauté generale, que les membres à part soient parfaitz, il sera besoing aussi qu'ilz aient leur propre couleur, c'est à dire celle qui est necessaire à leur propre & particulière beauté, ou pour mieux dire essence ; & l'aiant en leur separation, il faudra qu'ilz retiennent le mesme en leur conjonction, & par ce moien rendront la naifveté de la couleur qui leur fera besoing, laquelle ne doibt pas de plusieurs redonder en un membre seul, mais diversement en divers, selon la varieté & bienseance des parties, ores blanches comme les mains, ores blanches, polyes, & vermeilles comme les jouës, tantost noires comme les sourcis, tantost rouges commes les levres, & puis blondes comme les cheveux. Et voilà Mesdamoiselles non pas la definition, mais bien l'exposition de la definition de beauté.

[...] Donc quand Jupiter crea les premiers hommes & les premieres femmes, il leur fit les membres doubles, savoir est quatre bras, quatre jambes, deux testes. Ainsi aians membres doubles, ils eurent aussi doubles forces. Or il y en eut de trois sortes, les uns furent du tout masles, les autres femelles, en peu de nombre toutesfois, & le reste qui estoit la meilleure & la plus grande partie furent les uns masles, & les autres femelles. Advint que ces personnes trop ingrates mescogneurent les bien-faits que Jupiter leur avoit prodiguement eslargi, & conspirerent d'un commun accord luy tollir son Olympe. Dequoy adverti, sans prendre autre meilleur advis pour l'importance du mesfait, ne voulant pas neantmoins perdre du tout le genre humain, de peur qu'il ne fut plus adoré en aucune façon, il resolut seulement de les fendre, & diviser droit par la moitié, & d'un en faire deux, ayant ceste opinion, qu'en la division des corps il auroit myparti la force, & l'audace. Et de fait il l'executa sur le champ, & nous fit tels que vous voyez de present. Mercure fut le diviseur, & Aesculape medecin pour guerir la playe de la poitrine ou estomach, lieu qui unissoit les deux corps, & lequel endure plus qu'aucune autre partie (& qu'il vous guarit trop bien pour mon profit Mad. Sauvage) ensemble pour consolider les parties que la seïe avoit offensé. Ainsi un chacun demeura ou masle, ou femelle, fors quelques uns lesquels s'enfuyrent devant le coup, & par trop courir se perdirent. Iceux furent nommez Hermaphrodites comme s'en estans fuits de Hermes qui signifie Mercure. Ceux qui resterent masles des deux costés, curieux de retourner à leur premiere forme cherchoient leur moitié, qui estoit un autre masle, & pour ce ils aymoient & contemploient la beauté l'un de l'autre, qui vertueusement, comme Socrate le beau Alcibiade, comme Achille son Patrocle, & Nize Euriale, qui vilainement comme aucuns meschans, plus indignes d'estre nommez que celuy qui pour s'acquerre bruit, mit le feu au temple tant renommé de la Deesse Ephesienne. Ceux cy, soient bons ou mauvais, fuient le plus souvent la compagnie de vous autres Dames, & sçay qu'encor aujourd'huy vous en cognoissez quelqu'un. Celles qui furent femelles, ou qui descendirent de celles qui l'estoient, aymerent ainsi la beauté l'une de l'autre, celles cy purement & sainctement, comme la tres illustre Marguerite d'Autriche, la belle Ladomie Fonteguerre, les autres lascivement & eshontement, comme Sapphon Lesbienne & de nostre temps à Rome la grande Courtizane Cicilie Venitienne. Icelles de nature haissent à se marier, & fuyent nostre conversation tant que faire se peut. Et à mon advis de ceste nature sont celles qui se rendent Nonnains & qui y demeurent de leur plein gré, qui sont certes bien clairsemées, car le plus souvent on les y enferme bon gré mal-gré, & y vivent en desespoir. La troisieme espece qui furent masles & femelles, & en grande quantité, est celle dont vous estes descendues, qui aymez vos maris, comme fit Alceste femme du Roy Admete, & autres qui n'ont point doubté de mourir pour le salut, & conservation de leurs espoux bien-aymez : & bref sont toutes celles qui regardent de bon oeil la face de l'homme, chastement toutesfois & selon que les sainctes loix le permettent. Nous sommes aussi de ce nombre nous autres hommes qui cherchons ou avons trouvé femme, & pour dire en un mot tous ceux qui n'ont autre plus grand plaisir qu'à oeillader le beau visage de vous autres Damoiselles, & qui pour se rejoindre à leur moitié, & jouyr de ceste divine Beauté, soutiendroient constamment tous les dangers du monde, comme Orphée pour sa chere Euridice, & C.Gracche gentilhomme Romain pour sa fidèle Cornelie, & comme de ma partie ferois très-volontiers pour l'amour d'une cruelle, qui ne daignant considerer qu'elle est ma moitié, & moy la sienne, me fuit comme si je fusse quelque chose farouche & espouventable.

M. Verdespine.– Je vous diray, vous vous laissez si peu entendre en ce vostre amour, qu'il n'y a pas beaucoup d'affaire, si celle que vous dictes estre vostre moitié (puis que moitié y a) ne le sçait point elle mesme, & par ainsi ne vous despartit point les honnestes faveurs que devroit faire une damoiselle à un vertueux gentilhomme tel que vous estes, combien qu'il n'y ait personne à Prade qui ne crie que vous estes amoureux, & n'y a pas longtemps que j'en ay ouy parler, à bon escient, ou chacun asseuroit qu'ouy, mais on ne sçait en quel lieu. Et quand je songe quelquefois à ce que vous dites souvent, qui m'a ne le sçait pas, & qui le sçait, ou pense sçavoir, ne m'a pas, je demeure à ma premiere opinion, que celle que vous aymez ne le cognoist point, & celle que vous n'aymez point, le pense pourtant estre. Aussi à la vérité vous y conduisez vous si secretement qu'il est malaisé à discerner celle avec qui vous faites semblant, de celle avec qui vous parlez à bon escient.

Celse.– Croyez vous, excellente Verdespine, que je soy de si peu de courage, & que je m'oublie tant moy mesme, que j'aye du tout armé mon coeur contre les fleches d'Amour ? En bonne foy je suis homme, & cherche par tous moyens de jouyr de la beauté de celle qui m'a esté mise au devant pour objet transparant de mes yeux hazardeux, & pour l'entiere consolation de mon esprit, dont je me contente à par moy sans le divulguer, d'autant que la fin de mon amour, lequel est chaste, & net, & les racines duquel sont plantées sur le terroir bien cultivé de Vertu, est contente en soy mesme de la seule veuë de sa Dame, laquelle ne luy peut estre cachée d'aucun accident. Car lors que l'oeil corporel est privé de sa bienheureuse presence, celuy de l'esprit plus clervoyant, la contemple à toute heure : de façon que ma maitresse se cache tant qu'il luy plaira, si la voi-je tousjours, & tousjours suis content. Et s'il advient que je me plaigne d'elle, c'est par jeu, car pour dire vray je n'ay occasion quelconque de me plaindre, ne souhaitant rien d'elle que je ne puisse avoir, & encore à son despit. Aussi peut estre le temps viendra que qui m'a le sçaura, & qui ne m'a point, le cognoistra. Mais retournons à noz hommes & femmes separez, car nous nous sommes un peu beaucoup eslongnez du logis. Nous disons donc qu'il ne fault faire mention qui soit de la premiere, ne seconde sorte, pource qu'iceux contemplent la beauté de leur mesme espece, ou divinement & par le moyen de vertu, ou honteusement & par moyens illicites, qui fait que touchant les premiers nous n'en pouvons parler : car tandis que nostre esprit est enclos en ceste prison terrestre, à grand peine il comprend la divinité, & touchant les autres, ja à Dieu ne plaise, qu'en la compagnie de belles, chastes & vertueuses damoiselles, nous parlions d'une semence si perverse. Reste donc à poursuivre de nous, c'est à dire des hommes qui aiment les femmes, & des femmes qui cherissent les hommes purement, sainctement, & enflamés des rayons de Vertu, comme nous avons desja dict. Mais il me semble que Mad. Sauvage s'en rit.

M. Sauvage.– Je ne ry pas, pardonnez moy, mais j'attend où reviendront vos paroles.

Celse.– Je veux revenir là que chacun de nous, desireux par un instinct naturel de se rejoindre & r'apiécer avec sa moitié, pour retourner en ce premier corps entier, il est force qu'icelle soit doüée de beauté, afin qu'estant belle nous soyons contraincts à l'aymer, veu que, selon l'opinion de toute l'eschole Platonique, Amour n'est autre chose qu'un desir de beauté ; or si nous l'aymons il nous est force de la cercher, la cherchant qu'enfin nous la trouvions, hé je vous prie quelle chose se peut cacher à l'oeil tout voyant d'un vray Amoureux ? La trouvant, que nous la contemplions & l'admirions, la contemplant que nous en ayons la jouissance, & ainsi que nous en recevions plaisir incroiable, d'autant que le plaisir est la fin de toutes les actions humaines, ains le souverain bien tant recerché de tous les philosophes, lequel quant aux choses du monde, selon mon jugemcnt, ne se trouve ailleurs que là. C'est pourquoy il ne semblera point estrange qu'une belle & honneste Damoiselle, & un vertueux gentilhomme, bruslez des flammes d'amour, qui sont le seul rayon, lequel passant par nos yeux esclaire l'entendement, & nous enseigne à cercher partout nostre moitié, s'exposent en une infinité de dangers pour se retrouver en autruy, & autruy en soy mesme. Donc pour ne vous tenir davantage en haleine, je diray qu'il est bienseant à la Dame de contempler la beauté de l'homme, & à l'homme celle de la dame. A ceste cause, parlans de la beauté, nous entendons de la vostre, & de la nostre. Toutefois une plus delicate et particuliere beauté, tient meilleure part en vous, & se considere d'avantage en vous, veu mesme que voz complexions sont plus mignardes & tendres que les nostres, & qu'elle est faite de Nature, comme plusieurs sages témoignent, avec telle douceur, tant aimable, tant à desirer, tant à regarder & y prendre plaisir, qu'elle semble estre le repos, la restauration, ains le vray but, voire refuge de la course errante des humaines traverses, cela sera cause que pour aujourd'huy, laissant à part la beauté de l'homme, tous mes discours, mes devis et mes pensées s'adresseront à la beauté de vous mes damoiselles : & m'en blame qui voudra. Car j'ose asseurer, non point de ma teste, mais de l'opinion, non seulement des sages recherchemens des secrets de Nature, ains aussi d'aucuns Théologiens, que vostre Beauté est une marque des choses célestes, & une semblance des biens de Paradis. Comment se pourroit-il faire qu'un homme terrestre se fit croire que nostre souverain bonheur (qui est de toujours contempler la toute puissance & essence de Dieu, & jouir de sa divine veüe) peust être une beatitude eternelle sans quelque soupçon d'ennui, n'estoit que contemplant la beauté d'une Dame, jouissant de sa gaillardise, & humant avec les yeux sa bonne grâce, il la connoit estre une chose incomprehensible, un heur qui ne se peut dire, une douceur, que lorsqu'elle finit on brusle d'un desir de recommencer, & bref un contentement qui luy fait oublier soy-mesme ? Et pource, Messieurs de Prade, si je regarde quelquefois trop ententivement ces Damoiselles qui sont vostres, n'y pensez mal aucun, & je vous suppli que la teste ne vous en face mal. Sçavez vous pas ce que dit Petrarque à Mad. Laure ?

Moins belle soy, je seray moins hardy.

Et croyez vous aussi que pour les regarder, je les puisse enlever avec les yeux ? N'en ayez point de peur pour Dieu, car je ne leur fay mal aucun,

& ce que j'en fay, n'est que pour m'accoustumer & aprendre à jouir du bien de contemplation que nous attendons en Paradis (veu que graces à Dieu mes deportemens ne m'ostent point l'espoir d'y aller quelque jour). Ainsi quand je seray là, pour ne ressembler un paysan la premiere fois qu'il entre en la ville, & de peur d'estre accusé de n'avoir rien apris à la contemplation des choses belles, je gagne temps sur le subjet de ces beaux visages le plus qu'il m'est possible. Que si aucun m'en taxe, je luy pardonne volontiers, me pensant bien vangé si je suis blamé à tort : joint que celuy qui a mauvais estomac, ne se peut garder qu'il ne le monstre par rotz, sanglotz, & par la toux. Mais je vous prie, voiez vous où ce petit courroux dedaigneux m'avoit desja transporté ?

Richamour.– Bien bien, Monsieur, oubliez cela, car encores qu'un juste dedain siet bien à un gentil coeur, si est ce que se laissant maistriser, il perd le nom de courtois & bien appris.

Celse.– Certes le courroux est grand, mesmement à raison de celuy qui sans aucune occasion s'est emeu contre moy, dont neantmoins je m'esjouis, puisque vous Mesdamoiselles en estes cause, s'estant ce galand entremeslé trop curieusement de mes affaires, d'autant que je voue loüe, que je vous defend des abbois de telz sotz lesquelz, disans mal de vous, veulent vous contraindre par là à les aimer, que j'escry avec tout honneur de vous, & que je suis vostre defendeur, jusqu'au bout. Mais disent ce que bon leur semblera, je vous veux regarder, Mes damoiselles, aymer, parler de vous, en escrire, vous faire service, voire mesme vous adorer. Et encor pour vous faire cognoistre que l'effect suit de bien près ma parole, je dy que du Discours lequel cy-dessus conclud que nous sommes la moitié l'un de l'autre, il en sort un argument inexpugnable, que vous estes aussi excellentes que nous autres hommes, aussi sages, aussi aptes aux sciences morales, & speculatives, aussi propres aux ars mechaniques, & toutes choses que nous : qu'en vos esprits logent mesmes puissances, & intelligences qu'aux nostres, veu que par necessité, quand le tout se divise en deux egales parties, il faut que l'une soit aussi grande, aussi excellente, bonne, & belle que l'autre. De façon qu'avec ceste conclusion je diray hardiment à voz ennemis & les miens, (lesquels devant vous font la meilleure mine du monde, & derriere s'en truffent) que vous ne cedez en rien du monde à nous, jaçoit qu'il ne s'en voie par experience exceller en si grand nombre que d'hommes, eu esgard aux affaires domestiques & exercices familiers, que selon vostre modestie admirable vous vous contentez d'aprendre. Par mesme raison nous voyons qu'entre le Philosophe & l'artisan, le medecin & le marchand il y a très grande difference, quant aux operations de l'esprit, dont nous ne disputerons pas pour le present, car ce seroit nous eslongner trop du premier propos. D'une chose vous veux-je bien advertir, que si quelqu'un nous disoit ceste division des hommes & femmes, estre un conte de vieille, vous luy respondiés que Platon en est l'autheur. Si ce sont gens de bon esprit cela les renversera, si ce sont ignorans, ou pour mieux dire malings, vous vous en devez soucier peu, veu que l'ame perverse n'est point capable de science. Et quand je dy que c'est une fable de Platon, j'enten une chose pleine de mystere divin, & hautes conceptions, qui veut declarer estre vray ce que je vous ay dict, sçavoir est, que nous ne sommes qu'une chose mesme, une mesme perfection, & que c'est à vous, à nous rechercher & aymer, & à nous pareillement vous : n'estans vous autres rien sans nous, non plus que nous sans vous, en qui gist nostre parfait heur, autant qu'en nous est le vostre, sans encor une infinité d'autres beaux secretz que nous tairons. N'oubliez pas donc, Mes damoiselles, que le divin Platon l'a dit, & liez le vous bien en la memoire qu'il n'eschappe.

LE SECOND DIALOGUE

De la bouche

Nous voicy à la bouche, fontaine de toutes les douceurs amoureuses, laquelle desire plustost estre petite que grande & ne doit estre pointue ne plate ; en l'ouvrant, principallement quand elle s'ouvre sans rire ou sans parler ne doit monstrer plus de cinq jusqu'à six dens de celles de dessus ; que les levres ne soient pas beaucoup subtiles ne trop grosses, mais en sorte que leur vermillon apparoisse sur l'incarnat qui les environne, & au joindre de la bouche elles se doivent serrer egalement que celle de dessus n'avance celle de dessoubs, ny celle de dessoubs, celle de dessus : & vers leur bout veulent finir en un angle mousse comme cestuy cy & non comme l'aigu ou comme le menton.

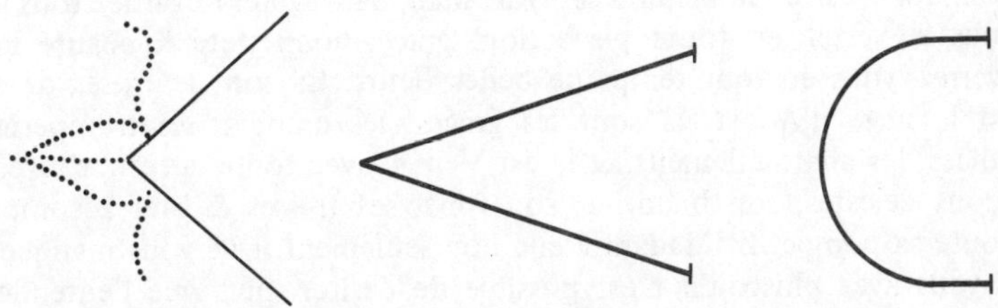

Bien est il vray que quand la levre de dessoubs, surtout quand la bouche est ouverte, enfle un peu au milieu plus que celle de dessus, avec une certaine marque qui semble diviser en deux pars, ceste enflure ou releveure donne grande grace à toute la bouche. Entre la levre de dessus, & ce que vous appelez l'intervalle du nez, il doibt aussi avoir une certaine ligne semblant à un sillon entrant un peu dedans semé de roses incarnates. Fermer la bouche aucunesfois avec une gentille façon du costé droit, & l'entre-ouvrir du gauche, ou se mordre aucunement la levre de dessus non à l'escient, mais sans y penser (de peur qu'elles ne semblassent trop mignardes) doucement, modestement,

& avec une honeste lascivité, avec un mouvement de l'oeil regardant ores ententivement, & tout à coup baissant la veüe, c'est une chose belle à voir, c'est un oeuvre qui ouvre, ains espand le Paradis de delices & lie d'une douceur incompréhensible, le coeur de qui la regarde trop ententivement.

Des dens

Cela toutesfois seroit peu si la beauté des dens n'estoit de mesme, estant petites, non menues, ne pointues : ains quarées, egales, separées d'un bel ordre, blanches & sur tout semblables à l'ivoire. Et quant aux gencives qu'elles semblent plustot ourllées de satin cramoisi que de velours rouge, & qu'elles soient bien liées & rechauffées.

De la langue

Et si de fortune il advenoit que la pointe de la langue se laissast voir, ce qui vient rarement, elle donnera belle grace, donnant torment & consolation, si elle est rouge comme vermillon, petite, mais ny pointue ny carrée. Ainsi Mad. de Lamplat a la grace universelle de toute la bouche telle que je la demande ; M. Sauvagine des levres, qui les a admirables ; Mad. de Richamour, celle des dens ; M. Verdespine des gencives & de la langue, de sorte qu'avec vous quatre ensemble nous ferons une bouche des plus belles qui furent jamais, non pas depeintes, mais seulement imaginées. Pource chacune de vous me donnera s'il luy plaist sa partie pour servir au portrait de nostre Chimere. [...].

Du sein

Le Sein surtout veut estre blanc : mais que sert il d'ainsi perdre le temps ? Le Sein doibt estre semblable à celuy de Mad. Sauvagine. Regardez tous le sien & vous le verrez en toute perfection, grace, honnesteté & beauté infinie. Là verrez vous en tout temps de belles fleurs. Là sont les roses de Juing, là est la nege d'Aoust, là sont les graces, les amours, les tromperies, les blandices, les chatouillemens, & là est Venus, avec toute sa troupe, avec tous ses dons celestes, son baudrier, son voile, ses tresses & bref accompagnée de toute sa pompe. Et Madamoiselle non seulement il ne vous manque rien, mais vous avez plus qu'il n'est possible de desirer, plus que l'entendement ne peut comprendre & que la fantaisie ne peut imaginer. Pource n'est il point besoing de perdre temps en paroles, car quant à moy je ne croy point ne qu'Helene ne que Venus ne que toutes les plus belles Deesses l'eussent plus beau ne plus admirable.

Sauvagine.– Hé, allés, allés dictes seulement comment il doit estre faict ainsi que vous avez coustume de faire aux autres. Car Monsieur, je ne veux point que faignant de m'avoir voulu prester ceste faveur, ou plustost vous mocquer de moy, vous laissiez arriere la declaration d'une des plus importantes parties qui, selon mon peu de jugement, se retrouvent en une belle Damoiselle.

Celse.– Si me pardonnerez vous, s'il vous plaist, je n'en sçaurois dire chose qui ne soit beaucoup moindre que l'exemple très beau de vostre excellence.

Sauvagine.– Bien, bien, je vous l'accorde : dictes nous seulement je vous prie au moins pour l'amitié que vous dites me porter, quelle est la beauté de ce sein, car je ne le puis voir à mon aise.

Celse.– Non, & plust à Dieu que vous le laissiez voir à d'autres. Mais puisque je suis vostre prisonnier il m'est force de vous obeir. Si m'en acquitteray-je legerement tant pour ce que nous en avons desja dit, que pour ce qui s'est passé à l'autre discours assez suffisamment. Nous dirons donc que le Sein sera beau, lequel, outre sa largeur son plus bel ornement est d'estre charnu, où il n'apparoist aucun signe d'os, & peu à peu se relevant des dernieres parties va croissant en façon que l'oeil s'en peut apercevoir, embelly d'une couleur très blanche meslée de roses où les frais & mouvans tetins allans & venans marris d'estre tousjours serrez & renfermés dans les robes, semblent vouloir issir de prison, se rebondissent d'une si estrange sorte qu'ilz forcent à jetter les yeux dessus de peur qu'ils ne s'enfuient. Vous autres damoiselles dictes qu'ils veulent estre ramassez, & ceux qui sont petits vous plaisent le plus, non tant toutesfois.

Maintenant que j'ay satisfait à Mad. Sauvagine encores qu'elle ne m'aye jamais daigné satisfaire d'un seul regard, je vous veux monstrer selon ma promesse en quelle sorte comme d'un vase antique naist la personne, le tronc de dessus les flancs & la gorge de dessus le sein & les épaules.

Balthazar Castiglione, Le Courtisan, 1528-1585

Le Courtisan, *publié en 1528 à Venise, relate les entretiens tenus en 1506 dans le château d'Urbin par une compagnie de grands seigneurs (des familles Médicis, Gonzague, Fregoso, Pallavicino...), de dames et d'intellectuels de cour promis à un avenir illustre (Bembo, Bibbiena...). Assemblée exceptionnellement brillante dans un cadre exceptionnellement accueillant : vue avec un recul de vingt ans, Urbin apparait comme un hâvre de paix et de courtoisie dans une Italie où les principautés s'écroulent sous la pression des convoitises des grandes puissances européennes.*

Soucieux de trouver un jeu inédit pour occuper leurs soirées, les hôtes de la Duchesse d'Urbin se proposent de confier à l'un d'eux le soin de tracer le portrait du courtisan parfait. Cet entretien occupe les deux premiers livres. Le troisième nous donne, avec la parfaite dame de cour, le pendant féminin de ce courtisan. Le quatrième enfin traite des relations entre le courtisan et son prince et s'achève sur l'exposé, confié à Bembo, de l'amour tel que doivent le concevoir de parfaits gentilshommes : il s'agit, à quelques nuances près, de l'amour évoqué par Ficin dans son Commentaire sur le Banquet de Platon.

Le seul fait que l'évocation de la dame de cour idéale suffise à occuper un bon quart de l'ouvrage montre quelle importance nouvelle cette société accorde à la femme. Si la "profession" du courtisan est, comme dans les siècles passés, celle des armes, les intermèdes pacifiques laissent à la vie de cour le temps de s'organiser et de se raffiner. L'art de la conversation, dont le Courtisan *est le plus parfait exemple, en est le pivot et dans cette optique la femme a un rôle fondamental à jouer : sa "profession" est justement "l'entretenement". Il faudra donc qu'elle soit cultivée pour que des gentilshommes nourris d'humanisme trouvent quelque intérêt à ses propos. Il faudra qu'elle soit belle pour savoir leur plaire. Et comme elle est appelée à épouser l'un d'entre eux elle devra aussi être sage, soucieuse de son "honneur" et douée de toutes les vertus nécessaires à une mère de famille. Castiglione reprend aux théoriciens bourgeois de la morale domestique toutes leurs exigences de vertu et de dévouement pour y adjoindre les qualités nécessaires à la fonction quelque peu ornementale que la société de cour impose aux femmes : le lustre d'une cour dépend d'abord d'elles.*

On ne saurait cependant limiter les relations du courtisan et de la dame de cour à cet aspect mondain. L'homme idéal pour Castiglione ne trouve sa perfection que dans l'amour qui donne à ce nouveau code des moeurs courtoises sa dimension métaphysique. L'amour des dames d'abord, l'amour du beau ensuite, feront du gentilhomme accompli un sage ravi par une extase que la vieillesse laissera intacte. Elément essentiel de ce système, la dame de cour permet à l'homme de donner toute sa mesure spirituelle. Quant à la dame, connaîtra-t-elle pareille grandeur ? L'exemple de Diotime uni à celui de Marie-Madeleine semble le laisser entendre. Mais l'aube de la cinquième journée se lève à ce point de la discussion, la question est renvoyée à la soirée suivante et le Courtisan *s'achève aussi abruptement que les conversations qu'il se flattait de rapporter.*

Manuel de civilités, art d'aimer courtois, applications morales concrètes de l'humanisme platonicien, le Courtisan *connut au XVIe siècle une fortune exceptionnelle car il offrait à l'Europe des cours une image idéalisée d'elle même. La Bibliothèque Nationale conserve un exemplaire de l'édition princeps aux armes de François 1er, et Charles Quint aurait salué en Castiglione lors de sa mort "un des meilleurs chevaliers du monde". Dès 1537 l'ouvrage fut traduit en français par Jacques Colin, secrétaire de François 1er, traduction qui a certainement beaucoup contribué à diffuser la culture italienne en France. En 1538 parut une seconde traduction attribuée à Jean Chaperon, en 1538 également on réimprima celle de J. Colin, et en 1585 Gabriel Chappuis en donna une traduction (celle que nous avons choisie) qui connut trois éditions avant la fin du XVIe siècle. En 1690 enfin l'abbé Duhamel publia une quatrième version. Parallèlement des traductions en espagnol, en anglais et en latin attestent le succès européen de l'oeuvre.*

M.F.P.

LE PARFAIT COURTISAN

du comte Baltasar Castillonois,
ès deux langues respondans par
deux colonnes l'une à l'autre.
Traduit par Gabriel Chappuys.
Paris, Nicolas Bonfons, 1585

LIVRE III

La dame de cour

Or donc, Madame, afin que l'on voye que voz commandemens me peuvent induire à faire ce mesme que je ne sçay faire, je diray comme je voudraye cete excellente dame, et quand je l'auray formée à ma fantaisie, n'en pouvant puis après avoir une autre, je la tiendray comme mienne, en guise de Pigmaleon.

Et pource que le Seigneur Gaspar a dit que les mesmes reigles qui sont données pour le Courtisan, servent aussi à la dame de Court, je suis d'autre opinion. Car combien qu'il y ait aucunes qualitez communes et autant necessaires à l'homme comme à la femme, il y en a puis après aucunes autres qui sont plus convenables à la femme qu'à l'homme, et aucunes convenables à l'homme qui doivent estre entierement élongnées de la femme. J'en dis autant des exercices du corps, mais surtout il me semble qu'ès manieres de faire, paroles, gestes et cheminer, la femme doit estre fort differente de l'homme : car, comme il convient à l'homme monstrer une certaine ferme et solitude vertu, ainsi est bien seant à la femme d'avoir une tendreté molle et delicate, avec une maniere de feminine douceur en tous ses mouvemens, qui la fasse sembler femme sans aucune similitude d'homme, quand elle chemine, qu'elle s'arreste et quand elle dit ce qu'elle veut. Adjoutant donc cete consideration ou advertissement aux reigles que ces Seigneurs ont enseigné au Courtisan, je pense bien qu'elle peut et doit se servir de plusieurs d'icelles, et se parer de très bonnes qualitez, comme dit le Seigneur Gaspar, car j'estime que plusieurs vertuz de l'esprit soient aussi bien necessaires à la femme comme à l'homme. Mesmement la noblesse, la fuitte de l'affectation, estre naturellement agreable en toutes ses actions, estre pourveue de bonnes moeurs, ingenieuse, sage, non superbe ny envieuse, sans mal dire et sans gloire, non contentieuse ny sotte, sçachant gaigner et garder la faveur de sa dame et de tous les autres, faisant bien et agreablement tous les exercices qui conviennent aux femmes.

Il me semble, puis après, que la beauté est plus necessaire en elle qu'au

Courtisan, pource que veritablement la femme a faute de beaucoup, à laquelle defaut la beauté. Elle doit aussi estre plus advisée et avoir plus d'egard à ne donner occasion de dire mal d'elle, et faire en sorte qu'elle ne soit, je ne diray seulement tachée de faute, mais non pas mesme de soupçon, pource que la femme n'a pas tant de moyens pour se defendre des calomnies que l'homme. Mais pource que le Conte Ludovic a expliqué par le menu la principalle profession du Courtisan, et a voulu qu'elle fust celle des armes, il me semble aussi convenable de dire, selon mon jugement, quelle est celle de la dame de Court : à quoy quand j'auray satisfait, je penseray m'estre acquité de la plus grande partie de mon devoir.

Laissant donc les vertuz de l'esprit qui luy doivent estre communes avec le Courtisan, comme la prudence, la magnanimité, la continence et plusieurs autres, et mesmement les qualitez qui conviennent à toutes les dames, comme d'estre bonne et discrete, sçavoir gouverner les biens du mary, sa maison, ses enfans quand elle est mariée, et toutes les parties qui sont requises à une bonne mere de famille, je dy qu'à celle qui vit en Court me semble convenir, sur toute chose, une certaine affabilité plaisante, par laquelle elle sçache gentiment entretenir toute sorte d'homme, avec propos gracieux, honnestes et appropriez au temps, au lieu et à la qualité de la personne à laquelle on parlera ; accompagnant ses moeurs gracieuses et modestes, et ceste honnesteté qui doit toujours gouverner toutes ses actions, d'une pronte vivacité d'esprit, par où elle se monstre eslongnée de toute lourderie, mais avec une telle maniere de bonté qu'elle se fasse estimer non moins pudique, sage et humaine, que plaisante, subtile, discrète ; et pourtant luy est besoin tenir une mediocrité difficile et quasi composée de choses contraires, et arriver justement à certaines bornes, sans les outrepasser.

Parquoy ceste dame, pour se faire estimer bonne et honneste, ne doit pas estre tant estrange et desdaigneuse, et ne se doit monstrer d'avoir tant en horreur et les compagnies et les devis, voire mesme un peu lascifs, que s'y trouvant elle s'en retire ; pource que facilement on pourroit penser qu'elle fist semblant d'estre ainsi austere pour cacher d'elle ce qu'elle auroit peur que les autres peussent sçavoir ; et puis après ces coustumes tant sauvages sont tousjours odieuses. Aussi ne doit elle, pour se monstrer honneste et plaisante, dire propos deshonnestes, ny user d'une certaine familiarité immodérée et sans bride, ny d'une maniere de faire croire d'elle ce que d'aventure n'est pas ; mais se trouvant en tels devis, elle doit les escouter avec un peu de honte et vergogne.

Elle doit par semblable fuir une erreur en laquelle j'en ay veu tomber plusieurs, qui est de dire et escouter volontiers ceux qui disent du mal des autres femmes : car celles qui entendent reciter les façons deshonnestes des autres femmes, qui s'en troublent, font semblant de n'en rien croire et estiment quasi un monstre que la femme soit impudique, donnent occasion de penser que, trouvans ce defaut tant enorme, elles mesmes y sont sujettes et le commettent [1] ; mais celles qui vont tousjours recherchant les amours des autres, qui les recitent de point en point et avec si grande feste, semblent leur porter envie et desirer que chacun le sçache, afin que le mesme fait ne leur soit aloué pour une faute ; par ainsi elles viennent à certaines risées, avec certains moyens qui demonstrent le grand plaisir qu'elles reçoivent à ceste heure là. Et de là vient que les hommes, encore qu'il semble qu'ils les escoutent volontiers, pour le plus souvent les ont en mauvaise opinion et ne les respectent pas beaucoup ; il leur semble que par tels moyens, ils soient semons à passer plus avant. Et souvent, puis après, elles viennent au but et limite, au moyen dequoy elles sont à bon droit blasmées et finalement tant peu estimées des hommes qu'ils ne se soucient de les hanter, ains les ont en horreur ; et au contraire il n'y a homme tant languard et insolent qui n'ait reverence et respect à celles qui sont estimées honnestes ; car ceste gravité tempérée de bonté et sçavoir, sert aussi de bouclier contre l'insolence et bestise des presomptueux ; au moyen de quoy void on qu'un mot, un ris, un acte de bienveillance, tant petit soit il, d'une dame honneste, est plus estimé d'un chascun que ne sont tous les signes et caresses de celles qui, sans aucun respect, se monstrent si peu honteuses ; et si elles ne sont impudiques, elles donnent à cognoistre qu'elles le sont par leurs ris dissoluz, leur caquet, insolence et semblables coustumes deshonnestes.

Et pource que les propos qui ne sont fondez sur un sujecт d'importance sont vains et pueriles, il est besoin que la dame de Court, outre le jugement de cognoistre la qualité de celuy auquel elle parle, pour l'entendre gentiment, ait cognoissance de plusieurs choses et sache en parlant choisir celles qui sont à propos et selon la qualité de celuy auquel elle parle, se donnant bien garde de dire, contre sa volonté, aucunes fois quelques paroles qui l'offensent. Qu'elle se garde de l'ennuyer, en se louant indiscretement, ou bien estant trop prolixe ; qu'elle ne mesle point choses graves avec les propos plaisans et qui sont pour rire, ny au contraire les contes et faceties avec les propos serieux et graves. Qu'elle ne se monstre sottement sçavoir ce qu'elle ne sçait, fuiant, comme j'ay dit, l'affectation en toute chose. En ceste maniere elle sera ornée de bonnes moeurs et fera que les exercices de son corps seront avec une grace merveilleuse, convenables à la femme [2], ses devis seront copieux et plains de prudence, d'honnesteté et gaieté ; et par ainsi elle sera non seulement aymée, mais reverée de tout le monde, et possible sera digne d'estre egallée à ce grand Courtisan, tant à raison des parties et qualitez de l'esprit que de celles du corps [...].

1. Une erreur de traduction rend le passage incompréhensible. Il faut entendre : celles qui se refusent à croire aux erreurs des autres femmes, montrent par là qu'elles mêmes ne sont pas susceptibles d'en commettre de semblables ; celles qui prennent plaisir à colporter les amours d'autrui le font pour se disculper et éviter que les mêmes faits ne leur soient attribués.

2. Convenables à la femme : les exercices du corps convenant à la femme seront exécutés avec grâce.

[...] Et pource que le Seigneur Gaspar demande en outre quelles sont ces maintes choses desquelles ceste dame doit avoir cognoissance, comment elle doit entretenir et si les vertuz doivent servir à cet entretenement, je dy que je veux que elle ait cognoissance de ce que ces seigneurs ont voulu que le courtisan sache : et quant aux exercices que nous avons dit ne luy estre convenables [3], je veux à tout le moins qu'elle en ait le jugement que peuvent avoir des choses ceux-là qui ne les mettent en oeuvre : et ce pour sçavoir louer et estimer les gentilzhommes selon leur mérite. Et pour redire en partie et en peu de paroles ce que deja a esté dit, je veux que cette dame ait cognoissance des lettres, de musique, de peinture, et qu'elle sache danser et festoyer, accompagnant de cette discrete modestie et d'une bonne opinion qu'elle donnera de soy, tous les autres advis qui ont esté enseignez au Courtisan. Et par ce moyen sera fort propre et avenante à converser, rire, jouer, railler et en toutes choses, et entretiendra proprement de contes et faceties à elle convenables toute personne qui se présentera. Et combien qu'il semble que la continence, la magnanimité, la temperance, la force de courage, la prudence et les autres vertuz n'importent à l'entretenement, je veux qu'elle soit ornée de toutes, non tant pour l'entretien (encores qu'elles y puissent servir), que pour estre vertueuse, et à ce que ces vertuz la rendent telle qu'elle mérite d'estre honnorée et que toute son action soit regie d'icelles.

Je m'esmerveille neanmoins, dist à l'heure le sieur Gaspar en riant, que puisque vous donnez aux femmes et les lettres et la continence, la magnanimité et la temperance, vous ne voulez aussi qu'elles gouvernent les villes, qu'elles fassent les loix et conduisent les armées ; et que les hommes se tiennent à la cuisine à filler.

Peut estre, respondit le Magnifique, que ce ne seroit mal fait ; et puis ajousta : Ne sçavez vous pas bien que Platon, lequel à la vérité n'estoit pas beaucoup amy des femmes, leur donne la garde des villes et aux hommes toutes les autres charges de la guerre ? Ne pensez-vous qu'il s'en peust trouver plusieurs qui sceussent aussi bien gouverner les villes et les armes, comme font les hommes ? Mais je ne leur ay pas donné telles charges, pource que je forme une dame de Court, non pas une Royne. Je voy bien que vous voudriez tacitement renouveler la fausse calomnie que le sieur Octavian imposa hier aux femmes : à sçavoir de dire qu'elles soient animaux très imparfaicts, ne pouvans faire aucun acte vertueux, de bien petite valeur et de nulle authorité au respect des hommes [4] ; mais véritablement, vous vous abusez bien, et luy et vous, si vous pensez cela.

Je ne veux, dist lors le Seigneur Gaspar, renouveller les choses desja dictes mais vous me voudriez bien pousser à dire parole qui offençast ces dames,

---

3. Ne luy estre convenables : les exercices trop violents, maniement des chevaux et des armes.

4. Au respect : par rapport aux hommes.

afin de me les rendre ennemies : et ainsi comme vous les allechez faussement, vous voulez gaigner leur bonne grâce. Mais elles sont tant sages, sur les autres, qu'elles ayment la vérité (encores qu'elle ne soit tant à leur faveur) plustost que les fausses louanges, et ne trouvent mauvais qu'un autre die que les hommes les surpassent en dignité, et confesseront que vous avez dit de grands miracles et attribué à la dame de Court certaines impossibilités ridicules et tant de vertuz que Socrates, Caton et tous les philosophes du monde ne sont rien au pris. Car à dire la vérité, je m'esbahy que vous n'ayez eu honte de passer les limites en ceste sorte, car il vous devoit suffire de faire ceste dame de Court belle, sage, honneste, affable, qui sçeut entretenir sans reproche, avec les danses, la musique, jeux, ris, broquards et autres choses que nous voyons tous les jours user en Court ; mais de luy vouloir donner la congnoissance de toutes les choses du monde, et luy attribuer les vertuz qui si rarement se sont veuës en hommes, mesme ès siecles passez, c'est une chose qui ne se peut supporter ny à peine escouter.

Que les femmes soient maintenant animaux imparfaicts et par conséquent de moindre dignité que les hommes, qu'elles ne soient capables des vertuz qu'ils sont, je ne le veux autrement affermer, pource que la valeur des dames icy presentes suffiroit à me faire mentir ; trop bien dis-je que les hommes très saiges ont laissé par escript que, s'il estoit possible, la nature, qui veut toujours faire les choses plus parfaictes, produiroit continuellement les hommes ; de maniere que, quand une femme naist, c'est le deffaut et erreur de nature, et contre ce qu'elle voudroit faire. Comme l'on void pareillement de celuy qui naist aveugle, boiteux, ou ayant quelque autre deffaut, et comme l'on void ès arbres certains fruicts qui ne viennent jamais à maturité. Ainsi la femme se peut dire un animal produict par cas fortuit : et qu'ainsi soit, voyez l'oeuvre de l'homme et de la femme, et de là jugez laquelle est la plus parfaicte de l'un ou de l'autre. Neantmoins estans ces imperfections des femmes par la faute de nature qui les a produict telles, ne les devons pourtant hayr, et ne devons laisser à leur porter tel respect qu'il faut ; mais aussi de les estimer plus qu'elles ne sont, me semble une erreur manifeste.

Le Magnifique Julian attendoit que le Sieur Gaspar passast outre ; mais voyant qu'il se taisoit desja, il dist : Il me semble que vous avez amené une raison bien froide touchant l'imperfection des femmes, à quoy encores qu'il ne soit d'advanture convenable d'entrer maintenant en cette subtilité, je responds selon l'advis de celuy qui le sçait et selon la vérité, que la substance en quelque chose que ce soit ne peut recevoir ny plus ny moins ; car comme la pierre ne peut être plus parfaitement pierre qu'une autre, quant à l'essence de la pierre, ny un bois plus parfaictement bois que l'autre, ainsi un homme ne peut estre plus parfaictement homme que l'autre, et par conséquent le masle ne sera plus parfaict que la femelle, quant à leur substance formelle, pource que l'un et l'autre se comprend souz l'espece de l'homme : car ce en quoy l'un et l'autre sont différens est chose accidentelle et non essentielle.

Si donc vous me dictes que l'homme soit plus parfaict que la femme, sinon en substance au moins quant à l'accident, je respons qu'il est besoing que ces accidents consistent ou au corps ou en l'esprit. S'ils consistent au corps, pour ce que l'homme est plus robuste, plus agile, plus leger, et patient de travail, je dy que c'est le signe de bien petite perfection, pource qu'entre les hommes mesmes, ceux qui ont ces qualitez plus que les autres n'en sont pas pourtant plus estimez ; et en la guerre, où se trouve la plus part des oeuvres laborieuses et de force, ceux la qui sont les plus roides, ne sont pas pourtant les plus prisez. S'ils consistent en l'esprit, je dy que les femmes peuvent entendre toutes les choses mesmes que peuvent entendre les hommes, et que là où penetre l'entendement de l'un, peut penetrer aussi l'entendement de l'autre.

Le Magnifique Julian, ayant faict un peu de pause en cet endroict, adjousta en riant. Ne sçavez vous pas que l'on tient en philosophie cette proposition, que ceux là qui sont mols de chair, ont l'entendement bon ? Pour cette cause, il ne faut pas douter que les femmes, pour estre molles de chair, ne soient aussi de meilleur entendement et plus propres aux speculations que les hommes. Et puis suivit : Mais laissant cela, pour ce que vous avez dit que, par les oeuvres de l'un et de l'autre, je fisse jugement de leur perfection, je dy, si vous considerez les effects de nature, qu'il se trouvera qu'elle produict les femmes telles comme elles sont, non par cas fortuict, mais accomodées et propres à la fin necessaire ; car combien qu'elle les fasse non fortes de corps et de courage paisible, avec plusieurs autres qualitez contraires à celles des hommes, si est ce que les qualitez de l'un et de l'autre tendent à une seule fin, concernant une mesme utilité. Car ainsi que par la débile foiblesse les femmes sont moins courageuses, par elle mesme [5] elles sont aussi plus cautes ; et pourtant les meres nourrissent les enfans, les peres les enseignent, et avec la force acquierent dehors ce que les femmes avecques soing conservent en la maison : ce qui n'est de moindre louange.

Et après, si vous considerez les histoires anciennes, (encores que les hommes se soient espargnez à escrire les louanges des femmes) et les modernes, vous trouverez que la vertu a esté continuellement entre les femmes, aussi bien qu'entre les hommes ; et que mesmes s'en estre trouvé de celles qui ont mené la guerre, acquis glorieuses victoires, gouverné les Royaumes avec grande prudence et justice, et fait tout ce qui a esté faict par les hommes. Quant aux sciences, vous souvient il pas avoir leu de tant de femmes qui ont sçeu la Philosophie ? D'autres qui ont esté très excellentes en Poësie ? D'autres qui ont plaidé et manié les causes, accusé et deffendu devant les juges fort eloquemment ? Je seroy long à parler des oeuvres manuelles et n'est besoin en amener tesmoignage. Si donc en la substance essentielle l'homme n'est pas plus parfaict que la femme, et moins ès accidents, dequoy outre la raison s'en voyent les effects, je ne sçay pas en quoy consiste ceste sienne perfection.

Et pour ce que vous avez dict que l'intention de nature est tousjours de produire les choses plus parfaictes et qu'à ceste cause, s'il estoit possible,

5. Par elle même : par là même.

elle produiroit l'homme, que la production de la femme est plustost erreur ou deffaut de nature que intention, je repons que cela se nie totalement ; et ne sçay comment vous osez dire que la nature n'entend produire les femmes, sans lequelles ne se peut conserver l'espece humaine, dont la nature est desireuse plus que d'aucune autre chose. Et pour ceste cause, par le moyen de ceste compagnie du masle et de la femelle, elle produit des enfans, lesquels rendent les benefices et plaisirs receuz en leur enfance aux peres quand ils sont vieils, pour ce qu'ils les nourrissent et puis les renouvellent en engendrant eux mesmes aussi autres enfans, desquels ils attendent recevoir en leur vieillesse ce qu'estant jeunes, ils ont baillé et conféré aux peres ; au moyen dequoy la nature quasi tournant en rond accomplit l'éternité et en ceste maniere donne l'immortalité aux hommes mortels. Estant donc à ce fait la femme autant necessaire que l'homme, je ne voy point pourquoy l'une soit faite par cas fortuit plustost que l'autre.

Il est bien vray que l'intention de nature est de faire et produire tousjours les choses plus parfaictes et pourtant veut elle produire l'homme en son espece, mais non pas le masle plustost que la femelle : car tant s'en faut que si [6] elle produisoit tousjours le masle, elle feroit une chose imparfaite, pource que ny plus ny moins que du corps et de l'âme se fait un composé plus noble que leurs parties, qui est l'homme, ainsi par la compagnie du masle et de la femelle se fait un composé qui conserve l'espece humaine, sans lequel les parties seroient detruictes. Et pourtant la nature joint tousjours ensemble le masle et la femelle, et ne peut estre l'un sans l'autre ; ainsi celuy ne se doit appeler masle qui n'a la femelle, selon la definition de l'un et de l'autre, ny femelle celle qui n'a de masle. Et pour ce qu'un sexe seul demonstre une imperfection, les anciens Théologiens attribuent l'un et l'autre à Dieu : et pourtant Orphée dit que Jupiter estoit masle – femelle ; et si on lit en l'Escripture Saincte que Dieu fit les hommes, masles et femelles, à sa semblance, et souvent les Poëtes parlans des Dieux confondent les sexes.

(La conversation évoque ensuite les tendances, qu'on dit naturelles, des femmes à la luxure).

Ne dictes pas cela, respondit lors Frigio en riant, car il se trouve aujourd'huy plus que jamais des femmes semblables à Cleopâtre et Semiramis ; et si elles n'ont tant d'honneurs, forces et richesses, la bonne volonté neantmoins ne leur defaut de les imiter, au moins à se donner plaisir à satisfaire le plus qu'elles peuvent à leurs appetits.

Frigio, dist le Magnifique Julian, vous voulez donc sortir hors des gonds : mais si l'on trouve aucunes Cleopatres, il n'y a pas faute d'infinis Sardanapales, qui est beaucoup pire. Ne faictes point de ces comparaisons, dist lors le S. Gaspar, et ne pensez pas que les hommes soient plus incontinens que les femmes ; car quand ainsi seroit, ce ne seroit pas le pis, pource que de l'incontinence des femmes procedent infinis maux, qui ne procedent pas de celle des hommes ; et pourtant comme il fut dit hier, il a esté bien ordonné de leur

---

6. Tant s'en faut que si : bien au contraire, si...

permettre, sans estre blasmées, de faillir en toutes autres choses, afin d'employer toutes leurs forces de se maintenir en cette seule vertu de chasteté, sans laquelle les enfans seroient incertains, et ce lien qui estraint tout le monde par consanguinité, en ce que naturellement chacun aime ce qu'il a produit, se desnoueroit. Et pourtant la vie dissolue est plus mal seante aux femmes qu'aux hommes, lesquels ne portent pas enfans, neuf moys, en leur corps.

Veritablement, respondit le Magnifique, voila de beaux argumens que vous faictes, et ne sçay pourquoy vous ne les mettez par escrit. Mais dictes moy pourquoy n'a esté ordonné qu'ès hommes la vie dissolue soit aussi infame et deshonneste qu'ès femmes, attendu que, s'ils sont naturellement plus vertueux et de plus grande valeur, plus aisement aussi peuvent-ils se maintenir en ceste vertu de continence, et les enfans ne plus ne moins seroient certains ; car encores que les femmes fussent lascives, pourveu que les hommes fussent continens et ne consentissent à la lubricité des femmes, elles ne pourroient engendrer d'elles mesmes, sans aide d'autruy.

Mais si vous voulez dire la verité, vous cognoissez bien que de nostre autorité nous avons usurpé une licence, par laquelle nous voulons que mesmes pechez soient en nous très legers, meritans aucunesfois loüange, et ne puissent estre assez chastiez ès femmes, sinon avec une mort ignominieuse, ou à tout le moins par une perpetuelle infamie. Parquoy, puisque ceste opinion a lieu, il me semble convenable de chastier griefvement ceux qui faussement deshonorent les femmes, et estime que tout gentil-homme soit obligé à defendre tousjours avec les armes, s'il est besoin, et soustenir la verité, et principallement quand il cognoit quelque femme estre calomniée à tort, touchant son honneur.

Quant à moy, respondit le S. Gaspar, je soustiens non seulement ce que vous dictes estre le devoir de tout noble Chevalier, mais aussi j'attribue à grande courtoisie et gentillesse de couvrir quelque erreur en laquelle soit tombée quelque dame, par quelque inconvenient ou par une trop grande amitié ; ainsi pouvez vous voir que là où la raison le porte, je tiens mieux que vous le party des femmes. Je ne nye pas que les hommes n'ayent prins un peu de liberté, et ce pource qu'il sçavent que selon l'opinion d'un chacun, la vie dissolue ne leur cause si grande infamie comme aux femmes, lesquelles, pour l'imbecillité du sexe, sont beaucoup plus enclines aux appetits sensuels que les hommes, de maniere que si elles se gardent aucunesfois de satisfaire à leurs desirs, elles le font pour la crainte de la honte, et non pour n'estre de très prompte volonté. Et pour ceste cause les hommes leur ont imposé la craincte d'infamie, pour une bride qui les retient quasi par force en ceste vertu, sans laquelle, pour dire le vray, elles ne seroient beaucoup à estimer et n'en tiendroit-on pas grand compte, pource que le monde ne tire aucun profit des femmes, sinon pour engendrer enfans. Mais cela n'advient pas des hommes, lesquels gouvernent les citez, les armées, et font tant d'autres choses d'importance : et (puis que vous le voulez ainsi) je ne veux debattre comme le sçauroient faire les femmes ; tant y a qu'elles ne le font ; et quand il est advenu aux hommes d'estre parangonnez à elles de la continence, ils ont surmonté les femmes en ceste vertu aussi bien qu'ès autres, encores que vous ne l'accordiez pas. Quant à moy je ne veux sur ce alleguer tant d'histoires ou fables que vous avez faict, et vous renvoye seulement à la continence de deux jeunes et très grands seigneurs ayans obtenu victoire, laquelle a coustume de rendre insolens mesmes les hommes de très basse condition.

L'une est celle d'Alexandre le grand à l'endroit des très belles femmes de Darius son ennemy qu'il avoit vaincu ; l'autre de Scipion, lequel estant en l'âge de vingt-quatre ans, et ayans prins en Espagne une ville par force, fut amenée une très belle et noble jeune dame, prinse entre plusieurs autres ; et comme Scipion eut entendu que c'estoit la femme d'un Seigneur du païs non seulement se garda de tout acte deshonneste à l'endroit d'icelle, mais la rendit immaculée au mary, auquel d'abondant il fit un riche present. Je vous pourrois parler de Xenocrate, lequel fut si continent qu'une très belle femme s'estant couchée nue à son costé, luy faisant toutes les caresses et usant de tous les moyens qu'elle sçavoit, dont elle estoit fort bonne ouvriere, ne sçeut jamais tant faire, qu'il demonstrast le moindre signe d'impudicité, encores qu'en cela elle y eust employé toute une nuit. Et de Pericles, lequel entendant seulement un qui loüoit de trop grande affection la beauté d'un garçon, le reprint aigrement ; et de plusieurs autres fort continens de leur propre volonté, et non de honte ou de peur d'estre chastiez, dequoy sont induictes la plus grand part des femmes qui se maintiennent en ceste vertu, lesquelles neantmoins sont dignes de grande loüange : et quiconque à tort les blasme d'impudicité est digne (comme vous l'avez dit) de très grieve punition.

Pensez, dist alors le S. Cesar, lequel s'estoit teu assez longtemps, de quelle manière parle le S. Gaspar en blasme des femmes, veu que cestes sont choses qu'il dit en leur louange. Mais si le S. Magnifique permet qu'en son lieu je puisse respondre quelques choses touchant ce que, à mon advis, il a dit à tort contre les femmes, il sera bon pour l'un et pour l'autre : car il se reposera un peu, et puis après pourra mieux continuer à dire quelque autre excellence de la dame de Court ; et quant à moy, je m'estimeray beaucoup favorisé d'avoir occasion de faire avec luy office de bon chevalier, c'est à dire de deffendre et soustenir la vérité. Ains je vous en prie fort, respondit le Magnifique ; aussi bien pensay-je avoir satisfait, selon mes forces, à ce que je devoy, et que ce devis fust désormais hors de mon propos.

Je ne veux parler, ajousta le Seigneur Cesar, du proffit que le monde tire des femmes, sans la generation des enfans, pource qu'il a esté monstré suffisamment combien elles sont necessaires non seulement à nostre estre, mais aussy à nostre bien estre ; mais je dy, S. Gaspar, que si elles sont, comme vous dites, plus enclines aux appetits que les hommes, ce que vous accordez, elles sont d'autant plus dignes de louange, que leur sexe est moins fort pour resister aux appetits naturels. Et si vous dites qu'elles le font de honte, il me semble qu'au lieu d'une seule vertu, vous leur en donnez deux ; car si en elles peut plus la honte que l'appetit, et que pour ceste cause elles s'abstiennent des choses mal faites, j'estime que cette honte, laquelle enfin n'est autre chose qu'une crainte d'infamie, soit une vertu fort rare et possedée de bien peu d'hommes. Et si je pouvoy dire, sans grand vitupere des hommes, comme plusieurs d'iceux sont plongez en l'impudence, vice contraire à cette vertu, je contamineroy ces saintes aureilles qui m'escoutent : et pour la plus part, telle maniere de gens qui font injure à Dieu et à la nature, sont hommes deja vieils, lesquels font profession, qui de prestrise, qui de philosophie, qui de saintes loix, et gouvernent les Republiques avec une severite Catonienne au front, qui promet toute l'integrité du monde, et tousjours alleguent que le sexe feminin est fort incontinent ou lubrique, et ne se plaignent que de ce que la vigueur naturelle leur defaut pour pouvoir satisfaire à leurs abominables desirs qui leur demeurent encores en l'ame, puisque nature les nie à leurs corps ; et pourtant trouvent ils souvent des moyens où les forces ne sont necessaires.

Mais je ne veux passer plus avant et me suffit que vous m'accordiez que les femmes se gardent mieux de la vie impudique que ne font les hommes ; car il est certain qu'elles ne sont retenues d'autre bride que de celle qu'elles mesmes se sont baillée ; et qu'il soit vray, la plus part de celles qui sont trop estroitement gardées, ou qui sont battues de leurs maris ou peres, sont moins pudiques que celles qui ont quelque liberté. Mais l'amour de la vraye vertu et le désir d'honneur servent aux femmes d'une bonne bride : car j'en ay congneu plusieurs de mon temps qui font plus d'estime de cela que leur propre vie ; et si vous voulez dire la verité, il n'y a celuy de nous qui n'ait veu de très nobles jeunes hommes, discrets, sages, vaillans et beaux, avoir fait en aymant par plusieurs ans une grande despense, sans laisser derriere aucune chose, aucune sollicitude, dons, prieres, larmes ny chose que l'on peust imaginer : et tout en vain. Et si n'estoit que l'on me peut dire que mes qualitez ne meritent pas que je sois aimé, j'allegueray le tesmoignage de moy-mesme, qui maintesfois me suis trouvé sur le point de mourir, pour l'immuable et trop severe honnesteté d'une dame [...].

Il est vray dist alors le S. Cesar, que ces grands effects n'arrivent en gueres de femmes : et neanmoins celles qui resistent aux batailles d'amour, sont toutes miraculeuses, et celles qui aucunesfois demeurent vaincues sont dignes de grande compassion : car les amans se servent de tant d'esguillons et ruses, et tendent tant de lacqs que c'est grand merveille quand une jeune fille les peut eschapper.

Quel jour, quelle heure passa jamais sans que la jeune fille soit poursuivie et sollicitée de l'amant, par argent, par presens et toutes choses qu'il peut imaginer luy estre aggreables ? En quel temps se peut on mettre à la fenestre, que l'on ne voye tousjours passer l'obstiné amant qui se tient de parler mais avec les yeus faisans office de langue, avec un visage triste et languissant, avec souspirs ardens et souvent avec une grande abondance de larmes. Quant est ce que jamais elle part de la maison pour aller à l'Eglise ou en autre lieu, que cestuy cy n'aille tousjours au devant et qu'à chacun detour il ne la rencontre avec une triste passion tellement depeinte, en leurs yeux, qu'il semble qu'à ceste heure là il attende la mort ? Je laisse la proprieté des habits, les inventions, devises, mots pour rire, festes, danses, jeux, mascarades, joustes et tournois, toutes lesquelles choses elle cognoist estre faites pour l'amour d'elle. Et puis la nuict, elle ne se reveille jamais qu'elle n'entende la musique ou à tout le moins cest esprit qui n'a point de repos, à l'entour des murailles de la maison, jetter souspirs et voix lamentables.

Si d'aventure elle veut parler avec une de ses chambrieres, elle est deja gagnée par argent et a apresté un petit present, une lettre, un sonnet, ou semblable chose pour luy bailler de la part de son amant. Et à ceste heure là entrant à propos, luy fait entendre en quelle peine est le chetif amoureux, comme il n'a souci de sa propre vie pour la servir, comme il ne demande d'elle aucune chose qui ne soit honneste et que seulement il veut parler à elle. En cest endroit se trouvent remedes à toutes les difficultez, clefs contrefaites, eschelles de cordes, endormissemens ; l'on depeint la chose de petite consequence, et donne l'on exemple de plusieurs autres qui font beaucoup pis, de maniere que l'on fait toute chose tant aisée qu'il n'y a autre plus grande peine que dire : je suis contente ; que si la pauvrette resiste pour un temps, ils adjoustent tant d'eguillons, ils trouvent tant de manieres que battans assiduellement, ils rompent ce qui les empesche. Il y en a plusieurs lesquels, voyans que par douceur ils ne gaignent rien, ont recours aux menaces et disent qu'ils les veulent publier à leurs maris pour autres qu'elles ne sont pas. Autres marchandent hardiment avec les peres et souvent avec les maris, lesquels pour argent, ou pour avoir faveurs, donnent leurs propres filles et femmes en proye, contre leur volonté. Autres par enchantemens taschent de leur oster la liberté que Dieu a octroyée aux âmes : dequoy se voyent merveilleux effects. Mais je ne sçauroy dire en mille ans toutes les embusches que dressent les hommes pour induire les femmes à leurs volontez, pource qu'elles sont infinies. Et outre celles que chacun trouve de soymesme, encores s'est trouvé qui a composé d'un grand esprit livres, et mis toute peine pour enseigner comment en cecy l'on doit tromper les femmes.

Or pensez comme ces simples colombes se peuvent garder de tant de filets, estans invitées d'une si douce amorce. Est ce donc si grand cas si une femme se voyant tant aimée et adorée l'espace de plusieurs années, par un beau, noble et sage jeune homme, lequel mille fois le jour se met en danger de la mort pour la servir et ne pense à autre chose qu'à luy complaire, comme par le continuel degout que fait l'eau qui desprise et cave les durs marbres, elle s'induit finalement à l'aimer ? Et vaincüe de cette passion, le contente de ce que vous dites que, pour l'imbecillité du sexe, elle desire naturellement beaucoup plus que l'amant ? Vous semble il que ce soit une faute si grande, que ceste pauvre femme, pipée par tant d'allechemens, ne merite au moins la grace que l'on donne souvent aux homicides, aux larrons, aux brigans et traistres ? Voudriez vous que ce fust un vice tant enorme que, pour trouver que quelque femme l'ait encouru, le sexe des femmes se doive mespriser du tout et soit en general estimé exempt de continence, n'ayant egard que l'on en trouve plusieurs invincibles, plus dures que diamant aux continuels aiguillons d'amour, et plus fermes en leur constance que ne sont les escueils contre les ondes de la mer ?

Alors, comme le S. Cesar prenoit haleine et s'estoit arresté de parler, le S. Gaspar commençoit à respondre, quand le seigneur Octavian dist en riant : Donnez luy gaigné, je vous prie, car je voy bien que vous ne ferez rien, et m'est advis que je voy que non seulement vous aquerrez l'inimité de toutes ces dames, mais aussi de la plus grande partie des gentils-hommes. Le seigneur Gaspar se mit à rire et dist : Mais plutost les femmes ont grande occasion de me remercier, pource que si je n'eusse contredit au S. Magnifique et au S. Cesar, l'on n'eust pas entendu tant de louanges qu'ils leur ont attribuées.

Les louanges, dist le S. Cesar, que le S. Magnifique et moy avons données aux femmes, et encores plusieurs autres, estoient assez congneues et pourtant n'ont de rien servy. Qui est ce qui ne sçait que sans les femmes on ne peut recevoir contentement ou satisfaction aucune en toute ceste nostre vie, laquelle sans elles seroit rustique, privée de toute douceur et plus rude que celle des bestes sauvages ? Qui est celuy qui ne sçait que les femmes ostent de noz coeurs toutes les basses et viles pensées, les ennuys, les miseres et ces fascheuses tristesses qui leur sont souvent compagnes ? Et si nous voulons bien considerer la verité, nous cognoistrons pareillement que touchant la cognoissance des choses grandes elles ne desvoyent les entendemens, ains les y esveillent : elles encouragent les hommes en la guerre et les rendent hardiz sur tout. Et certainement il est impossible qu'au coeur de l'homme auquel soit entrée une fois la flamme d'amour, regne jamais pusilanimité : car celuy qui aime desire tousjours se rendre le plus aymable qu'il peut et craint tousjours qu'il ne luy advienne quelque honte qui le fasse peu estimer de qui il desire estre beaucoup estimé : il ne se soucie d'aller mille fois le jour à la mort, pour se monstrer digne de cette amitié.

LIVRE IV

Aymer hors la coustume du profane vulgaire

Je dis donc que puisque la nature humaine, en l'âge de jeunesse, est tant encline au sens, l'on peut permettre au Courtisan d'aymer sensuellement, tandis qu'il est jeune : mais si en après, estant en ses ans plus meurs, il est paravanture enflamé de cet amoureux désir, il doit estre bien advisé et se garder d'estre trompé luy mesme, se laissant conduire ès calamitez, lesquelles, ès jeunes gens sont dignes plustost de compassion que de blasme, et au contraire, plutost dignes de blasme ès vieilles gens que de compassion.

Parquoy quand quelque gracieux regard d'une belle femme se represente à eux, accompagné de gentilles manieres, de sorte que, comme experimenté en amour, il cognoisse que son sang ait conformité avec iceluy, aussi tost qu'il s'aperçoit que ses yeux ravissent cete image et la portent au coeur, que l'ame, avec plaisir, commance à la contempler et sentir en elle l'influxion qui la mouve et peu à peu la rechauffe, que ces vifs esprits qui estincellent dehors par les yeux ajoustent continuellement nourriture au feu, il doit en ce commencement se pourvoir de ce remede : resveiller la raison et d'icelle armer la forteresse de son coeur ; il doit tellement clore le passage au sens et aux appetis que ny par force ny par cautelle ils y puissent entrer. Ainsi donc si la flamme s'amortit, le danger s'amortira pareillement : mais si elle persevere ou croist, alors le Courtisan, se sentant prins, se doit totallement resoudre de fuir toute laiddeur de vulgaire amour et entrer par ce moyen en la voye de l'amour divin, ayant la raison pour guide.

Il doit en premier lieu considerer que le corps où cete beauté reluit, n'est pas la fontaine d'où elle provient : ains que la beauté, pour estre une chose sans corps et, comme nous avons dit, un rayon divin, perd beaucoup de sa dignité se trouvant conjointe avec ce sujet vile et corruptible, pource qu'elle est d'autant plus parfaite que moins elle participe d'iceluy : et quand elle en est entierement separée, elle est très parfaite. Car comme on ne sçauroit entendre de la bouche, ny adorer par le moyen des aureilles, aussi ne peut on en sorte du monde jouir de la beauté, ny satisfaire au desir qu'elle excite en nos coeurs, par le moyen du toucher, mais avec le sens duquel la beauté mesme est le vray object, qui est la vertu visive. Qu'il se retire donc de l'aveugle jugement du sens et jouisse avec les yeux de cette splendeur, grace, de ces estincelles amoureuses, de ces ris, manieres et de tous les autres plaisans ornemens de la beauté ; par semblable qu'il jouisse de la douceur de la voix, par le moyen de l'ouye, de la melodie des parolles, de l'armonie de la musique, si la dame qu'il ayme est musicienne, et ainsi il repaistra l'ame d'une très douce viande, par le moyen de ces deux sens lesquels ne tiennent guerres du corporel et sont ministres de la raison, sans passer avec le desir suivant le corps à aucun appetit deshonneste. En après, qu'il ayme, qu'il obeisse et qu'il honnore en toute reverence sa maistresse, qu'il la tienne plus chere que soy mesme, qu'il prefere toutes les commoditez et les plaisirs d'icelle aux siens propres, et qu'il ayme en elle la beauté de l'esprit aussi bien que celle du corps.

Pour cete cause qu'il prenne garde qu'elle ne tombe en aucune faute, mais que par bonnes remonstrances et bons advertissemens il tasche toujours de l'amener à modestie, à tempérance et à la vraye honnesteté, qu'il fasse qu'en elle n'ayent onques lieu sinon pures et franches pensées eslongnées de tous vices hideux ; et ainsi en semant la vertu au jardin de ce bel entendement, il recueillera aussi les fruits des très belles moeurs et les goustera avec un plaisir admirable. Cela sera veritablement engendrer et exprimer la beauté en la beauté, ce que aucuns disent estre la fin d'amour. En cete maniere nostre Courtisan sera très agreable à sa maistresse et elle se monstrera tousjours à luy obeissante, douce et affable, et aussi desireuse de luy complaire, comme d'estre aymée de luy, de maniere que les volontez de l'un et de l'autre seront fort honnestes et accordantes, et par consequent ils seront très heureux.

Engendrer la beauté en la beauté, dist le Seigneur Morel, seroit en effect engendrer un beau fils en une belle femme ; et me sembleroit beaucoup plus evident signe qu'elle aimast l'amant en luy complaisant de cete sorte plutost que de cete affabilité que vous dites. Bembe se mit à rire et dist : Seigneur Morel, il ne faut pas sortir des limites ; la dame ne monstre pas un petit signe d'amour, quand elle donne à l'amant beauté, qui est si precieuse, et par les voyes qui donnent entrée à l'âme, à sçavoir par la veuë et par l'ouye, elle envoye ses regards et oeillades, l'image de la face, la voix, les parolles qui penettrent au coeur de l'amant et luy portent tesmoignage de son amour. Les oeillades et les parolles, dist le Seigneur Morel, peuvent estre et souvent sont tesmoins à fausses enseignes ; et pourtant quiconque n'a meilleur gage en amour, est, à mon avis, mal assuré, et vrayment je m'attendois que vous feriez vostre Dame un peu plus courtoise et liberalle envers le Courtisan que n'a fait le Seigneur Magnifique, la sienne ; mais il me semble que vous estes tous deux du reng des juges lesquels, pour sembler sages jettent sentences contre ceux qui leur touchent.

Je veux bien, dist le Seigneur Bembe, que ceste dame soit plus courtoise à mon Courtisan d'age meur que n'est celle du Seigneur Magnifique au jeune, et ce à bon droit, pource que le mien ne desire que choses honnestes, et pourtant la dame les luy peut toutes accorder, sans estre blasmée ; mais la Dame du Seigneur Magnifique, qui n'est pas tant asseurée de la modestie du jeune, luy doit seulement octroyer les choses honnestes et luy refuser les deshonnestes. A cete cause, le mien est plus heureux, auquel est accordé ce qu'il demande, que l'autre, auquel une partie est octroyée et l'autre refusée. Et afin que vous cognoissiez encore mieux que l'amour raisonnable est plus heureux que le sensuel, je dy que les mesmes choses, au sensuel se doivent aucunes fois refuser, et octroyer au raisonnable : pource qu'en cestuy-là, elles sont deshonnestes, et en cestuy-cy, honnestes.

Parquoy la dame, pour complaire à son amant bon, outre l'octroy qu'elle luy fait des riz plaisans, des propos familiers et secrets, de dire le mot, de rire et de toucher la main, elle peut aussi à juste raison et sans blasme venir jusques au baiser, ce qu'en l'amour sensuel n'est permis suivant les reigles du Seigneur Magnifique ; pource que le baiser estant une conjonction et du corps et l'âme, il y a denger que l'amant sensuel ne tande plutost à la partie du corps qu'à celle de l'âme ; mais l'amant raisonnable congnoist que, non obstant que la bouche soit une partie du corps, par icelle est donnée issüe aux parolles (qui sont interpretes de l'âme) et à cette intérieure haleine ou esprit qui s'appelle pareillement âme. Et pour cete cause, il prend plaisir de joindre sa bouche avec celle de la dame aymée par le baiser, non pas pour estre esmeu à aucun desir deshonneste, mais pource qu'il sent que cette liaison est ouvrir le chemin aux âmes, lesquelles attirées du désir l'une de l'autre, se coulent et meslent alternativement au corps l'une de l'autre, de maniere que chacun d'eux a deux âmes. Et une seule de ces deux ainsi composée gouverne quasi deux corps ; au moyen du quoy le baiser se peut dire plutost conjonction de l'âme que du corps, pource qu'il a tant de force en icelle qu'il l'atire à soy et la separe quasi du corps. Pour ceste cause, tous les chastes amoureux desirent le baiser comme une conjonction de l'âme ;

et pourtant Platon divinement amoureux, dit qu'en baisant l'âme lui vient aux levres pour sortir hors du corps. Et pource que se separer l'âme des choses sensibles et totallement se joindre et unir aux intelligibles se peut denoter par le baiser, Salomon dit en son divin livre des Cantiques, *je desire que mon mary me baise du baiser de sa bouche,* pour demonstrer le desir qu'il avoit que son ame fust ravie de l'amour divin à la contemplation de la beauté celeste, de telle maniere que, se joignant intimement à icelle, elle abandonnast le corps.

Chascun estoit fort attentif au propos de Bembe lequel, ayant fait un peu de pause et voyant que personne ne prenoit la parolle, dist : Puisque vous m'avez fait commencer à monstrer l'amour heureux à nostre jeune Courtisan, je le veux conduire un peu plus avant pource qu'il est dangereux qu'il demoure en tel terme, attendu que l'âme (comme nous avons dit plusieurs fois) est fort encline aux sens. Et combien que la raison, avec discours eslise le bien et congnoisse que ceste beauté ne procede du corps, que pour ceste cause elle refrene les desirs des-honnestes, si est ce que la contempler tousjours en ce corps pervertit le vray jugement ; et quand il n'en viendroit autre mal, c'est une grande passion d'estre absent de la chose aymée. Car l'influxion de ceste beauté, estant presente, donne un merveilleux plaisir à l'amant et, luy reschauffant le coeur, esveille et liquefie certaines vertuz assopies et congelées en son âme, lesquelles nourries par la chaleur amoureuse s'espandent et vont pullulant à l'entour du coeur, et envoyent dehors par les yeux ces esprits qui sont vapeurs très subtiles faites de la plus pure et claire partie du sang, lesquels reçoivent l'image de la beauté et la forment avec mille divers ornemens. Au moyen de quoy l'âme se delecte et par une certaine merveille est estonnée ; toutesfois elle est joyeuse et, quasi estonnée avec plaisir, sent ceste crainte et reverence que l'on a coustume d'avoir aux choses sacrées, de maniere qu'il luy semble estre en son paradis.

L'amant donc qui considere la beauté seulement au corps, perd ce bien et ceste felicité aussi tost que la dame aymée, en s'absentant, laisse les yeux d'iceluy sans leur lumiere, et par consequent est veufve de son bien ; car la beauté estant eslongnée, ceste influxion amoureuse ne rechauffe le coeur comme elle faisoit en presence. Au moyen de quoy, les conduits deviennent arides et secs, et neantmoins la souvenance de la beauté excite un peu ces vertuz de l'ame tellement qu'elles taschent d'espendre les esprits, lesquels trouvans les voyes bouchées, ne peuvent sortir et neantmoins en font leur effort ; ainsi donc par tels eguillons enfermez ils poignent l'âme et la passionnent merveilleusement, comme sont passionez les petits enfans quand les dents leur commencent à sortir de leurs tendres gencives. De là proviennent les larmes, les soupirs, les peines et tourmens des amoureux, pource que l'âme tousjours s'afflige, travaille et quasi devient furieuse, jusques à tant que ceste chere beauté se représente une autre fois : et lors incontinent elle s'apaise, elle respire et, du tout attentive à icelle, se nourrit d'une très douce pasture, et ne voudroit onques laisser un spectacle si gracieux.

Pour fuir donc le tourment de ceste absence et jouir de la beauté sans passion, il faut que le Courtisan, par l'aide de la raison, revoque en tout le desir du corps à la beauté seule, et tant qu'il pourra la contemple, en elle mesme simple et pure, et au dedans en l'imagination qu'il la forme abstraite de toute matiere la rendant par ce moyen amie à son âme : en cest endroit qu'il jouisse, qu'il l'ait avec luy jour et nuict, en tout temps et en tout lieu, sans avoir peur de jamais la perdre, se reduisant tousjours en memoire que le corps est une chose differente de la beauté, la perfection de laquelle en est plutost diminuée que augmentée.

Nostre Courtisan d'age meur sera de ceste sorte exempt de toutes les amertumes et calamitez que les jeunes sentent quasi toujours, comme les jalousies, les soupçons, les desdains, les courroux, les desespoirs et certaines fureurs plaines de rage desquelles souvent ils sont induits à telle erreur que aucuns non seulement battent les femmes qu'ils ayment, mais se privent eux mesmes de la vie. Il ne fera tort au mary, pere, frere ou parens de la dame qu'il ayme, il ne la blasmera ou deshonnorera ; il ne sera contraint de reprimer aucunesfois avec si grande difficulté les yeux et la langue, pour ne descouvrir ses desirs à autruy ; il ne sera contraint de souffrir ennuy et passion aux departemens et par les absences, car il portera tousjours avec soy un precieux thresor enfermé en son coeur. Davantage, par la vertu de l'imagination il se formera au dedans en soymesme ceste beauté beaucoup plus belle qu'elle ne sera en effet.

Mais entre ces biens, l'amant en trouvera encores un autre beaucoup plus grand, s'il veut se tenir en cest amour comme d'un degré, pour monter à un autre beaucoup plus haut, ce qui luy adviendra s'il considere en soymesme que c'est un estroit lien d'estre tousjours empesché à contempler la beauté d'un seul corps ; et pour ceste cause, afin de sortir d'un limite si estroit, il ajoustera sa pensée peu à peu tant d'ornemens que, changeant toutes les beautez ensemble, il fera un accord universel et reduira la multitude d'icelles à l'unité de celle seule qui s'espend en general sur l'humaine nature ; et ainsi il ne contemplera plus la beauté particuliere d'une femme, mais ceste beauté universelle, qui decore et embellit tous les corps. Au moyen de quoy estant offusqué de ceste plus grande lumiere il ne se souciera de la moindre, et bruslant en plus excellente flamme, n'estimera gueres ce dont auparavant il avoit fait tant de cas.

L. B. Alberti, L'Hecatomphile, 1430-1534.

L'Hecatomphile *(ou Cent Amours) et* La Déïphire *(nom de la femme aimée) se présentent, le premier comme des "Conseils aux jeunes dames qui veulent aimer", le second comme un ouvrage "qui enseigne d'éviter un Amour mal commencé". Après l'Art d'Aimer enseigné aux femmes, les Remèdes d'Amour à usage exclusivement masculin. Ces oeuvres, où l'inspiration ovidienne est manifeste, furent écrites vers 1430 par Léon-Battista Alberti alors âgé de vingt-six ans. Elles sont très probablement le reflet d'une aventure sentimentale autobiographique : L'*Hecatomphile *évoque un amour heureux que dut suivre une brouille analogue à celle qui est le prétexte de* La Deïphire. L'Hecatomphile *est le monologue d'une femme déjà âgée qui veut transmettre aux jeunes dames le savoir que lui ont donné ses "cent amours" : rien de libertin pourtant dans cette profusion, mais la recherche de l'accord parfait, lié à des notions de don réciproque et de loyauté. Dans la* Déïphire *dialoguent un amoureux déçu, Palimacre que Déïphire a abandonné, et son sage conseiller Philarque : celui-ci refuse de concevoir un amour qui serait asservissement à la femme capricieuse. Après la générosité de l'*Hécatomphile, *la méfiance : "ce que tu veulx, la femme ne veult : & si tu ne veult, elle le veult". L'humaniste qu'était Alberti réalise ainsi une curieuse adaptation d'Ovide à une misogynie héritée du Moyen Age. Tandis que l'amour se voit glorifié avec des accents qui préfigurent déjà le néo-platonisme florentin, l'*Hécatomphile *trace un parallèle entre la perfection masculine et la débilité féminine qui a des résonances thomistes. L'amour est plaisir pour l'homme ("un clou chasse l'autre" dit peu galamment Philarque) et devoir pour la femme, toujours suspecte d'infidélité. Ces deux petites oeuvres s'inscrivent dans la tradition des nombreux Ovide moralisés du Moyen-Age avec une finesse d'analyse psychologique que goûtèrent fort les lecteurs. Le succès de ces oeuvres au XVIe siècle est également dû au fait qu'elles représentent une première tentative de rationalisation de l'amour, d'abord fondé sur un choix conscient effectué selon des critères objectifs. Par là Alberti jetait les bases d'une possible "science" du comportement amoureux, susceptible d'être l'objet d'un savoir transmissible. Ces textes furent les seules oeuvres d'Alberti imprimées de son vivant (vers 1471) et leur succès fut très grand en France à partir de 1534 (alors que le* Libro della famiglia, *traité de morale domestique du même auteur ne fut pas traduit). A cette date en effet parut une traduction anonyme de l'Hécatomphile, accompagnée des* "Fleurs de la poésie françoyse" *poèmes à la gloire de l'amour, ouvrage qui connut dix éditions jusqu'en 1540. La* Déïphire *fut traduite en 1547. rééditée en 1555, 1574, 1581, 1582 etc... L'édition de 1574 l'unit au roman de Florès,* L'Histoire d'Aurelio et Isabelle. *Une réédition bilingue de l'*Hécatomphile *en 1596 provoqua une réponse dite* La Monophile *en 1597 qui fait l'éloge de la fidélité amoureuse.*

M.F.P.

HECATOMPHILE,

de vulgaire italien tourné
en langaige françoys.
Paris, Galliot du Pré, 1534.

Ne suyvez donc l'opinion d'aulcunes filles qui presument que toute la grace qu'elles ont pour induire à se faire aymer consiste en leur accoustremens : car en verité noz doreures, noz bagues, noz cheveulx tressez, noz artificielz visaiges ne sont les armes invicibles qui nous font triumpher d'Amour : ains nos très gentilles coustumes : comme bel accueil, bon maintien doulceur, pitié, & leurs semblables. Et certes j'en ay veu de telles où n'avoit guere de beaulté qui se faisoient aymer par grace d'humilité & attrempance plus que d'exquises en beaulté avec leur gravité superbe. Et la raison est peremptoire, c'est qu'ung cueur remply de fierté ne sçauroit aymer doulcement. Or je vous demande (mes filles) quelles choses vous stimulerent à faire hommaige au dieu d'Amours ? Feussent pompes ? feussent richesses ? feussent aultres biens de fortune ? Je juge à mon advis que non, mais les louenges meritées par vertuz, par civilité, par mesure, & par bonne grace de ceulx a qui vous estes joinctes par uniformes volunté. Donnez vostre cueur à ung qui soit vertueux & modeste, & gardez vous de monstrer saffres, effrenées, ou trop vollages : ains humbles, simples, gracieuses, plaisantes en bonne maniere, & familieres par raison : ainsi vous pourrez acquerir l'amytié & le bon service de ceulx que vous vouldrez recevoir.

Vous avez entendu (mes filles) qu'il ne vous fault qu'ung seul amy qui ayt en soy les qualitez que j'ay cy devant exprimées : mais il vueil que l'aymez autant que de luy vouldrez estre aymées. Car il me souvient à ceste heure qu'au temps de ma premiere amour je pleurois & me lamentois dedans le giron de ma mere pour autant qu'il m'estoit advis que mon seigneur & mon amy tenant la moytié de mon Ame, n'estoit frappé de mon amour tout comme j'estois de la sienne, veu qu'il couvroit nostre amytié, et je la voulois manifester : Lors je n'avois qu'ung seul confort (d'amoureux desir enflambée) c'estoit quant en pleurs & en plainctz povois reciter à ma mere mes extremes afflictions, blasmant la rigueur aspre & dure de qui ne congnoissois le sens, lequel selon mon jugement ne povois fleschir par prieres qu'il me vint veoir à toutes heures sans avoir peur des mesdisans : & puis recitois ses responses des quelles il me reprenoit de mon erreur plain de simplesse par prudente maturité : mais alors elles me sembloient plus que nul Aloes ameres, ny que jus de Coloquintides & maintenant je les congnois profitables & savoureuses : touteffois ma folle jeunesse ne me laissoit excogiter qu'elles fussent à bonne fin : dont en pleurant jour & nuyct allumoys ung feu si ardent au fond de ma simple poytrine, qu'il me consommoit presque toute. Si regrettois m'amour donnée à qui la prisoit ainsi peu & eusse bien voulu r'avoir mon cueur, s'il eust esté possible. Par quoy n'y eut herbe, racine, charme, ny aultre expediment que n'essayasse à cest effect, où bien le contraindre à m'aymer : mais quand je l'euz dist à ma mere affin d'avoir de son conseil, elle me reprint aspremert en telz (ou en semblables) termes :

Fille je te vueil advertir que les yeulx sont guides d'amour. Pourtant Zoroastre, Circe, Medee, ny tous les humains qui ont exercé la magique superstitieuse & prophane, ne sçauroient par ceremonies damnables, invocations, ny toutes leurs autres frivolles si bien exciter quelque cueur à aymer aucun personnage que demonstration d'amours : dont qui desire d'estre aymé, fault necessairement qu'il ayme.

[...] Faictes ce que je vous ay dit. Eslisez amoureux modestes, & enclins à toute vertu. Prenez les par humilité decorée de bonne grace. Aymez les sans quelque faintise, & nourrissez vostre amytié de paix et glorieux repos, vous recordant qu'en vostre amour jamais il n'y aura divorce, si la suspicion naissante la decouvrez incontinent à celluy qui en sera cause ; Ainsi aymant en loyaulté, perseverant en bon service, & en vous monstrant gratieuses, pourrez induire à vous aymer ceulx de qui vouldrez estre aymées, & cueillirez facilement le fruyct d'amoureuse lyesse sans cheoir en la calamité que sa querelle nous apporte qui est la ruyne d'amour. Aymez, & vous serez aymées. Gardez la foy à voz amys, & ilz vous tiendront leurs promesses sans vous abuser nullement. Mais une chose toute seulle les vous fera bien tost tourner en hayne, fureur, & vengeance : c'est s'ilz peuvent appercevoir que concedez part à ung autre du bien que seulz veullent avoir. Il en fault donc aymer ung seul, à qui l'on dye ses pensées sans pallier ne tant ne quant. Lors aymant en ceste façon, vivrez contentes & heureuses.

[...] Evitez tristesse qui est mortifere à vous mesmes, & dommageable à voz amyz, retenant voz doulces oeillades quand vous verrez trop de tesmoings & attendez qu'il y ait lieu propice pour gaudir ensemble, & pour rire à qui mieulx pourra.

Or vous disposez à ceste heure de tant & tellement aymer que desirerez estre aymées : car il n'y a enchantement, herbe, stigmate, ny racine qui soit de si grande vertu pour vous faire aymer par les hommes, que de leur monstrer amytié. Mais fiez vous à voz amyz, & leur gardez pareille foy comme vouldrez qu'ilz la vous gardent. Chassez moy Jalousie au loing avecques ses traitres complices : & ainsi pourrez pervenir à mondaine felicité. Laquelle vous vueillent ottroyer Venus, Bacchus, & Ceres. Priez les pour moy, & je les prieray pour vous.

Alessandro Piccolomini, Instruction pour les jeunes dames, 1539-1573

L'Instruction pour les jeunes Dames, *traduction de* La Raffaella *d'Alessandro Piccolomini, est un dialogue où une vieille bigotte entremetteuse, Raffaella, rend visite à une jeune femme mariée depuis peu, Margarita, dont elle a bien connu la mère et qu'elle prend sous sa protection (le traducteur utilise les termes de "Mère" et "Fille" d'alliance). Margarita a une vie solitaire et sage, son mari voyageant souvent pour affaires ; Raffaella va lui apprendre ce que sont les plaisirs de la vie. Une jeune femme doit plaire, et la vieille lui apprend à se parer et à se mettre en valeur ; elle doit avoir une bonne réputation et être une épouse et une ménagère parfaite, car ainsi son mari lui laissera toute liberté d'action ; enfin, comme il n'y a de bonheur que dans l'amour, elle doit apprendre à se choisir un amant parfait. On reconnait au passage des souvenirs du livre III de l'*Ars Amatoria *d'Ovide et de la deuxième partie des* Ragionamenti *de l'Arétin. Lorsque tous les scrupules de Margarita sont levés et qu'elle ne se préoccupe plus que de savoir comment trouver ce parfait serviteur, Raffaella lui apprend que ce jeune homme existe, qu'il l'aime, qu'il n'attend qu'une occasion pour la voir. Et le voile se lève pour le lecteur : la maïeutique de Raffaella avait été préparée de longue date, ses fausses sorties étaient calculées, les écus du jeune homme n'étaient sans doute pas étrangers à sa visite. Margarita a couru se jeter dans le piège qu'on lui tendait, ce dialogue était une comédie.*

Dans la perspective qui est la nôtre, cet ouvrage est à plusieurs titres intéressant car les femmes y sont à la fois les destinataires, les protagonistes et l'objet du discours. On y trouve une documentation assez exceptionnelle sur la vie quotidienne des femmes de la bonne société du XVIe siècle, la vieille Raffaella est un type bien dessiné d'entremetteuse qui a une science très sûre des ressorts psychologiques. Mais surtout l'ouvrage de Piccolimini apparaît comme une tentative pour codifier les exigences contradictoires d'une élite aristocratique hédoniste. Ce dialogue "éducatif" veut conduire la femme à adopter un comportement contraire à la morale courante mais fait pour combler les voeux des jeunes célibataires libertins dont Piccolomini, futur prélat, exprime ici le cynisme insouciant. Grâce à toute une série de procédés rhétoriques et de subterfuges idéologiques, Raffaella finira par convaincre Margarita de céder à cette morale du plaisir, camouflée sous le nom prestigieux d'amour. Mais cette liaison doit rester secrète, la femme continuant à respecter les règles de la bonne conduite et de l'"honneur" – réduit à une morale de l'apparence – que la société attend d'elle. En un renversement piquant des valeurs, la perfection domestique et la satisfaction du mari ne serviront qu'à ménager à l'épouse cette frange de liberté qui permettra l'adultère. On inculque à la femme la religion de la famille pour le plus grand intérêt du mari, et la religion de l'amour pour le plus grand plaisir des galants. Le dialogue à la manière de Platon se fait manuel de dévergondage et d'hypocrisie. De cette contradiction insoluble la femme ne peut se satisfaire qu'au prix d'une négation de son identité : soumise à une double domination, tour à tour parfaite épouse et parfaite amante, la malléable Margarita n'est plus qu'une apparence, conformément aux désirs de son interlocuteur du moment.

Publiée en 1539 par Alessandro Piccolomini, siennois de la famille de Pie II, ce pape écrivain que nous évoquons plus loin, La Raffaella *fut traduite en français en 1573, sans nom d'auteur ni de traducteur ; celui-ci avait également fait disparaître de l'ouvrage toute référence à la vie italienne. On attribue cette traduction, sur la foi de trois initiales, soit à Marie de Romieu, soit à Marie des Roches, ce qui semble assez discutable étant donnée la teneur des oeuvres de ces deux écrivains. Une autre traduction, beaucoup moins proche de l'original, fut donnée en 1581 par François d'Amboise. La traduction de 1573 fut réimprimée en 1597.*

M.F.P.

INSTRUCTION POUR LES JEUNES DAMES

par la Mere et fille d'alliance 1573.

(La Mère vient d'évoquer une recette d'eau parfumée pour les soins du visage).

FILLE.– Je vous en prie apprenez la moy.

MERE.– Ecrivez la donc : Je prens premierement des pigeons à qui j'oste les pieds & les aisles, puis de la terebentine de Venise, fleurs de lis, oeufs frais, miel, une sorte de coquille de mer appellées porcellaines, perles broyées & canfre : je pile & incorpore toutes ces drogues ensemble, & les mets dans les corps des pigeons, lesquels je mets ainsi distillez en allambic de verre par bain marie : Je mets au dedans le bec dudit alambic un petit noüet de linge où il y a un peu de musc & ambre gris, & y attache le recipiant avec du lut au col de la chappe, auquel distille l'eau : laquelle après je mets au serain, & devient fort bonne.

FILLE.– Ma mere je vous remercie bien fort de vostre recepte qui me semble n'estre que bien bonne, mais j'ay grand peur ne la pouvoir bien faire.

MERE.– Je vous en croy, mais ne vous en mettez point en peine, car je vous en feray toutes les fois que vous en voudrez [...]

FILLE.– Je vous en prie : & les huylles vous semblent elles bonnes pour le visage ?

MERE.– N'usez jamais d'huyle, si vous me voulez croire : il est vray que quelquefois estant aux champs ayant usé de l'eau que je viens de dire, affin qu'après vous ne vous hasliez du grand air au soleil, il n'y aura pas grand mal prendre de l'huyle de courdes ou citrouilles, & un peu de camfre, & en faire une pommade avec tant soi peu de cire blanche de Venise. Il faut aussi qu'ayez soing de vos dents, car c'est une partie qui pare le plus la beauté des Dames : prenez donc bien garde de les vous frotter une fois la sepmaine doucement, d'une poudre qui est composée de coural rouge, sang de dragon, tartre de vin blanc, os de seiche, noyaux de pesches & canelle : cela les vous tiendra tousjours blanches, & gardera de s'y accueillir ceste lie qui s'atache au bout des gencives, laquelle outre ce qu'elle est laide à veoir à quiconque soit (& d'autant plus à une belle Dame) apporte encore très grande nuysance : car en peu de temps cela deschausse la gencive, & consequemment donne place aux catharres qui incontinent corrompent les dents : & puis l'haleine, la langue, qui est une des principales choses dont une belle Damoiselle se doit donner de garde, & qui la rend autant aimable. Et vos mains, ma fille, quel soin en avez vous ? Je vous advise que la belle main est de grande importance à une jeune Dame.

FILLE.– Je m'ayde d'un limon & en tire le just, puis je mets le limon un peu sur le feu, y ayant mis dedans du sucre candy & me lave de cela.

MERE.– Il y en a tout plain que font ainsi, & ne seroit pas mauvais, sinon qu'à la longue cela faict venir des rydes aux mains : mais je vous veux enseigner une bien meilleure recepte pour cela & bien aisée, prenez de la moustarde trempée trois fois en vinaigre, & sechée, puis subtilement passée, du miel & des amandes ameres, meslez tout ensemble en forme de laictuaire, & mettez sur vos mains de soir vous allant coucher, & prenez des gands de chevrotin qui ne soient gueres justes, & le matin lavez vos mains d'eau de pluie avec un peu d'huyle de benjouin, & vous verrez chose qui vous contentera.

FILLE.– Je vous assure que j'essayeray devant qu'il soit huict jours.

MERE.– Encores ne faut il pas faire comme quelques unes que je congnois qui n'ont soing de se tenir propres, sinon en ce qui paroist à descouvert, se tenant ordres & salles au demeurant de ce qui est dessoubs le linge : mais je veux qu'une belle Damoiselle se lave toute, bien souvent d'eau où auroit bouilly de bonnes senteurs, car il n'y a rien si certain, ce qui faict plus fleurir le beauté d'une jeune dame est la propreté & se tenir nettement.

FILLE.– Mais qu'importe-t-il de se soucier tant de ce que l'on ne veut pas que l'on voye.

MERE.– De le monstrer ou non, je vous en discoureray tantost quand nous serons sur ce propos, mais pour ceste heure je vous diray que posé le cas, que ce qui couvre l'habilement, n'ayt point à estre veu, si est-ce que l'on doit tousjours prendre garde à se tenir bien nettement quand ce ne seroit que pour la satisfaction de soymesme ou d'un mary : Outre que à faute de ce soing, il s'en trouve quelques unes qui viennent à sentir mauvais (qui est une chose bien laide & à reprendre en une belle Dame) car elle doit tousjours avoir bien grand soing de sa personne, encore qu'elle soit asseurée de ne sortir de sa chambre : mais laissons ce propos pour parler de l'accoustrement de la teste [...]

MERE.– [...] Faut mettre peine de celer les imperfections de nature, & faire paroistre les beautez le plus qu'on pourra, sans toutesfois se discotter de l'honnesteté & modestie, & de trop s'esloigner de l'usance du pays.

FILLE.– Je serois bien ayse que vous me voulsissiez particulariser un peu plus clairement cest article.

MERE.– Je le veux bien. Presupposons donc qu'une Damoiselle ait la main belle, je voudrois qu'elle cerchast toutes les occasions de la monstrer, comme en mettant ses gands ou les ostant, joüant aux tables, aux eschets, ou aux cartes, en mangeant, & mille autres sortes qui s'offrent à toutes heures. Si elle a la gorge belle (qui est beauté bien recommandable) doit cercher la commodité dextrement de se la faire veoir de quelque bonne grace, gardant tousjours l'honnesteté, & faire savoir qu'elle est douée de telle beauté de nature, & non par aucun artifice. Une fois la laissera veoir à qui entrera chez elle à l'improviste au matin, faisant excuse de se venir de lever tout à l'heure, & n'avoir encores eu le loisir de s'achever d'habiller, & lors paroistra aussi que le tetin sera bien formé de luy mesmes, & non contrefait sous l'habillement. Une autresfois elle en pourra faire autant jouant à la neige, ou l'Esté se lavant avec de l'eauë, & pour y en avoir laissé trop couler, se trouvant mouillée, lors elle monstrera avoir besoing seicher en cest endroit & l'essuyer.

Qui a belle jambe, la peut faire veoir souvent, & mesmes estant aux champs, allant pescher, à la volerie, ou chassant aux petits oyseaux, montant à cheval, ou descendant de cheval, passant quelque petit fossé, & en beaucoup d'autres sortes. Un beau bras se peut monstrer aussi par plusieurs moyens, & pour le moins si on est trouvée dedans le lict, encore une Damoiselle qui se sent estre belle soubz le linge, & estre bien formée de ses membres, se pourroit telle fois rencontrer à se baigner en tel lieu que par quelque pertuis elle seroit veuë de tel, toute nuë, qu'elle en seroit contente, sans toutesfois faire semblant de le sçavoir ou de s'en estre aperceuë.

FILLE.– Vous me faictes souvenir de quelques jeunes hommes, qui, n'y a pas longtemps, pour de l'argent qu'ils donnerent à une maistresse d'estuves eurent le passe-temps de contempler tout à leur aise, les beautez de deux Damoiselles, estans toutes nuës dedans l'estuve, ne pensant à rien moins que d'estre veuës par un trou fait dextrement à un coin, duquel on ne se fust jamais apperceu.

MERE.– Et en tout cecy, j'entends que la Damoiselle cherche telles occasions fort dextrement, & de sorte que personne ne se puisse doubter qu'elle aye seulement esté bien ayse que tel cas soit advenu : car en toutes les actions & paroles d'une Damoiselle, je demande que chacun y recognoise une extreme honnesteté, d'autant que depuis que cela manque, elle ne sçauroit plus rien avoir de bon, ny faire chose dont on face cas : & au contraire, si l'honnesteté y paroist, tout reluist. Partant ne se doibt seulement garder de faire cognoistre qu'elle ait recherché les moyens que je viens de dire, ou autres semblables, pour faire veoir ses beautez : mais encore faut qu'en rougissant (si elle peut) ou par autres signes honnestes & apparens, elle temoigne sufissamment n'estre pas contente que tel cas luy soit advenu : prenant bien garde qu'en mesme temps & mesme lieu, tels accidents ne se rencontrent souvent, autrement il n'y a celuy qui ne creust qu'on le feroit tout exprès : & vous redy encores une fois pour toutes, qu'une Damoiselle se doit tousjours bien garder, qu'au moindre pas qu'elle faict, toutes ses parolles & actions soient pleines de modestie, qui doit tousjours apparoistre en une Dame qui veult estre tenuë pour honneste.

FILLE.– D'un costé je trouve bon ce que vous dictes : mais d'autre part il m'est advis si je faisois ces petites galanteries que vous venez de dire, que je devrois avoir crainte que l'on m'estimast folle & legere.

MERE.– Vous avez bien raison, si ne vous y conduisez avec la dexterité que je vous ay dicte, & sans faire paroistre aucune affection ou artifice, mais le faisant comme si n'y aviez jamais pensé, & rougissant, ou avec quelque demonstration de honte : ferez croire que cela sera advenu mal-gré vous, & n'y aura personne qui vous en puisse estimer moins honneste ou juger folle & legere.

FILLE.– Et quand bien ceste folie sera couverte aux hommes, si sera elle cogneuë de Dieu.

MERE.– Oh, ma fille s'il estoit possible nous pouvoir exempter de pecher, je serois bien d'avis que chacun se rendist Hermite, pour essayer d'arriver à telle beatitude. Mais je sçay par la pratique que j'ay de ce monde, qu'estans nées avec pechez, il nous est force de choisir de deux maux le moindre, à sçavoir, ou d'eschapper sa jeunesse avec quelques petits pechez legers, ou bien faillir plus lourdement après en la vieillesse, à nostre plus grand dommage & honte [...].

MERE.– Le gouvernement de la maison, ma fille, estant bien conduit apporte grand lustre à la Damoiselle, luy donne grande reputation envers tous ceux qui en ont congnoissance, & luy conserve infiniement la bonne grace du mary, car il ne sçauroit avoir plus grand contentement que de voir son bien, ses enfans, & tout ce qu'il a en sa maison estre aimé & conservé par sa femme, jugeant par là qu'elle l'ayme bien aussi.

FILLE.– Il faut que me faciez mieux entendre cecy.

MERE.– Je croy que vous sçavez bien, ma fille, que pour le soutien & accroissement d'une maison, il faut premierement que le revenu y soit apporté de dehors, qui est la charge du mary, & puis il est besoing que ce bien estant en la maison, il soit conservé & mesnagé, & c'est l'office qui appartient à la femme : car si l'un amasse, & l'autre perd le bien, ou le laisse passer comme il peut, bientost le mesnage sera à perdition & ruyné, & au contraire quand ces deux s'accordent bien, tout heur vient en la maison. Et partant je ne voudrois pas premierement que la Damoiselle se laissast aller à l'oysiveté, à trop dormir, à la paresse, & à la façon de faire des personnes qui s'ennuyent de vivre en ce monde, comme il y en a qui pour s'ennuyer sans sçavoir dequoy, & par poltronnerie, demeurent au lict jusqu'à midy, & laissent aller leur mesnage comme il peut, & si les maris leur en cuident dire quelque chose, elles se mettent à crier le plus haut, voire que le pauvre homme se trouve en fin tout seul en sa maison, & enrage de despit, & melancolie : mais je veux qu'elle se leve ordinairement de bon matin, & allant & venant une fois ou deux par la maison, jette son oeil par tout, & ordonne à ses servantes la besogne qu'elles ont à faire tout le jour, & voye que toutes choses soyent en leurs places, & afin que l'on ne perde point temps à chercher, quand en aura besoing : car l'ordre importe beaucoup en toutes affaires, & mesme parmy un mesnage, puis j'entends qu'elle commande aux siens de si bonne grace, que ses valets facent chacun sa charge d'affection de leur gré, & qu'ils ayent parmi cela telle crainte & reverence, que dans la maison l'on n'oye pas un mot de querelle ou de desobeyssance ; & ne faut pas faire comme d'aucunes que je sçay, que tant que le jour dure, vous diriez qu'elles joüent une farce avec leurs servantes, barbottant, criant & tempestant sans cesse, de façon que penseriez estre en la maison d'un diable, & si ne donneriez pas un liard de cela dont est question : mais pour le mesnage qui est d'importance, elles n'y prennent garde nullement, & n'en ont soing quelconque. Après donc que la belle Damoiselle aura dès le matin donné ordre à son mesnage pour toute la journée, je veux qu'elle se mette à son ouvrage, non pour le proffit qu'elle en puisse tirer, mais pour n'estre trouvée oysive, par ceux qui entreront en son logis, puis quand son mary vient de dehors, elle doit aller au devant de luy, & luy faire si bon accueil, qu'il sente l'ayse qu'elle a de le veoir, & quoy qu'il y ait, qu'elle le luy face croire ainsi, encores qu'en son coeur elle ne l'aimast point. Et si le mary meine boire & manger chez luy quelque amy estranger, elle le recevra avec bon visage, & faisant un tour jusques à la cuysine, elle donnera ordre dextrement qu'il soit bien honnestement festoyé sans se monstrer empeschée (comme j'en ay cognu) que s'ils n'ont qu'un villageois d'extraordinaire, elles font plus de bruit parmy la maison, & sont si embesongnées de peu de choses, sans sçavoir par où elles doivent commencer à y donner ordre, si bien qu'après avoir attendu le disner deux heures plus tard que de coustume, elles vous serviteront pour tous mets deux oeufs fricassez d'extraordinaire, mais avec un si maigre & fascheux entretien à table plein de sottes excuses du mauvais traitement, que le pauvre estranger en suë d'ahan, & d'envie d'estre desja bien loing de là, & non sans jurer entre ses dents, que s'il en peut estre une fois dehors, on ne luy attrappera pas une autre fois.

FILLE.– Vous me faictes presque avoir honte pour elles, ma bonne mere, tant vous les sçavez bien contrefaire.

MERE.– Or se doit donc garder comme du feu nostre gentille Damoiselle de toutes ces choses, & en somme, faut qu'en toutes ses actions & occurences, elle face paroistre pour le moins en apparence, de desirer complaire à son mary, en tout ce qu'elle cognoistra luy estre aggreable, & d'avoir toute son affection en luy, en son mesnage, à ses biens, à ses enfans, & à tout ce qui luy appartient, & si ce n'est à bon escient, au moins qu'elle luy en face le semblant, car de là, entre autres, elle en tirera un contentement, qui est, qu'elle aura meilleur moyen de despendre, à achepter ce dont elle aura envie : d'autant que le mary la voyant si bonne mesnagere au demeurant, & affectionnée au profit de la maison, non seulement luy achetera ce qu'elle voudra : mais la sollicitera s'acheter ses envies, & de luy mesme se mettra dans le filé [...]

FILLE.– Il me semble que nous avons parlé de tout, & bienheureuse seroit celle qui se pourroit rendre telle, comme vous l'avez aujourd'huy descritte, & quant à ma part, je mettray peine m'en approcher le plus que je pourray.

MERE.– Ce qui reste à dire est la maniere qu'elle doit garder à l'endroit de ses serviteurs, & le jugement qu'elle doit avoir à en eslire un entre tous, lequel soit doüé de toutes les bonnes parties qui sont requises à un honneste & parfait amoureux, & l'ayant choisy, elle le doit aymer de tout son coeur et de toute son affection, & le favoriser & caresser selon ses merites.

FILLE.– O ho ma mere, voulez vous qu'une Damoiselle mette son coeur à l'amour ?

MERE.– Vous parlez bien en sotte, & sans l'amour dequoy servent les beautez, les gentillesses & bonnes graces en une Damoiselle, mesme quand elle est de bon lieu & de bonne part ? C'est l'amour qui fait reluire, & rend accomplies toutes les autres perfections, & sans cela tous plaisirs sont de neant, & sans saveur. Pource que les festes, jeux, bals, assemblées, veilles, beautez & sçavoir, sans amour sont comme une belle maison qui en Hyver n'a point de feu, ou comme une nopce sans la mariée. Les moindres plaisirs de ce monde prennent force & accroissement où l'amour a lieu, les mestairies & cassines paroissent palais, voire des paradis par sa presence, & sans elle, les bois plus plaisans, chasses, rivieres, promenoirs, & allées sont de maigre passe temps : Et à quoy se peut dire que soit bonne une jeunesse, qui se passe sans pratiquer l'amour ? Combien sont à plaindre les personnes qui ayant passé quarante ans, commencent à s'adviser de cecy & par leur sottise ne s'en estoyent apperçeus auparavant ? Ceux là se peuvent dire véritablement miserables, disgratiez & inutiles en ce monde : & au contraire bienheureux sont hommes & femmes, qui avant qu'avoir attainct l'aage de vingt ans, ont appris aux despens d'autruy, à congnoistre la force & puissance qu'a l'amour depuis vingt ans jusques à quarante. Mais il faut avoir grand jugement, grand discours, & beaucoup d'industrie, & d'entendement pour se gouverner & conduire dextrement en cet endroit, mesmes à une femme, d'autant qu'il luy importe beaucoup plus, quand ce ne seroit que pour le danger qu'elle en peult encourir.

FILLE.– Puis que vous m'asseurez qu'il est ainsi, je ne puis sinon le croire, pource que j'ay beaucoup plus de fiance en vous qu'à moy-mesme. Partant je vous prie me dire comment se doit gouverner une Damoiselle pour bien conduire cet amour & la prudence qu'il faut qu'elle ayt à eslire un serviteur qui soit tel qu'il doit estre [...].

FILLE.– Ma mère [...] je voudrois sçavoir, quelles doivent estre les faveurs que la Damoiselle peult faire à son amy, lors que les occasions s'en presenteront, & jusques où luy doibt elle permettre pour le recompenser de son amitié, gardant tousjours toutefois son honneur.

MERE.– Vous parlez bien comme jeune femme et peu experimentée que vous estes, qu'entendez vous par son honneur ?

FILLE.– Comment, m'avez vous pas dict que l'honneur est la premiere chose qu'une femme doibt garder ?

MERE.– Ouy bien à l'endroict de tous les autres : mais celuy qu'on ayme, il se faut esvertuer de se trouver avec luy en lieux secrets, toutes les fois qu'on en aura les moyens.

FILLE.– Et puis quand on se trouve en tels lieux, que faut-il faire ?

MERE.– Qu'il y faut faire, il y faut enfiler des perles : Par ma foy, m'amie, je vous trouve plus sotte et neuve que je n'eusse pensé. Je vous dy que quand il se trouveront ensemble, ils se doivent unir et joindre ensemble, de coeur, de corps et de pensée.

FILLE.– Ma mère, vous me dictes choses bien estranges. Eh ! comment entendez vous donc qu'une Damoiselle en telle occasion doive tordre la fusée avec son amy ?

MERE.– Quel tordre : mais plustost les tenir bien droites, laissant les autres pour les maris.

FILLE.– Ouy : mais c'est donc faire des cornes au pauvre mary ?

MERE.– Veritablement ce seroit luy faire des cornes s'il estoit sceu : Mais estant la chose couverte & tenue secrette, il m'est bien advis qu'il ne luy en revient aucun deshonneur.

FILLE.– J'entends bien à peu près ce que voulez dire, & ne l'eusse jamais creu, pource que je pensois que cest amour deust estre seullement en l'esprit, sans s'approcher si près de la chair. Car ainsi l'avoy-je ouy dire quelquefois à plusieurs femmes anciennes.

MERE.– Combien veoit-on aujourd'huy de pauvres jeunes Dames en erreur & abusées par les vaines & feintes parolles de telles prescheuses, lesquelles en verité se mocquent et pensent bien autrement qu'elles ne disent. Car elles l'entendent tout ainsy que moy, & neant moins ont tousjours cest honneur en la bouche : mais quel honneur ? cela est comme je vous dy, il faut que n'en croyez, ou que n'en parlions plus.

FILLE.– Je suis en grand'peine. D'un costé je ne sçay que dire, & ay quasi regret faire tort à mon mary. D'autre part aussi, il faut que je vous confesse que vos raisons me sont aujourd'huy très-aggreables.

MERE.– Ma fille vous feriez tort à vostre mary, si vous lui faisiez des cornes de sorte qu'il s'en apperceust : mais s'il n'en sçait rien, il n'y a point de mal. O vrayement il feroit beau veoir, s'il advenait qu'une Damoiselle r'encontrast un mary, de qui elle ne peust souffirir l'humeur & les complexions, et qu'elle fust si sotte de n'y pourveoir, trouvant moyen de s'accoster de quelqu'un duquel les qualitez & naturel vinssent à symboliser avec ses pensées. Car en mariage, si l'esprit ne reçoit quelque contentement d'ailleurs, tout y est si froid & mal plaisant que c'est grand pitié, & au contraire si la belle Damoiselle est soulagée de quelque amour bien gentille qui la contente, elle passe doucement les incommoditez de mariage.

FILLE.– Mais, ma mère, à quoy tient-il qu'on ne peut avoir avec les maris ce plaisir et contentement de l'amour comme avec un serviteur ?

MERE.– La raison en est bien aisée, c'est que les mariages se font communement à aveuglettes, en la foy des parens, & sans s'estre jamais veus l'un l'autre, ou pour le moins si peu qu'ils ne s'entrecognoissoissent point, & est grand merveille si en tels mariages on se peult aimer de coeur et s'il y a quelque amour, c'est par ceremonie ou devoir : ou pour mieux dire, par force.

FILLE.– Je suis bien de vostre opinion, & me semble que faire ainsi ces mariages à credit, c'est une mauvaise coustume, d'autant que par ce moyen souvent on faict alliance de deux personnes de moeurs differentes & contraires de naturel.

MERE.– Ouy : mais dequoy nuist cela, puis qu'il y a bon & prompt remede, qui est de s'addonner à l'amour d'un qui puisse recompenser le desplaisir qu'on a avec le mary.

FILLE.– Ouy : mais enfin cela ne se peut faire sans peché.

MERE.– Vous ay-je pas deja dit plus de dix foix que si vous pensez pouvoir passer vostre jeunesse et vieillesse, sans faire aucun petit peché, que vous ferez fort bien : mais gardez que vos forces ne soient trop faibles, & qu'il vous faille ployer sous le faix. Car jamais personne en ce monde n'a peu gaigner ce poinct : & pourtant, de peur de tomber après en une pire faute, je vous conseille de vous laisser aller dès ceste heure à ce joly peccadille, plustost que sur vos vieux jours : Et sçavez vous en quelle peine vous vous trouveriez en ce temps là ? il vous faudroit prier autruy, en lieu que vous seriez aujourd'huy priée, & ceux que vous penserez qui vous ayment vous mespriseront dans leur coeur, et compteront de vos nouvelles : ce que cognoissant et vous voyant descouverte, vous entrerez en grand desespoir & regret du temps perdu en vain, qui est le plus grand peché qu'on puisse faire en ce monde [...]

FILLE. – Ma mere toutes les raisons sont de vostre costé, je vous accorde tout et cognois maintenant que qui veult devenir sage, doit parler avec ceux qui ont l'experience : car il me semble avoir plus acquis aujourd'huy de jugement en ce peu de temps que j'ay esté avec vous, que tout le reste de ma vie.

MERE.– Ne vous moquez point, je vous puis asseurer, pauvre fille m'amie, que en aviez bien besoin : & que pensiez vous ? Je croy que vous aviez opinion que tous les plaisirs des jeunes Dames consistassent à estre un peu plus regardées et estimées de l'oeil et jugement des passans ou des compagnies où elles se trouvent, & semblables vanitez. Pauvrette ! Dieu m'a aujourd'huy envoyée icy pour vostre proffit et salut. Helas ! eust-il fallu qu'une beauté telle que la vostre, fust envieillie parmy les cendres ? Pensez vous que nature vous ait formée telle pour ne servir qu'à cela ? Qu'il seroit bien employé à toutes les femmes qui ont l'humeur si farouche, que Dieu les fit devenir laides, & hideuses comme furies infernales, puisqu'elles ne sçavent bien juger & cognoistre le bien quand elles l'ont, pour l'employer comme il appartient. Et de quoy sert, (jeune sotte que vous estes) la beauté & les autres bonnes parties & perfections en une Dame sans l'amour ? Et l'amour aussi à quoy est-il bon s'il n'est effectué et accompagné de sa fin : ce seroit autant comme un oeuf sans sel et encore pis : les festes, festins, banquets, mascarades, commedies, assemblées, les voyages des champs, & mille autres tels passetemps sans l'amour, sont froids comme glace et de bien maigre plaisir : mais avec l'amour sont de telle consolation et contentement, & revient tant d'aise et de douceur, que je ne cuide pas qu'on puisse jamais vieillir parmy cela. Amour embellit en nous la courtoisie, la gentillesse, l'honnesteté, la grace, la propreté de s'habiller, le bien dire, & le port & façon de faire, & toutes autres belles parties, lesquelles toutes sans l'amour seroient fort peu prisées & n'en tiendroit-on compte non plus que de choses vaines, inutiles & mal employées. Amour attire l'homme à la vertu et le retire des vices et de tous actes lasches et vilains, remplit le cueur de magnanimité, tient l'esprit gay et brillant de joye, ostant toute fascheuse passion et affliction de nos âmes, fait passer ceste vie joyeuse et contente, bref il est cause de tout bien. Dictes moy un peu quel aise et contentement pensez vous que ce doit estre à deux personnes qui s'entrayment ardemment & sans feinte : après qu'ils auront eu grand'peine bien longuement à rechercher les moyens de se trouver ensemble, s'ils ont cest heur à la fin, de se pouveoir veoir, & en lieu tant à propos qu'ils puissent à bouche ouverte & sans crainte, discourir l'un à l'autre leurs affections, leurs pensées nuës & veritables comme elles sont. Lors ils se content leurs ennuis & fascheries passées, se reconfortent, se consolent, s'arrousent les visages l'un l'autre par les larmes qui ne procèdent que de trop de joye & contentement. O combien sont doux et gracieux, ma fille, ces petits begayemens qu'ils font ensemble à basse voix, ces doux murmures entre les dents, ayans les yeux fichez dans les yeux l'un de l'autre, les souspirs qu'ils s'envoyent doucement de la bouche de l'un dans celle de l'autre ? O la divine douceur & plaisir singulier en ce monde : O la rare et parfaite joye, & non cogneüe ny aisée à croire sinon de ceux qui l'ont essayée. O ma fille, si vous l'esprouvez une fois, combien vous me remercierez, et vous vous trouverez changée & devenue tout autre, comme vous vous mocquerez de vostre vie passée, & tiendrez pour malheureuses & miserables les femmes qui ne l'essayent. C'est ce qu'on doit chercher ce pendant qu'on est jeune, car tout le reste ne sont que folies, pour cest effect nous a esté ordonnée la jeunesse, laquelle estant passée inutilement et en vain, on s'en advise & s'en repent on puis après, en temps que le repentir ne sert plus de rien. Et n'est aucunement veritable, ce que beaucoup de gens ont dit, quand le plaisir est passé, c'est autant comme si on n'en avoit aucun : mais au contraire, ceste satisfaction en l'esprit et ce doux souvenir du bon temps passé, est quasi la meilleure partie du plaisir. La souvenance jusques aux moindres actes, lieux et temps ausquels on a receu quelques plaisirs redonne derechef les contentemens qu'on a euz. [...] Fiez vous doncques en moy, ma fille, que les plaisirs et contentemens sont bons lors qu'on les a, & tousjours encore après, tant que la vie nous dure : & partant changez d'oresnavant d'opinion et pensez que d'icy à dix ou douze ans, vos amours se sentiront de la vieillesse, & considerez qu'en l'aage que vous estes, un jour en vaut mieux que mille une autrefois, & ne vous arrestez plus à ces sottes craintes esquelles vous avez esté plongée jusques icy.

FILLE.– Ma mere, je suis si ravie à vous escouter, que je ne sçay où j'en suis, tant m'est aggréable ce que vous distes.

Troisième partie
Polémiques littéraires

Textes polémiques

L'ouvrage de Telle, L'oeuvre de Marguerite d'Angoulème et la Querelle des Femmes, *apporte sur les écrits polémiques du XVIe siècle concernant la femme une documentation si abondante que nous ne pouvons prétendre y ajouter. Certes, il existe bien des écrits, chansons, libelles qui pourraient être cités dans un propos de curiosité érudite. En fait, vers médiocres et proses embarrassées ressassent fastidieusement un catalogue de défauts ou de mérites qui pour être long n'est pas inépuisable. Les analyses de Telle peuvent faire croire à des attraits méconnus, mais le* Discours des champs Faez *de Claude de Taillemont par exemple n'a véritablement pour seule grâce que son merveilleux titre !*

*Ce qui semble important dans cette production est l'aspect ludique de la guerre. Les polémistes mettent en oeuvre attaques et ripostes qui une fois encore déplacent l'intérêt vers la stratégie ludique au détriment de l'objet visé. Là encore, c'est bien comme phénomène "littéraire", quelle que soit la "qualité" des textes produits, que le problème de la femme au XVI*e *siècle est perceptible, comme horizon de divertissements d'hommes. S'il y a du jeu dans les paradoxes d'un Cornelius Agrippa, il y en a bien plus encore et certes plus futile dans la production d'un Drusac. Singuliers plaisirs qui d'un renversement faisant songer à l'*Eloge de la folie *vont jusqu'à ces manipulations maniaques de grands ou petits rhétoriqueurs.*

*Cela dit, dans ces parades masculines, de singulières poussées peuvent se produire, à preuve l'*Amye de court. *Là encore l'attaque et la riposte font la paire, dissymétrique car la prude endort le texte que l'autre, Célimène avant l'âge, aiguise. L'Amye est dotée d'un pouvoir de fascination qu'il ne faut pas dérober, une femme "libre", ni épouse, ni veuve, ni fille, ni bien sûr religieuse, ni putain non plus, ni Célestine... Hors statut précis, une errance qui est le péril même. Péril restreint certes, car l'autre, la bégueule, a l'autorité pour elle qu'elle énonce verbeusement, c'est l'autre qui entre au service de l'homme/patron/époux/père de l'idéologie capitaliste. Contre la certitude de cet avenir, l'Amye apparaît confinée dans l'espace ambigu des cours, moderne et archaïque, disciplinaire et permissif, réel et fictif, mirage de liberté dans un* *spectacle que la monarchie monte. Prestige là encore du jeu. Autant de textes qui concourent pour dessiner la juste place, celle qu'ils laissent vides.*

J.P.G.

Gratien du Pont de Drusac, Controverses des sexes masculin et féminin, 1533.

Pour des raisons qui ne tenaient pas uniquement à son anti-féminisme, le petit livre de Drusac suscita une des premières joutes littéraires ayant la femme pour prétexte. Une Querelle des femmes toulousaine précéda les querelles parisienne et lyonnaise. Dolet, qui devait revoir la traduction par Jacques Colin du Courtisan *se distingua parmi les adversaires du "vieux, gros, obèse, au ventre élargi, rouge de cheveux et de teint" sieur de Drusac. Longtemps après la mort de l'auteur son ouvrage suscitait encore des vocations d'écrivailleurs puisqu'en 1564 François Arnault de la Borie commit un* Anti-Drusac fait à l'honneur des femmes, *publié à Toulouse.*

Telle souligne le caractère archaïque, malhabile des productions de ce magistrat provincial ; la pensée est débile et les vers lassants, c'est indubitable. Cependant ce n'est pas seulement un "interminable et monotone réquisitoire contre les femmes", c'est un recueil de divertissements dont l'anti-féminisme est un matériau idéologique passif, neutralisé en dépit ou à cause même de son outrance polémique. Ce qui importe est de l'ordre de la performance rhétorique de société. Le petit in-12 daté de 1536 que conserve la réserve de la Bibliothèque nationale est tout paré de grâces mondaines, un livre "de femmes" dirait-on, et on peut le tenir soit pour un recueil de jeux de salons soit comme un exemple assez fascinant d'articulation de la production littéraire sur l'arbitraire ludique.

J.P.G.

GRATIEN DU PONT, seigneur de DRUSAC

Les controverses des sexes masculin et féminin
Toulouse, 1533.

(Nous citons d'après l'édition de Paris, 1536).

L'ESCHIQUIER

Femme abuseresse	Infaicte meschante	Sans fin menteresse	Charogne puante	Source de finesse	De cœur inconstante	Perverse traisteresse	Faulse decepvante
Lache mesdisante	Inepte hardiesse	Mauldicte esvidente	Dhonneur larronnesse	Cruelle mordante	Vraye Dyablesse	Œuvre in suffisante	Des enfers ladresse
Rigoureuse presse	Au monde nuysante	Des hommes loppresse	Folle impertinente	De bon sens foiblesse	Par trop desplaisante	Nuyct et jour	De bien peu sçavante
De maulx affluente	Grande tromperesse	Daultruy bien dollente	Contraire a largesse	Mal saige patente	Miroir de paresse	Parfaicte arrogante	Dorgueil la deesse
Royne de rudesse	En bien negligente	Conseil de tristesse	De vice regente	En sçavoir asnesse	De mal instigante	De tromper maistresse	Decepvable entetée
En mesditz servente	Seure affineresse	Miserable attente	Voye de tristesse	Obstinée errante	Rude lyon nesse	Faincte penitente	Faulce accuseresse
Sotte inventeresse	Lourde mal seante	De fureur princesse	De mefaictz la feste	Jouvne mocqueresse	Des bons hayssante	Vollaige promesse	De lhomme servante
Tres mal vivante	Vuyde de saigesse	En luxure ardente	Dissimule resse	De vertu impotente	Grande pecheresse	A Dieu mal plaisante	Tres maul vaise espece

Nouvelle forme de Rithme, par laquelle une lettre satisfaict à deux vers tant au commencement des ditz vers, que à la fin d'iceulx, les quelles lettres toutes assemblées tant celles du dict commencement que celles de la fin, chascune en son endroit, sont en proverbe :

FEMME FOLLE EST, ET FOLLIE, ET TOUSJOURS FOLLIERA.

F / emme pour vray, tousjours à maulvayx chie \ F
\ aisant faulx tours, mainct un mal & meschie /

E / t de la sorte, elle a tousjours est \ E
\ st & sera, tant l'hyver que l'est /

M / ere d'envye, est dicte par son no \ M
\ alicieuse, aussy bien par surno /

M / al conseillé, en fust le bon Ada \ M
\ ourir fist femme, jadis le Roy Pria /

E / smuë est elle, de naturalit \ E
\ vitable est, en toute qualit /

F / olle est ; & vaine, changeant propos en brie \ F
\ ine ; & maulvaise, à plusieurs faisant grie /

O / ppiniastre, & fust elle Did \ O
\ beyssante, tousjours a Cupid /

L / uxurieuse, sans fin pensant en ma \ L
\ a ayde et secours, du grand prince inferna /

L / ibidineuse, qu'est grand peché morte \ L
\ asche & meschante, tousjours a le coeur te /

E / sprit subtil, plus que homme pour mal fair \ E
\ ntierement ; elle est preste à meffair /

E / scervellée, est femme en verit \ E
\ stre chassée, a tres bien merit /

S / alle & mal nette, elle est par le dedan \ S
\ on cas n'est fors, certes que faulx semblan /

T / raitresses sont, femmes communemen \ T
\ outz qui s'y fient, sont deceupz promptemen /

....

Bertrand de la Borderie, l'Amye de Court, 1541

C'est avec ce long monologue que s'ouvre la "Querelle" qui n'attendait qu'une occasion pour prendre forme. Il est attribué par La Borderie à une jeune fille qui fréquente la cour et les grands seigneurs, voire les princes, et le poème vise à défendre la vie de cour et le rôle qu'y jouent les femmes, renouant avec Castiglione et sa Dame de Cour contre l'austère Guevara dont on venait de donner Le Mespris de la Court, avec la vie rusticque. *En fait le discours de l'Amye fait l'apologie d'une liberté de moeurs et de sentiments qui dépasse de très loin la conception de Castiglione, toujours resté intransigeant sur les questions de l'honneur féminin et de la fidélité conjugale. Les entretiens légers et les badinages galants qu'il permettait à sa dame idéale sont utilisés par l'Amye de façon systématique en vue de son profit. Elle sait ce qu'il faut penser de la prétendue toute puissance des sentiments amoureux dans les milieux mondains : son discours choque car il fait ouvertement fi de ces conventions amoureuses que plus tard Du Bellay dénoncera aussi (A une dame, 1553). Elle a également compris cette évidence pudiquement niée par ses détracteurs : la puissance croissante de l'argent dans la société de l'époque, et le jeu masculin de la courtoisie sera par elle utilisé à des fins scandaleusement prosaïques. Accepter des cadeaux sans contrepartie, jouer avec le désir masculin, guetter la proie qui fera un riche mari docile, c'est prendre les hommes au piège qu'ils lui tendaient et cette cynique victoire de la ruse féminine sur l'hypocrisie masculine n'est sans doute pas étrangère à la levée de boucliers qui suivit la publication du poème de La Borderie. L'oeuvre alimenta la satire de la cour et des dames de cour. Dans une certaine mesure. La Borderie avait atteint son but : son* Amye *visait très évidemment à choquer et à lancer une polémique, et on voit bien ici toute l'ambiguité d'une littérature masculine qui, en feignant de laisser la parole aux femmes faisait de leur prétendue défense quelque chose qui ressemblait fort à une attaque.*

M.F.P.

L'AMYE DE COURT

inventée par le Seigneur de Borderie
Paris, 1542.

Je commençois dès ma jeunesse tendre
Au foible esprit ja prevoir & entendre
Que l'honneur grand & dignc authorité
Estoient en terre une felicité :
Et que des grands estre favorisée
Est une chose en ce monde prisée.
Je concevois dedans ma petitesse
Que pour attaindre à si grande haultesse
Beaucoup la grace & la beauté faisoient,
D'autant que plus, qu'autre chose plaisoient
Dequoy j'estoys suffisamment douée
Par la nature, & desja mieux louée
Des yeulx d'aultruy, que le foible merite
Ne s'estendoit de ma forme petite.
Dieu sçait aussi si lors prompte j'estois
Croire les loz que de moy j'escoutois :
L'on n'en pouvoit tant dire que mon aage
Ne cuidast bien en avoir d'avantage.
Je mettois peine à porter proprement
Mes blonds cheveux, & mon accoustrement
A posément conduyre mes yeulx verds
Pleins de doulceur, ny peu, ny trop ouverts,
A augmenter une grace asseurée,
Une parolle humaine & mesurée,
En divisant avecques mes semblables
Adolescents, honnestes & amyables :
Vray est que lors je n'avois point d'envie
D'estre priée, & moins d'estre servie.
Je ne sçavois si priere & service
(Comme je sçay) estoient vertu ou vice.
Mais ma beaulté qui creut en tres grand pris
En peu de temps me l'eut assez apris.
Sur les quinze ans le corps plaisant à veoir
Fut consummé, & l'esprit de sçavoir.
Tant que devint ma grand profection
Le seul object de mainte affection.
Gaignant les coeurs d'une grand multitude
De serviteurs qui mettent leur estude

Chascun pour soy d'avoir ma bonne grace.
Je retiens tout, & personne ne chasse,
Fondant ma gloire & louange estimée
Sans aymer nul, estre de tous aymée,
Qui est le poinct de mon enseignement.

....

Voilà comment en bien menant ma guerre
Le mien je garde, & l'autruy sçay conquerre.
Mais pour ne plus parler en parabole
Et esclaircir l'obscur de mes parolles,
Depuis le temps (dames) que je me hante,
Je me congnois, de moy je me contente,
Je me sens forte instruicte & bien apprise :
Pour prendre autruy & n'estre jamais prise.
Pour abreger je ne puis rien aymer
Sinon moy toute, encontres amour armer.
Et si veux bien que chascun de moy pense
Estre aymé mieulx qu'il n'a de récompense
Et qu'il n'aura, car sa seule pensée
Sera la paye à luy recompensée.
Et la raison qui me donne l'envie
En n'aymant point, aymer d'estre servie,
C'est pour garder que par un nonchaloir
Ne perde en moy tout ce qu'il peut valoir,
Et que si j'ay du ciel quelque present
Il soit tout tel au futur qu'à present.
Car tout ainsi que la vigne fertille
En peu de temps devient seiche & sterille
Quand elle n'est d'aucun bois appuyée :
Et que de soy soymesmes ennuyée,
Se congnoissant inculte & mise en friche
Perd fleur & fruict, & toute beauté riche :
Ainsi la dame à qui nul ne s'addresse,
Qui des amants advisez fuyt la presse
S'anonchallit, & tant se laisse aller
Qu'il ne luy chaut de bien ou mal parler,
De decorer le corps ny l'esperit,
Parquoy sa grace en peu de temps perit.
S'il est donc vray que ceux là qui me servent
En ma beaulté eux mesmes me conservent,
Pour durer belle il m'est doncques permis
De recouvrer infinité d'amys.
J'ay sceu gaigner un grand seigneur ou deux
Pour avoir tout ce dont j'ay besoing d'eux,
Accoustremens, anneaux, chaines, dorures,

Nouveaux habits & nouvelles parures :
Chascun des deux faveur me portera.
Dieu sçait comment mon coeur les traictera
Toutes les fois que l'un j'entretiendray
Pour amy seul de bouche le tiendray,
Et non de coeur, car je resoulz ce poinct
D'amys aymez jamais n'en avoir point.
Mais je faindray selon mon asseurance
Doubter en luy une perseverance :
Faisant semblant craindre qu'il me lairra
Ayant eu ce que jamais il ne aura,
Qui me fera une apparente excuse
Si le party qu'il pretend je refuse.
Luy sur ce point qui demy mort sera
Par ses serments jamais me laissera,
Nous mentirons tous deux à bien jurer,
Moy de l'aymer, luy de perseverer :
Car je ne suis si legiere & si folle
D'aymer & croire une fainte parolle,
Sçachant la foy plus souvent est jurée,
Et moins elle a aux amants de durée.
J'en congnois trop qui leur foy trop souvent
Le plaisir eu convertissent en vent,
Qui m'est exemple & preuve assez patente
Que je dois estre en volonté constante.
Et si quelqu'un icy me veulx reprendre
Que je ne puis honnestement rien prendre,
Disant que femme en present recepvant
Au sien donneur se donne ou bien se vend :
Je luy respond que telle loy fut faicte
Par quelque sotte amoureuse imparfaicte
Qui n'entendoit où gist le fondement
De vertueux & saige entendement.
Quant est à moy j'estime grand sagesse
Ne refuser d'un prince la largesse :
Et dis que si par liberalité
Le grand seigneur accroist authorité,
Qu'il ne la peut pour avoir loz & fame
Mieux addresser, qu'à une honneste femme,
Qui d'accepter ne luy faict moins d'honneur
Que de donner luy a faict le donneur.
Si mes habits & riches parements
De ma beauté honnestes ornements,
Pour honorer une court excellente
Sont apperceuz de richesse opulente
Estre trop plus que mon pouvoir ne porte,
Doit on penser mon industrie morte

Si je les ay sans la perte des miens,
Sans faire tort à moy ny à mes miens ?
Car je veux bien que l'on sçache ce poinct
Que le desir d'estre si bien en poinct
Ne me sçauroit ceste loy ordonner
Qu'en prenant d'eux je leur doibve donner :
J'entends du bien dont je doibs estre avare,
Qui tant en moy est excellent & rare,
Que si donné je l'avoye ou vendu,
Il ne me peult jamais estre rendu.
Serois-je bien de raison tant delivre
Donner l'honneur qui seul me faict revivre
Après ma mort, pour chose si commune
Comme est le bien de fragile fortune ?
Or & argent & pierres precieuses
Sont icy bas choses si copieuses,
Que l'on en peult recouvrer à foison :
Mais la vertu durant toute saison,
Est un thresor d'autant plus estimable
Qu'en le perdant il n'est point recouvrable.
Or cessent donc de me calumnier
Les medisants, qui ne peuvent nyer
Que la vertu s'ilz la sçavent comprendre
N'est offensée à donner ny à prendre.
L'honnesteté de ma vie nourrice
Sçait que je prens, non point par avarice,
Et qu'il soit vray moy mesme en donneroye
Des vestemens, & plus ayse seroye
De cest honneur, quand on les porteroit
Que de tous ceux que l'on me donneroit :
Si ce n'estoit que je puis m'adviser
Que les causeurs en pourroient deviser :
Car je les sents trop enclins à me mordre.
Oultre ce point d'estre trop bien en ordre
Ilz vont disant que bien souvent sans bande
L'on me voit seulle en liberté trop grande
Et que sans vieille aller je ne debvrois
Pour mon honneur en tous lieux où je vois.
O grands resveurs ilz ne congnoissent pas
Que la vertu me conduict pas à pas :
Qui est ma vieille & ma jeune compaigne
Qui en tous lieux, en tous temps m'accompagne,
Et que l'honneur tousjours devant mes yeux
Va le premier, & me guide trop mieux
Le droict chemin de bien honneste vie
Que si j'estois de cent vieilles suyvie.
Mais cuident ilz que les gardes soigneuses

Les preschements de vieilles envieuses,
Les grosses tours, les menasses infames
Puissent garder la volonté des femmes ?
La femme doibt par sa seule nature
Estre gardée & non par prison dure.
Enfermez la quelque part que vouldrez
Il est bien vray que le corps vous tiendrez :
Mais l'esperit en liberté vivra,
Et maulgré nous son naturel suyvra,
Le quel s'il tend à chasteté louable
La liberté le rend plus immuable.
Ny plus ny moins, qu'un cheval par nature
Fort à tenir, mal aysé d'emboucheure
Quand on luy tient la bride trop subjecte
Plus veut courir, plus se lance & se jecte,
Et ne sçauriez de luy mieux vous ayder
Qu'en liberté à plain mors le guider.
Ainsi est il de l'esperit vollage,
Qui deviendra plus rebelle & sauvage,
Quand par un frain dur & insupportable
Le cuiderez rendre doux & traictable.
Cela provient qu'il est tout manifeste,
La liberté estre present céleste,
Que Dieu voulut esgallement offrir
A tous vivants dont ne pouvons souffrir
Qu'elle nous soit usurpée des hommes
Qui ne sont dieux, ny riens plus que nous sommes :
Car de tollir ce qu'ilz n'ont point donné
Seroit statut assez mal ordonné,
Plus procedant d'injuste tyrannie
Que d'equité. Or doncques je vous nie
Que l'on nous puisse en erreur imputer
Et tous les poinctz qu'on m'a veu disputer.
Et penserois qu'un doubte scrupuleux
Tant de causeurs que des marys jaleux
Ne vient d'ailleurs que d'une congnoissance
De nostre force, & de leur impuissance :
Sçachant en nous tant de graces louables,
En eux tant peu de qualitez amyables,
Que maintz servans après estre chassez
Hors de l'espoir de noz coeurs pourchassez,
Leur grande perte en gaing convertiront,
Et pour couvrir leur faulte mentiront,
Disant avoir pour nous vituperer
Ce que jamais n'oserent esperer.
Et ou de nous ilz n'ont eu que tourment
Se vanteront d'avoir contentement.

Et maintz marys sçachant qu'ilz ne meritent
Jouyr de l'heur que leurs femmes heritent
Bien congnoissant leurs imperfections,
Craindront si fort que les affections
Des serviteurs amyables & honnestes
Facent sur eux & sur elles conquestes,
Que cela veult (non point autre raison)
Plusieurs vouloir leur femme en leur maison.
Et s'il y a quelque honneste assemblée
Ilz la voudront retirer à l'emblée
Par signes d'eux par courroux ou menasses.
O gens qui n'ont en eux ny sens ny graces
Je me complainctz d'un erreur de nature,
Puis qu'en faisant l'humaine creature
Elle voulut nostre pouvoir ravir,
Et à celuy des hommes l'asservir.
Que ne feit elle au moins distinction
Entre le vice & la perfection :
En exceptant toutes dames honnestes
Du traictement des lourdaulx & des bestes
Et leur donnant plustost commandement
Sur tous marys de gros entendement ?
Car je n'y voy raison ny apparence
Que la vertu soit serve d'ignorance.
Le plus grand mal qui nous peult advenir
(Dames ayez ces mots en souvenir)
C'est de tomber en la main & puissance
De ces fascheux qui n'ont la congnoissance
Du traictement que nous debvons attaindre
Pour nourrir paix, & le divorce estaindre
Avec lesquelz liberté asservie
Ne peult trouver conformité de vie,
Et ce qu'avons d'excellent & parfaict
Perd envers eux son naturel effect :
Car la beaulté à tous autres plaisante,
Avec telz gens ne nous est que nuysante,
Veu que la grace & douce courtoisie
Est en leurs coeurs source de jalousie.
Nostre doulceur n'a force ne vigueur
Pour amollir leur severe rigueur.
Rien ne vous vault une raison rendue,
Elle n'est point de bestes entendue :
Qui nous vouldront imposer un silence,
A tous propos user de violence,
Deffendre jeux, festins tournois & dances
Un million de tortz & d'arrogances
Nous causera leur bestialité

Qui ne s'accorde à nostre humanité.
O loy pour nous trop austere & fatalle :
Mais ces gros veaulx de nature brutalle,
Où trouvent ilz que compagnie hanter
Face l'honneur des saiges absenter ?
Et que pour près des grands seigneurs se joindre
L'honnesteté des dames en soit moindre ?
Je leur demande où sont en evidence
Vertu, Sçavoir ? où font ilz residence ?
Est ce devant leurs rustiques maisons,
Où l'on n'apprent qu'à paistre les oisons ?
Ou à nourrir en leurs fascheux mesnaige
Quelque animal autant comme eux sauvaige ?
Certes je sçay par vraye experience
Que si vertu & parfaicte science
Sont decorans cy bas quelques endroictz,
Que c'est autour des Princes & des Roys :
Ou bien heureuse est une nourriture
Qui sçait pollir toute rude nature,
Ornant les corps de gestes & façons,
Et les espritz de prudentes leçons.

. . . .

J'ay dict comment aux despens & dommage
Des folz amans j'apprens à estre sage.
Ores sera le plaisir declaré
Qu'a le mien coeur de l'amour separé,
En n'estant point de mes serviteurs serve
L'auctorité sus eux je me reserve :
Et ne sçaurois plus grant heur demander
Qu'estre obeye, & tousjours commander.
Durant ainsi de moy garde & tutrice
Je me sens Royne ou quelque imperatrice,
Ayant sus tous commandement, & loy,
Faveur, puissance, & nul ne l'a sus moy.
Divers amants viennent un chascun jour
En quelque endroict que je face sejour
Me presenter service, obeissance,
Et m'asseurant qu'il n'est en la puissance
Du firmament garder qu'ilz ne demeurent
Mes serviteurs jusques à ce qu'ilz meurent
Et que plustost sera la mer sans unde,
Sans clarté ciel, sans fruict terre feconde,
Que l'amour soit, non du tout desnuée :
Mais seulement de rien diminuée.
Si de durer l'asseurance je nye

Ilz me feront une querimonie,
En m'appellant incredule & cruelle :
L'un me dira que je suis la plus belle
Dans tout le monde, & qu'en moy l'on peult veoir
Combien nature a de grace, & pouvoir.
Ainsi me loue, & tantost il m'excuse :
L'autre veult seul ce qu'à tous je refuse,
Et veult donner trop moins qu'il ne demande,
L'un se complainct, l'autre se recommande,
L'un est craintif, & me faict l'asseuré,
L'autre est trop sobre, ou trop demesuré,
L'un de l'oeil pleure, alors que le coeur rit.
L'autre est malade, & soubdain se guerit,
A tout cela il fault que je responde :
Et si j'estois la plus triste du monde
Tout aussi tost (mais que je veuille ouyr)
Je ne sçaurois me garder d'esjouyr :
Car oyant leurs plainctes & clameurs
Aucunes fois de rire je me meurs,
Pour le plaisir de la diversité
Que va comptant leur fainte adversité.
Tous les propos d'eux à moy recitez
S'ilz ne sont vrays sont tant bien inventez
Que si n'estois sage & bien advertie,
Je serois tost à leur loy convertie.
Mais devisons un peu de l'equipage,
De jeunes gens qui sortent hors de paige,
Bien ayse suis ceulx cy veoir addresser
A moy, qui prens plaisir de les dresser.
Si j'en voy un, qui n'ose à moy venir,
Et qu'il desire honneste devenir,
Je vous l'appelle en donnant hardiesse
A sa craintifve inexperte jeunesse,
Et vous le metz en propos & en grace :
Mais il n'a pas si tost près de moy place
Que j'apperçoy Cupido se souillant,
Dedans son sang tendre, chauld, & bouillant.
Et un sien cueur d'aymer non bien appris,
En un instant je le voy tant espris,
Que l'on diroit veu l'ardeur tres extreme
Qu'il est tout mien, & non plus luy mesme :
Et qu'il ne reste à l'heure comme il semble
Qu'avoir un prestre & nous lier ensemble.
Mais je suis seure, & n'en suis point deceue
Qu'en un moment toute flamme conceue
Devient fumée ès jeunes amoureux :
Car soubdain naist, & soubdain meurt en eulx

Tout appetit, ainsi que feu de paille.
Ne cuidez pas qu'aussi gueres il m'en chaille,
Ce n'est pas là que ma felicité
Se constitue eternelle cité.
Le plus grand fruict que de ce j'en attens
C'est m'en esbattre, & en passer le temps.
Et moyennant tel plaisant exercice
Garder l'esprit de succomber à vice.
Jeunes & vieux, petits, grands, & menuz,
En mon endroict sont tous les bien venuz,
En un chascun qui m'entretenir ose,
Sans aymer tout j'ayme bien quelque chose :
J'ayme de l'un une grace bien bonne,
Doulce aggreable, & qui point ne s'estonne,
De l'autre j'ayme une langue mectable,
Un parler prompt, facond & delectable,
Beaulté me plaist où qu'elle soit choisie
Là, la doulceur, icy la courtoisie,
Chascun de moy en effect est loué
Selon qu'il est par nature doué.
Jusques aux sotz leur sotise m'agrée,
Et avec eulx parfois je me recrée.
Si c'est Amour que d'aymer tout cela,
J'en ayme plus de mille ça & là :
Mais le plaisir d'aymer ainsi perit
A mon aureille, à l'oeil, & à l'esprit,
Sans coeur ny corps aux dedans tourmenter.
O bien heureux qui se peult contenter
De telle amour. Mes dames je me doute
Que l'on attend, & que chascun escoute
De moy la fin où je pretends venir :
Je ne veux point en langueur vous tenir
Je le diray, mais qu'un peu on se taise,
Et m'escouter encores il vous plaise :
Ce qui me rend (à tous faisant grand chere)
En dictz prodigue, et aux effectz très chère,
C'est pour sembler à la Lyonne sage,
Qui par coustume & naturel usage,
Le grand troppeau des bestes environne,
Pour en tirer de toutes une bonne.
Ou faire ainsi que l'espervier rusé
Au circuit d'estourneaulx amusé,
Qui tant les suyt, & tant les enveloppe
Qu'il en prend un des meilleurs de la trouppe.
Tout ainsi moy je ne suis pas si beste
Qu'en me jouant, & faisant à tous feste,
Je ne regarde à qui plus me tenir,

Pour me pourveoir au temps de l'advenir :
Bien congnoissant que le temps est mobile,
Faveur muable, & jeunesse débile
Et que beaulté ne peult tousjours durer.
Contre ce doubte il me fault asseurer,
Mon asseurance est le seul mariage,
Qui est le but où toute femme sage
Doibt pour son bien de bon heure viser :
C'est un grand mal un fascheux espouser,
Comme j'ay dict (fille) auparavant :
Et grand plaisir d'avoir mary sçavant,
Honneste, saige, & plein de bonne grace,
Mais s'il falloit qu'un sot de bonne race,
Riche de biens & pauvre de sçavoir,
Me demandast & me voulsist avoir
Et nul espoir ne m'estoit departy
De recouvrer plus apparent party :
D'advis serois que plustost on le prit
Qu'un plus sçavant qui n'a rien que l'esprit :
Car il n'y a chose si miserable
Que pauvreté, c'est un mal incurable,
Qui n'a malheur si grand que provoquer
Les gens à rire, & de soy se mocquer.
J'aymerois bien ressembler celles-là
Qui d'un desir de tost faire cela,
N'estimeront le tour infame & laid
Se marier à leur propre varlet
Ou quelque folle au riche preferant
L'honneste amy qui son pain va querant :
Et puis après il faut vivre d'amours,
Ou bien apprendre à passer les longs jours
En peine extreme & langoureuse vie.
De tel malheur je n'en ay point d'envie :
Car estant là plus froide je serois
Que n'est Venus sans Bacchus & Cerez.
Quant à mary je resoulz donc ce poinct
De l'avoir riche, ou de n'en avoir point,
Bien qu'il soit crud, & que ses meurs perverses
Du tout je sente estre aux miennes diverses :
Si ay je espoir toutesfois le reduire,
Et peu à peu jusques là le conduire,
Que s'il est lourd assez me sens subtile
Pour le changer en peu de temps habille.
S'il est haultain, cruel, audacieux,
Ma doulceur peult le rendre gracieux.
L'on dompte bien les chevaux effrenez
Les fiers lyons quand ilz sont gouvernez

Par sacrifice aysement s'apprivoisent,
Sans faire mal en tous lieux où qu'ilz voisent.
Doncques au pris, pourquoy n'est il facile
Domestiquer l'homme trop plus docile,
Que l'Animal, lequel nulle saison
Ne loge en soy comme luy la raison ?
Car où raison dresse son habitacle
Facilement on peult rompre l'obstacle
De tout erreur qui cache sa lumiere,
Pour la remettre en sa clarté premiere.
Premierement je mettray mon estude
Et emploiray peine & sollicitude
De le gaigner si bien qu'il m'aymera.
Or en m'aymant si bien imprimera
En son esprit de rien ne me desdire,
Qu'il est aysé de le pouvoir induire
Facilement & faire condescendre
A tous partiz que je vouldray pretendre.
Mais s'il estoit de soy si difficile
Que sa nature austere & imbecile,
Par amytié ne peut estre traictable
Ny par moyens quelconques accointable,
Et que je veisse en moy l'experience
De ma bonté envers l'impatience
De sa malice avoir nulle vigueur,
Ains que tousjours une sienne rigueur
Me tourmentast sans cause ny raison,
Comme servante en la sienne maison,
Helas mon dieu que pourrois je lors faire ?
Comme sçauroit un esprit satisfaire
A tel malheur, autant pernicieux
Qu'il en soit point dessoubz tous les neuf cieulx ?
Hymen, Juno, vous dieux de mariage
Destournez moy ce sinistre presage :
Et si le ciel où demeure vous faictes
M'a concédé quelques graces parfaictes,
Ne permettez qu'elles soient desmolies
Par chant lugubre & tristes omelies.
Car si de vous j'estois tant oubliée,
Que maulgré moy je me veisse liée,
En prison telle, où mes plainctes funebres
N'espereroient lumiere à leurs tenebres
Un seul moyen me reste en tel malheur,
Qui ne vaut guiere & si est le meilleur.
Mais quoy que dy-je ? Et où suis-je ravie ?
Doibs-je esperer telle peste à ma vie ?
Je ne la veux ny penser ny prevoir,

Ny de tel mal au remede pourvoir :
En debatant comme on se peult distraire,
Je m'en tairay pour parler du contraire
Tant je me fie en la bonté haultaine
Que d'avoir mieulx je suis toute certaine.
Les dieux ne m'ont de graces tant douée
Pour me vouloir en fin estre vouée
A naviguer en si forte tempeste.
Le mien mary sera sage & honneste,
Tant excellent j'en suis bien asseurée,
Que sa valeur ne sera mesurée
Suffisamment de langue, ny d'esprit :
Avec lequel si jamais femme aprit
Vivre contente en honneur & en gloire,
Ou s'il est juste & licite de croire
Qu'on doibve aymer, telle alors je seray
Et de sentir l'amour commenceray :
Non point l'amour qui blesse & qui tourmente,
De qui chascun se plainct & se lamente :
Mais bien l'amour qui est incomparable
D'un mutuel plaisir innenarrable.
Non l'amour faulx, par fiction trouvé :
Mais bien le vray certain & approuvé,
Qui en noz coeurs prendra force & naissance,
Et n'estendra que sus eux sa puissance :
Portant en main en lieu d'arc & de traict,
D'honnesteté l'image, & le pourtraict :
Où nous verrons l'exemple pur & munde
De vivre unis sans divorce en ce monde.
Ses yeulx seront ouverts, & non point clos
Pour veoir en un noz deux vouloirs enclos :
Et du très fort lien de vertu rare
Tant les serrer que rien ne les separe.
L'autre est volant plein de legereté :
Mais cestuy cy sera tant arresté
Que dedans nous il fera sa demeure
Jusques à tant que l'un ou l'autre meure
Accompaignant les immortelz espritz,
Tant que le ciel les ayt en soy repris :
Auquel sejour il les eslevera,
Et mieulx que l'autre à l'heure vollera,
Pour lassus prendre eternelle louange,
Où sera dict d'honneste amytié l'ange.
O bien heureuse, O vraye amour future,
Que je prevoy certaine en mon augure,
Puis que desjà je la connais presente :
A celle fin que plus d'ayse je sente

A bien gouster les plaisirs qu'elle donne
Pour le penser le dire j'abandonne.

Fin de l'Amye de Court

Charles Fontaine, la Contr'amye de Court, 1542

*L'indignation soulevée par l'*Amye de Court *trouva un porte parole en Charles Fontaine, ami d'Héroet et de Marot. Sa* Contr'Amye de Court *n'est, jusqu'au titre, que la réfutation méthodique de l'oeuvre de La Borderie. Exaltation de la toute puissance d'un amour vaguement teinté de néo-platonisme, opposition de la vertu bourgeoise à la corruption courtisanesque, regret bien traditionnel d'un âge d'or opposé à la cupidité contemporaine. La verve de l'*Amye de Court *disparaît dans cette argumentation verbeuse dont la probable sincérité ne compense pas la platitude. Dans sa médiocrité ce texte est pourtant représentatif de toute une littérature polémique qui s'est développée dans le sillage des Amyes et c'est pourquoi nous en donnons ci-dessous quelques extraits.*

M.F.P.

LA CONTRE AMYE DE COURT

par Charles Fontaine Parisien.

[...] dames, si m'escoutez,
Je vous diray qui je suis, & comment
Le dieu amour j'ayme parfaictement
De qui l'honneur, & doctrine ay suyvie
En me rendant à luy toute asservie.
En premier lieu fille suis de marchand
Lequel n'estoit usurier ne meschant,
Qu'il soit ainsi, on luy portoit ce nom
Loyal marchand : tel estoit son renom.
Dès son jeune aage avoit science acquise
Qu'il estimoit plus que sa marchandise,
Tousjours hantoit les lettres & lettrez,
Non les grans gens richement accoustrez,
Disant aussi ces mollement vestus
Souvent d'autant s'esloignent de vertus.
Et quel besoing par les estranges terres
Aller chercher tant d'or, & riches pierres
Pour seulement parer nostre nature
Qui nue vient, & va en pourriture ?
Homme il estoit de petite parolle,
Fors quand de nous il tenoit son escole.
J'entends de moy & d'une mienne soeur
Dont il estoit enseigneur, & dresseur,
Du dieu amour tousjours estoit son chant :
Du dieu amour tousjours alloit preschant.
Aymez l'amour (disoit il) mes fillettes,
C'est un grand dieu, soyez à luy subjectes.
Ce temps pendant que l'amour aymerez,
Pendant que vous ses subjectes serez,
N'en doubtez point, amour vous maintiendra
Heureusement, & tout bien vous viendra.
C'est le seul dieu entre tous autres dieux
Le plus benin, & le plus gracieux.
C'est le seul dieu, qui les autres accorde,
C'est le seul dieu, de paix, de concorde,
Qui les haultz dieux des hommes offensez
Va appaisant : & (si bien y pensez)
C'est celuy par qui fut faict ce monde,
Qui entretient ceste machine ronde,
Car le soleil, la lune & les planettes
Qu'on voit au ciel tant belles, & tant nettes

Ne donneroient ça bas leurs influences,
Dont les effectz nous donnent apparences,
Si ce n'estoit qu'amour le puissant dieu,
Les incitast regarder ce bas lieu :
Pour y produire à nostre utilité
De tous les biens une fertilité.
Les blez, les vins, les arbres, & les fruictz
Viennent de là, & par ce sont produictz.
Et pour parler des choses de plus près,
Les elements en un bel ordre exprès
Feroient combat, & très grande folie,
Si ce n'estoit qu'amour les joinct, & lie.
Et si amour ne les attemperoit,
En nostre corps, la guerre se feroit.
Le chault voudroient sur le froid dominer :
Le froid vouldroit le chaut exterminer :
Pareillement le sec avec l'humide
Se combattroit, s'il estoit d'amour vuide.
Dont en noz corps causeroit tel discord,
Incontinent maladie, & puis mort :
Si ce n'estoit amour le dieu puissant,
Auquel ilz vont très bien obeissant.
Car il a mis, & de tous temps il passe
Son traict partout, & tout luy donne place.
Il n'y a rien qui à l'amour ne cede :
Et si n'est rien que l'amour ne possede.
Amour par tout son pouvoir a semé :
Et par ainsi l'un est de l'autre aymé.
Amour par tout sa bonne grene seme,
Et de là vient que toute chose s'ayme.

....

Il fait beau voir dame non contrefaicte,
Mais en l'estat que nature l'a faicte.
Nature est sage, & en nous n'a rien faict
Qui puisse bien par art estre deffaict.
Nature est forte, & qui l'irritera,
Avec vengeance elle retournera.
Nature est bonne, irriter ne la fault :
De Dieu est fille, elle vient de là hault.
Il faict beau voir la beauté naturelle
Sans art, & fard de chose temporelle.
Il faict beau voir en bons maintiens, & gestes
Dames qui sont rassises, & modestes,
Qui vont parlant, & peu, & prudemment,
Qui vont aussi regardant posément :

Qui rondement selon leur naturel
Vont gouvernant leur maintien corporel.
Non point un tas de sottes glorieuses,
Non point un tas, qui font des precieuses
Pour leurs habits, pour leur or, ou argent :
Non point un tas qui se font le corps gent
Par un desir seulement de complaire,
Et pour le monde à leur regard attraire.
Non point un tas qui vont escervellées
L'oeil de travers comme pies emparlées,
Ayant leur langue, & leurs yeulx arrestez,
Commc leurs floquetz de cheveux esventez.
Telle n'estois, telle ne suis encore,
Car le grand dieu amour, lequel j'adore,
Se monstre nud, & tout nud se maintient,
Pour demontrer que vraye beauté tient
De la nature, & non par artifice :
De la vertu belle en soy, non du vice :
De l'internel, & non de l'externel :
Non point de fard, ne d'habit solennel ;
Aussi a il les deux yeulx bendez, pource
Qu'il ne regarde à l'habit n'à la bourse.
Des aesles a, qui tousjours font valoir
Sa liberté pleine de hault vouloir.
En petit corps a jeunesse & beauté,
Pour demonstrer sa douce deité.
Il n'est point vil, il n'est point serf, mais franc :
Vole où luy plaist, tousjours beau, jeune, blanc.
Dessus ce poinct ne puis que ne me rie,
Qu'on le faict dieu de macquignonnerie,
On se popine, on se mire & regarde :
On se polit, on se frotte & se farde :
Comme un cheval, qui passe par les mains
Des macquignons, d'avarice tant pleins
Que pour avoir d'argent somme plus grosse,
Pour un roussin vous vendront une rosse,
Tant ilz auront bien faicte & bien menée,
Tant bien polie, & bien macquignonnée.
Ainsi est il. O mes dames, souvent
A grand regret je vois que l'on se vend,
Et l'on se passe au plus offrant, & puis
D'amour, dict on telz sont les faictz, & fruictz.
Qui est erreur. Amour le dieu propice
N'est point subject à l'or, & à l'avarice,
Amour qui volle ès haultz cieulx par ses aesles
Comme un mondain n'a point terrestres zelles.
Mais nous voulons à sa divinité

Attribuer nostre cupidité
O grande erreur, ô abuz trop damnable,
Qui fait de soy la deité coulpable !
Mais quel espoir y a en nous de mieux,
Quand de noz maulx nous accusons les dieux ?
Ce grand malheur, ce mal, & infortune
Ne regnoit point du temps du vieil Saturne.
Lors que les gens remplis de verité
Suivoient sans loy le droict & l'équité :
Quand n'y avoit encor bourreau ne juge,
Crainte, danger, proces, ne subterfuge,
Quand des haultz monts les arbres abbattuz
N'avoient la mer ne les fleuves battuz.
Lors que n'estoit la terre ainsi ouverte,
En mille endroictz navrée, & descouverte,
Pour en tirer les metaux (ses entrailles)
L'or & le fer, dont on faict les batailles.
Lors qu'on alloit vestu de tiretaine,
Vivant de fruictz, & d'eau bien clere, & saine :
Lors qu'on avoit pour palais & chasteaulx
Les buissonnetz, & les arbres très beaulx.
Mais aujourd'huy on ne quiert que richesses,
Et d'edifice, & d'habitz les hautesses,
Et follement au plus riche donneur
On vend son corps, son âme, & son honneur.
On a le coeur, & l'oeil aux hault montez,
A ceux qui ont offices, dignitez,
Et nulle part Homere, ny Horace
(S'ilz n'ont de quoy) ne pourront trouver grace
Sapho Phaon n'a ainsi estimé :
Oenone n'a Paris ainsi aymé,
Dido Aenee, Hypsiphia Jason.
Ains ont aymé pour contraire raison :
C'est à sçavoir pour la grace, & sagesse,
Ou pour vertu, beauté, force, & jeunesse.
Et quoy que ce soit de leur amour l'yssue
Non bonne tant comme l'avoient conceue,
Ce nonobstant est en toute maniere
A estimer leur amour plus entiere
Qu'au temps qui court, qu'on se vend follement
A quiconque a d'argent plus largement.

. . . .

Ainsi que toy n'ay usé de faintise,
Autruy n'ay pris, & autruy ne m'a prise,
Sinon un seul jeune homme de hault pris

Que pour mary, & pour amy j'ay pris.
Et me voyant fort humble, tant m'ayma
Que pour amye, & femme prise m'a.
Je n'allois point haultaine & glorieuse,
Je n'allois point en habitz precieuse :
Mais bien j'allois ornée en ma jeunesse
De purité, de vertu, & simplesse
Qui m'ont tant faict par ville renommer
Qu'on m'a voulu vraye amye nommer.
Dont ne prens gloire, ains sçay que c'est un faict,
Un don très hault de l'amour tant parfaict :
Que j'ay aymé, & suivy en mes jours,
Que j'aymeray, & je suivray tousjours,
Car il est beau, sage, bon, & honneste
Sa grande sagesse, & bonté m'admoneste
Et me contrainct ne le desadvouër,
Mais bien à luy sans cesse me vouër.

Table des matières

Deuxième partie
La philosophie de l'amour et les arts d'aimer

Troisième partie
Polémiques littéraires

Illustrations.

Les illustrations sont empruntées à la *Biblia universa,* Lipsiae, ex off. N. Wolraf, 1543 et à *Cy est le rommant de la Rose,* Paris, chez Galliot du Pré, 1531 ; Fonds Agache, B.I.U. Lille. Photographie : atelier Lille III.

D0266382

SONS OF THE PROPHETS

BY THE SAME AUTHOR

John Venn and Clapham Sect

Charles Simeon 1759–1836
Joint Editor and Contributor

SONS OF THE PROPHETS

Evangelical Leaders of the Victorian Church

MICHAEL HENNELL

LONDON
SPCK

First published 1979
SPCK
Holy Trinity Church
Marylebone Road
London NW1 4DU

Printed and bound in Great Britain at
The Camelot Press Ltd, Southampton

ISBN 0 281 03698 5

To the memory of

MAX WARREN

true successor of Charles Simeon
of Holy Trinity, Cambridge
and of
Henry Venn of the Church Missionary Society

this book is dedicated

Contents

Illustrations

Acknowledgements

My chief debt is to Max Warren, to whose memory this book is dedicated. I shared with him my hopes and my plans. During his brief retirement he read and criticized with characteristic thoroughness and acumen, the chapters on Venn and Stephen. The Bishop of Bath and Wells kindly gave me information about the Bickersteth family and lent me some of Edward Bickersteth's books.

The first half of the first chapter is a slightly abridged version of a lecture I gave for the Open University in 1971 in the course 'The Age of Revolutions' and entitled 'Habits of Virtue'. It is reproduced by permission.

The unpublished material used in this book comes from several sources. The diary of Lord Shaftesbury is part of the Broadlands Manuscripts; the Broadlands Archives Trust and the Royal Commission on Historical Manuscripts have generously allowed me to quote from it. Felicity Strong, formerly Felicity Ranger, was of immense help to me when wrestling with Shaftesbury's writing and sometimes his meaning. The Stephen Papers are in the Manuscript Room of the Cambridge University Library; I am grateful for help and permission to quote. I am also indebted to the Reverend J. A. G. Haslam for allowing me to see his family papers. I have consulted several theses in the Cambridge University Library but must mention:

B. E. Hardman, 'The Evangelical Party in the Church of England 1855–65'; I. S. Rennie, 'Evangelicalism and Public Life 1823–50', and S. C. Orchard, 'English Evangelical Eschatology 1790–1850.' I was allowed by Tim Yates to see a draft of his recent book, *Venn and The Victorian Bishops Abroad*, before publication. The Librarian of Cheltenham gave me every facility to enable me to work through Geoffrey Berwick's manuscript, 'The Life of Francis Close'. I would also like to thank the Librarian of St Paul's College, Cheltenham, the CMS Archivist, and the staff of Carlisle Library. I have received unfailing help and courtesy at the Manchester Central Library which has been made my chief base of operations. I have also made useful excursions into the Cambridge and Manchester University Libraries.

I am grateful to a number of friends who have helped me, including John Root, Alan Munden, Sheridan Gilley, Joscelyn Kelsey and in the early stages, David

Edwards. Gordon Wakefield and Tom Hennell read the manuscript for me and made helpful comments. I am grateful to Peggy Wright for typing the manuscript. Ian Stratton and Tom Hennell read the proofs; Benny Wells prepared the Index. My debt to my wife, as always, is enormous.

Thanks are also due to William B. Eerdmans Publishing Company, who allowed the author to quote from *To Apply the Gospel* by Max Warren, and which is used by permission.

Preface

Interest in the history of Evangelicalism began with my reading of Coupland's *Wilberforce* while I was a student. It was the age of Wilberforce that fascinated me and retained my attention for a long time. More recently, at Alec Vidler's prompting, I have moved on to the study of Victorian Evangelicalism, chiefly because there is very little on the subject available in print. From this new involvement has come the present book. It does not pretend to be a history of Victorian Evangelicalism, but it does contain the history of six Victorian Evangelicals, who maintained and developed the tradition of the prophets of the earlier years of the nineteenth century.

Simeon and Wilberforce, of whom there are studies in the opening chapter, are the leaders of a band of prophets connected with Clapham and Cambridge and the Church Missionary Society. Of the six sons chosen, Buxton, Bickersteth, Venn and Stephen belong very definitely to this tradition; Shaftesbury, though finally under the influence of Haldane and the *Record*, claimed rightly to be Wilberforce's successor. Close was one of Simeon's favourite sons and Simeon's personal choice for Cheltenham, even if much that he did there and in Carlisle was hardly likely to commend itself to his friend and patron.

Buxton and Shaftesbury have been well served by biographies in their own century and in ours. Birks' *Memoir of the Rev. E. Bickersteth* is a fine book and readable, but there is room for something shorter supported by recent research. W. Knight's *Memoir of the Rev. H. Venn* is useful to the scholar but it is not as readable as Birks, and needs to be replaced by a twentieth-century life. Stephen and Close have no printed biography, ancient or modern. It is partly to fill this gap that I have written six lives, hoping that full-length biographies may follow.

ONE

The Prophets

The story of Charles Simeon's conversion has been told so often that a brief summary should be adequate. When he had been at King's College, Cambridge a few weeks, he received a notice from the Provost that he must attend communion in the chapel at mid-term, due to take place in a few days. Simeon, always punctilious, felt that he must not only obey, but prepare himself to take the sacrament. To this end he bought a number of devotional books. Half-term passed, he communicated without experiencing the peace he sought. On Easter Day he knew he must communicate again; this made him continue his religious reading. In Holy Week he was suddenly struck by an expression, 'that the Jews knew what they did, when they transferred their sin to the head of the offering'; this made him realize that he could be free from his sins and their guilt by laying them 'on the sacred head of Jesus'. As Holy Week progressed his Christian experience deepened in intensity. On Easter Day he woke early exclaiming: 'Jesus Christ is risen to-day! Hallelujah! Hallelujah! . . . and at the Lord's Table in our Chapel I had the sweetest access to God through my blessed Saviour.'[1]

For over a year Simeon 'endeavoured to find some minister who preached those truths' he 'loved and delighted in'. After this he became linked with Henry Venn and the mainstream of the Evangelical movement, whose leadership he came to share with William Wilberforce.

He operated from two bases, – his pulpit in Trinity Church where he was vicar from 1783 to 1836, and his rooms in King's.

> Trinity Church holds about nine hundred without the children, and it is filled. But many of those who hear me are legions in themselves, because they are going forth to preach, or else to fill places of influence in society. In that view I look upon my position here as the highest and most important in the kingdom, nor would I exchange it for any other. If you have dukes and nobles to hear you, they seldom attend to what you say. Not so the congregation at Cambridge.[2]

In term time Simeon said that he hardly ever prepared a sermon without

the students in view, especially on a Sunday evening when there was a large student congregation. Bishop Wordsworth declared that Simeon had a much larger following than Newman at Oxford and for a much longer time.

Simeon's influence is in some ways surprising, for there was much in his character that might have put students off. Charles Jerram, who was up at Cambridge in the 1790s, wrote:

> He was naturally of a haughty, impatient and impetuous disposition and these defects were sometimes exhibited in a way which was painful to the feelings of others. Being constitutionally of a sensitive temperament, he has been known to exercise himself with undue severity on trifling and imaginary affronts; and, in the moment of excitement, would now and then redress his grievance in a way which afterwards occasioned him pain and annoyance. He was fastidious in his attention to his person, dress and furniture, over-punctilious in his observance of whatever he conceived to belong to the address and manners of a gentleman.[3]

Humility gradually overcame pride and students of a later period commented on his patience and courtesy.

In his rooms in King's he held sermon classes and conversation parties. Simeon sought through his sermon classes to train men for the ministry in the days before theological colleges.[4] The conversation parties were open to all members of the university. He would start by asking questions. Then two waiters would enter and hand round tea. According to Abner Brown, who was up in the late 1820s, there were questions not only concerned with the Bible and theology, but with slavery, repeal of the Test Corporation Acts, Roman Catholic Emancipation, parliamentary, municipal and church reform, and state aid to education.[5]

Simeon's influence on the clergy and the Church of England itself is beyond calculation. Under the initial guidance of Henry Venn he firmly established Evangelicalism within the Church of England. He himself kept to his parish boundaries and he taught his ordinands to do the same. The example of John Wesley and John Berridge, with their field preaching and invasion of other people's parishes, was to be avoided. Simeon was considered by some 'more of a church-man than a gospel-man'. His maxim was, 'The Bible first, the Prayer Book next and all other books in subordination to both'. He once said: 'The finest sight short of heaven would be a whole congregation using the prayers of the liturgy in the spirit of them.'[6]

Simeon took a major part in the formation of the Church Missionary

Society, and was probably the first man to encourage ordinands to consider service overseas. The heroic Henry Martyn was one of five Cambridge men who went to India as East India Company chaplains at Simeon's instigation. They were missionaries in all but name.[7]

Simeon's ministry spanned the years 1782 to 1836. In no period was there such a change in the character and work of the clergy; never was a fresh sense of duty so swiftly rekindled. Simeon wrote to a friend: 'Who would have thought that Thomas Lloyd's successor should have got his death while hunting, how much better by attending the cholera in a cottage.'[8] Here are two standards of pastoral care; for the change from one to the other, Charles Simeon, perhaps more than any other man, was responsible.

The other prophet is William Wilberforce. Here are two portraits of him by people who knew him well. The first is from Marianne Thornton, daughter of Wilberforce's friend, Henry Thornton:

> Mr. Wilberforce seemed so entirely one of the family that I cannot describe my *first* impression of him any more than that of my own father, indeed I can remember having a game of play with him earlier than with any one. He was as restless and as volatile as a child himself, and during the grave discussions that went on between him and my father and others, he was most thankful to refresh himself by throwing a ball or a bunch of flowers at me, or opening the glass door and going off with me for a race on the lawn 'to warm his feet'. I know one of my first lessons was I must never disturb Papa when he was talking or reading, no such prohibition existed with Mr. Wilberforce.[9]

The second is from Sir James Mackintosh, himself a Radical, a social reformer and a free-thinker. He wrote when both were old men:

> If I were called upon to describe Wilberforce in one word, I should say that he was the most 'amusable' man I ever met in my life. Instead of having to think of what subjects will interest him it is perfectly impossible to hit one that does not. I never saw any one who touched life at so many points; and this is the more remarkable in a man who is supposed to live absorbed in the contemplation of a future state. When he was in the House of Commons he seemed to have the freshest mind of any man there. There was all the charm of youth about him. And he is quite as remarkable in this bright evening of his day as when I saw him in his glory many years ago.[10]

Whereas Simeon's influence extended to the clergy and to those who went from Cambridge into politics, the army, and the professions, that of

Wilberforce had an impact on society in Britain probably greater than that of any other man in the first thirty years of the nineteenth century. In 1829, Francis Place, no friend of Evangelical religion, wrote:

> I am certain I risk nothing when I assert that more good has been done to the people in the last thirty years than in the three preceding centuries; that during this period they have become better, more frugal, more honest, more respectable, more virtuous than ever before.[11]

For this transformation Wesley was partly responsible. Wilberforce and his friends built on Wesley's foundations, bringing their influence to bear in circles which the Methodists could not hope to reach. For them Wilberforce wrote his book with the cumbrous title, *A Practical View of the Prevailing Religious System of Professed Christians in this Country contrasted with Real Christianity*. In this he contrasts the unhappy social and moral consequences of nominal Christianity, with the effects of real Christianity. The changes brought about by the French and Industrial Revolutions are constantly in his mind. He comments on the increase of prosperity, the growth of new cities and the splendour and luxury of the age. He reminds the rich of their duties to the poor and asserts that the only remedy for the selfishness wealth breeds, lies in the belief and practice of the Christian religion. For forty years or more this book was a best seller and five editions were sold within six months of publication. Together with the tracts that Hannah More wrote, and the *Christian Observer* which Zacharay Macaulay edited, a public opinion was built up which became sensitive not only to negro slaves overseas but to children and animals in this country. The origins of the NSPCC and the RSPCA lie with the Clapham Sect.

The Clapham Sect, which centred round Wilberforce, consisted of a group of friends who lived at Clapham, and a wider circle who were frequent visitors and allies in their political and philanthropic enterprises. Wilberforce, Thornton, Grant, Stephen, and Babington were all MPs. They became by-words for integrity and earned for themselves the nickname of 'the Saints'. They worked for the abolition of the Slave Trade, prison reform, making duelling in the services illegal, and protecting by legislation the freedom of the climbing boys who handswept the chimneys of upper-class homes. In fact the long battle for the latter cause was only won by their successor, Lord Shaftesbury, right at the end of his life. Politically they were cross-bench politicians whose presence and example did a great deal to clear up eighteenth-century corruption in Parliament. They were all advocates of moderate parliamentary reform, though none of them was a democrat in the modern sense of the word. On one occasion

Sheridan, hearing a rumour that Wilberforce was about to retire from politics, told him that though they had usually voted on different sides, he thought Wilberforce's political independence something that would make his retirement a public loss.[12]

No one seems to deny Wilberforce's influence; what his detractors deplore are his motives. This is true of Cobbett and Hazlitt in his day and Ford K. Brown and E. P. Thompson in ours. To them Wilberforce was a hypocrite and a trimmer, courting those who count and supporting measures which kept the people in their places. He was opposed to democracy and trade unions; he devoted his energy to abolishing black slavery in the West Indies but did nothing about what amounted to slavery in his own constituency of Yorkshire. Most history books written between the wars, and some written after, have repeated these accusations. How seriously should we take them?

To accuse a man of not being a democrat in the early nineteenth century is no more reasonable than expecting every social reformer in the early twentieth century to be a Communist. To assert that Wilberforce was indifferent to the sufferings of the child and adult workers in the new factories is a myth. Wilberforce was one of the three founders of the Society for Bettering the Conditions and Increasing the Comforts of the Poor. This Society attempted to check the worst evils of the Industrial Revolution and to care for some of its casualties. The reports of this society include an account of the treatment and schooling of the children at Dale's factories at New Lanark, suggesting that others might follow his example. There are also descriptions of the Duke of Bridgewater's coal mines, schemes for providing the unemployed with small-holdings, and accounts of numerous soup kitchens and district visiting societies started to relieve want, and hospitals and clinics to cure disease. The means are those of philanthropy, but political action was not ruled out in the question of the factories. When the elder Sir Robert Peel was collecting evidence for the Factory Bill to protect children in the textile industries, he called at the Society's office for information. When he spoke in the House, Wilberforce asked that the benefits of the Bill might be extended to other industries. In 1812 Wilberforce was the prime mover in the promoting of an Association for the Relief of the Manufacturing and Labouring Poor. In the same year he visited New Lanark and discussed with Robert Owen the details of what he did for the factory children's education, which impressed Wilberforce, and his 'strange fanciful speculations on the nature of man', which did not.

Wilberforce was deeply concerned about education and became a strong

supporter of both the British and Foreign School Society and the National Society. A decade earlier he and Henry Thornton showed great concern in Hannah More's schools in the Cheddar district and made certain that money needed was available. The social attitudes of the three friends are reflected in passages like the following, from a letter which Hannah More sent to a friend:

> My plan for instructing the poor is very limited and strict. They learn of weekdays such coarse work as may fit them for servants. I allow of no writing. My object has not been to teach dogmas and opinions, but to form the lower class to habits of industry and virtue. I know of no way of teaching morals but by infusing principles of Christianity, nor of teaching Christianity without a thorough knowledge of Scripture. . . . To make good members of society (and this can only be done by making them good Christians) has been my aim. . . . Principles not opinions are what I labour to give them.[13]

All this sounds deplorable to us, but it was not so deplorable in the static world of the eighteenth and early nineteenth centuries where, as Dr M. G. Jones points out in her biography of Hannah More, it could be cruelty not kindness to educate a child beyond its station in life. Evangelical philanthropy produced some Mr Brocklehursts and many interfering busybodies, but its compassion was genuine. It was the blindness of the age that insisted that everything should be done for the poor but they must not be allowed to do it for themselves. Compassion was also at the centre of the attack on the slave trade; it was to compensate Africa for the great wrongs done to her through the slave trade that Wilberforce and Simeon joined with other Evangelicals to form the Society for Missions to Africa and the East, soon to be known as the Church Missionary Society. We do not like paternalism, yet the claim made by Canon Charles Smyth in 1943 still holds. He wrote:

> Within the incredibly brief space of half a century, the Evangelicals, although a minority, converted the Church of England to foreign missions, effected the Abolition of the Slave Trade and Slavery, and initiated Factory Legislation and humanitarian reform, healing the worst sores of the Industrial Revolution. Has any Church in Christendom accomplished so much in so short a time?[14]

'Christ died for the sins of the whole world' is the doctrine most emphasized in Simeon's sermons and Wilberforce's book; the good news of God's redemption of the world in Christ takes precedence over the

wisdom and benevolence of God's creation, though this is not forgotten. The passion with which Simeon drew the contrast between Evangelicals and the men of Latitude, is found in a sermon he preached before the university in 1811. His text was 1 Corinthians 2.2: 'I determined not to know any thing among you, save Jesus Christ and him crucified.'

> As though men needed not to be evangelized now, the term *evangelical* is used as a term of reproach. We mean not to justify any persons whatsoever in using unnecessary terms of distinction, more especially if it were with a view to depreciate others, and to aggrandize themselves: but still the distinctions that are made in Scripture must be made by us: else for what end has God himself made them? Now it cannot be denied that the Apostle characterizes the great subject of his ministry as *the Gospel*; nor can it be denied that he complains of some teachers in the Galatian Church as introducing *another* Gospel, which was not the true Gospel, but a perversion of it. Here then he lays down the distinction between doctrines which are truly evangelical, and others which have no just title to that name. . . .
>
> We do not mean to say, that there are not different views of clearness in the views and ministry of different persons, or that none are accepted of God, or useful in the Church, unless they come up to such a standard; – nor do we confine the term evangelical to those who lean to this or that particular *system*, as some are apt to imagine; – but this we say, that in proportion as any persons, in their spirit and in their preaching, accord with the example in the text, they are properly denominated *evangelical*; and that, in proportion as they recede from this pattern, their claim to this title is dubious and void.[15]

The systems that Simeon has in mind are those of Calvin as interpreted by Whitefield and the Countess of Huntingdon, and of Arminius as interpreted by the Wesleys. The former believed in the sovereignty of God who elects some to eternal life and others to eternal death. This means that the benefits of the atonement are limited to the elect; it also means that apostasy is impossible as 'the final perseverance of the saints' means 'once saved, always saved'. The Wesleys declared that Christ died for all men but all are free to accept or reject Christ's offer of salvation. Wesley also committed himself to the assertion: once a man is justified, he does not sin. This extreme and unpalatable statement roused more fury in Wesley's contemporaries than any other statement he ever made, and it is easy to see why this was so. He explained it, he hedged it round, he defended it, he may even have slightly modified it, but he never retracted it. It seemed to

him to be the plain statement of Scripture, and as such needs to be accepted; he took it to be a simple description of the man who is being sanctified by the Holy Spirit.

It was in reaction to this doctrine that Henry Venn of Huddersfield and Charles Simeon were prepared to be called 'moderate Calvinists' because they thought that Wesley failed to take sin seriously enough. Simeon also believed that God selected those who were to be members of his Church on earth, but drew no negative conclusion concerning the destiny of the rest of mankind. In other matters Simeon was far nearer to Wesley than to Whitefield. He believed that Christ died for the sins of the world, that in the end all men on earth at the second advent would be saved. He also held that the believer could have assurance that his sin had been forgiven, but final perseverance he rejected. Apostasy was always a possibility.[16]

John Venn of Clapham wrote a letter to the *Christian Observer* at the end of its second year in which he congratulated the editor (Zachary Macaulay) on being equally censured by both parties. 'Would to God', he writes, 'that the names of Calvin and Arminius, as leaders of a party, had, like the body of Moses, been buried in oblivion. I really do not know what to call myself except a Church of England man.'[17] In fact Venn, who thought of himself at his ordination as 'a high Calvinist', had come much closer to the Arminian position. His growing disenchantment was shared by his Clapham friends. Henry Thornton told Hannah More that he did not believe that the baby he and his wife had lost was predestined to hell. He found that Venn and he agreed in their attitude to Calvinism. Mrs Thornton said that John Bowdler and Wilberforce agreed with them and that the Grants were among those who 'cry out against the uncharitableness of the other party'.[18] In their life of their father, Samuel and Robert Wilberforce gleefully record comments that their father had made to the detriment of Calvinism.[19]

Evangelicals of the *Christian Observer* school believed in the fall of man and the centrality of the cross, but they also believed that there was a place for both natural religion and human reason. Here again they were at issue with the Calvinists. How alarmed would a Calvinist be were he told that the subject of Simeon's Sunday evening lectures was to be 'natural and revealed religion'? However, the real difference which was to divide Victorian Evangelicals was their attitude to eschatology, especially with regard to the day of judgement, the millennium and the second coming of Christ. *The Account of a Society for Missions to Africa and the East* concludes by saying that the leaders of CMS expect that the prayer that the Kingdom of God may come will in time be answered, and the glad tidings of salva-

tion welcomed by lands lying in darkness and the shadow of death.[20]

It can be fairly said that Anglican Evangelicalism in the 1820s was presented as a reasonable religion whose exponents, in their pulpits and in the columns of the *Christian Observer*, spoke of a Christ whose offer of forgiveness was extended to all men, that those who were his by election were the 'real' Christians in the Church, entrusted to tell the good news to others till eventually all men would come to believe the gospel. Meanwhile they certainly believed that those who rejected the gospel would go to hell, but hell fire was never prominent in their preaching. This viewpoint was challenged as being liberal and unscriptural by two Scots, Edward Irving and Robert Haldane.

Edward Irving had started his ministry as Thomas Chalmers' assistant at St John's, Glasgow. In 1822 he became minister of the Caledonian Chapel, Hatton Garden; his London ministry began shortly before his thirtieth birthday. Irving was tall and strikingly handsome; as a preacher he exerted the sort of personal magnetism which has been attributed to Whitefield. Sir James Mackintosh took Canning to hear Irving preach, and Canning spoke in the House of Commons of Irving's eloquence. From then on the dingy Caledonian Chapel, holding up to 600 people, was packed every Sunday with members of fashionable society, few of them Presbyterians. In 1827 a fine new church was built for Irving in Regent Square. In 1825 Irving met Henry Drummond, a wealthy Scottish banker who had recently bought Albury Park in Surrey from Samuel Thornton.[21] In October 1831 Irving allowed speaking with tongues in his church. Six months later he was locked out of the church; a year later he was removed from the ministry of the Church of Scotland. Irving, however, had the support of elders, deacons, and church members, who formed an opposition against the trustees. They moved to a hall in Newman Street, off Oxford Street; here Irving and Drummond formed a new body which came to be called 'the Catholic Apostolic Church'. Drummond became one of the first 'apostles' of this church, and Irving as pastor was given the title of 'angel'. He died in 1834; he was only forty-two.

Irving is important for three reasons. Firstly, he taught that Jesus had assumed fallen human nature in order to redeem it; for this he was excommunicated by the London presbytery. Secondly, he allowed speaking with tongues in Regent Square church, and was the first clergyman to speak of a baptism in the Spirit as separate from water baptism.[22] Thirdly, he was one of the group of Christians who met at Albury Park to discuss the fulfilment of biblical prophecy.

Irving's views on Christology and the charismatic movement in his

congregation may be of more interest today, but it was biblical prophecy that was of supreme interest in the interdenominational, evangelical world in which he moved. Irving and Drummond met J. Hatley Frere, a civil servant who belongs to a long line of Christians who have tried to relate the Books of Revelation and Daniel to world events.[23] Drummond called together five conferences at Albury between 1827 and 1830. The chairman at each was a young Irishman, Hugh M'Neile, whom Drummond had appointed Rector of Albury.[24] Others who attended one or more conferences included Haldane Stewart of Percy Chapel, William Marsh of Colchester (whose obsession with the millennium earned him the nickname of 'Millennial Marsh'), Joseph Woolfe and Lewis Way of the Jews Society, William Dodsworth (who later became first a Tractarian and then a Roman Catholic), Captain G. Gambier, Lord Gambier (President of CMS), Alexander Haldane, Frere, Irving, and Drummond. Irving, before the first Albury Conference met, was presenting Hatley Frere's ideas to astonished audiences at the May Meetings of 1824 and provoking much criticism.

The chief difference between Irving and his critics lay in the realm of eschatology and the theology of missions. As we have seen, the attitude of the CMS was optimistic, and this view was shared by the other missionary and Bible societies. They believed that the gospel should be preached to the ends of the earth, the millennium would follow, and only after the millennium Christ would return in judgement and Satan would be defeated. Charles Simeon in a letter to Thomas Thomason in 1824, reflects this outlook. Having rejoiced with Thomason over his progress in India, Simeon goes on:

> The whole world seems to have received somewhat of a new impulse: and glorious times are fast approaching. The sun and moon are scarcely more different from each other than Cambridge is from what it was when I was first Minister of Trinity Church: and the same change has taken place through almost the whole land.[25]

This was the viewpoint of the post-millennial school. The pre-millennial school of which Irving was the leader interpreted world events differently. The horrors of the French Revolution, the Napoleonic Wars, and the outbreaks of social unrest, were not signs of 'glorious times fast approaching', but of the last days; it was essential to make ready for the imminent return of Christ to defeat Satan and to usher in the millennium. It was along these lines that Irving preached the London Missionary Society anniversary sermon in 1824 and that of the Continental Society[26] the

following year. Both sermons were edited, expanded, and published.[27] In these Irving, following Hatley Frere, maintained that the anti-Christian power of the papacy dates from 533 when Justinian recognized the Bishop of Rome as head of the Church. Power was given to the papacy for 1,260 years (i.e. to 1793) and the first six vials mentioned in the Book of Revelation were now being poured out. The people of the 1820s are living in the age of the seventh vial which will see the battle of Armageddon, the return of Christ, and the establishment of the Millennial Kingdom.[28]

The contrast between the two viewpoints is well set out in the *Christian Observer*:

> A question has of late been much agitated, in connexion with the millennial reign of Christ . . . , namely whether the latter-day glory shall be ushered in with judgements or with mercy. The advocates for the former opinion, among whom are Mr Irving and Mr M'Neile, speak in the strongest terms of the deteriorated and deteriorating state of the world; they view Christendom as verging to its downfall; they consider our Bible and missionary societies, not as instruments for ushering in the latter day glory, not as harbingers of mercy to the wide world, but only as messengers to gather out a few elect vessels, and to fill up the measure of the wicked, till God in his wrath shall consume the world of the ungodly, and bring in a wholly new dispensation, even the Millennium of Christ's personal reign with his saints. We differ widely in opinion from this dejecting sentiment; we view our Bible and Missionary societies as ministers of mercy, and not of wrath; we hail with joy the extension of education; we consider the world, by the blessing of God, and the influences of his Holy Spirit, not as becoming worse but better; and we look, not for a new dispensation, a fifth monarchy, but for the consummation of the present dispensation, the dispensation of the Gospel in the glory of the Messiah, and the extension of his kingdom upon earth, in the merciful arrangement of his providence, under the powerful manifestations of his Holy Spirit.[29]

Some Anglican Evangelicals, including leaders like Edward Bickersteth, showed interest in Irving's interpretation of prophecy, but no similar interest in speaking with tongues. In a university sermon Simeon referred to these as 'brain-sick enthusiasts'. Repeating the phrase in a letter to J. J. Gurney he adds, 'I think it *charity* to account for Mr Irving's sentiments and conduct by tracing them to an aberration of mind'. Curiosity made Marianne Thornton go to Newman Street to hear tongue-speaking for herself; she told a friend that she did not recognize the Spirit 'in the cries

and shrieks which reminded one only of agony and despair'.[30] Surprisingly Hugh M'Neile was similarly unimpressed when he heard E. O. Taplin, a London schoolmaster, speak in a tongue. 'It was neither more nor less than what is commonly called jargon, and mingled with Latin words, amongst which I heard more than once "amamini, amamino".'[31]

Marianne Thornton had already been made suspicious of Irving through the frivolous way he behaved on the platform of the May Meetings of 1825; one of these he turned into a noisy charade by involving the chairman, Lord Gambier, in some uncharacteristic horseplay over Irving's watch which was put up for auction on behalf of the society whose meeting it was.[32] Marianne Thornton's feelings were shared by many of her friends. David Newsome suggests that this change in character of the May Meetings made some members of Evangelical families turn away from 'noisy professors' and to look for 'serious' religion in Tractarian rather than Evangelical circles.[33]

Irving figured in another controversy: he joined Robert Haldane and other Scots in preventing the Bible Society's continuing to print the Apocrypha in Bibles intended for Europe, or making grants to Bible societies on the Continent which included the Apocrypha in their Bibles. Simeon and Cunningham defended the existing practice, and the case against was argued by a young barrister, Alexander Haldane, nephew of Robert Haldane.

Robert Haldane of Airthrey came from a wealthy and influential Scottish family. While in the Navy he came under the influence of David Bogue, the Independent minister of Gosport. Bogue had been connected with the London Missionary Society from its earliest days. Haldane sold his house and wanted to invest £25,000 in a mission to India to be undertaken by Bogue and himself. This came to nothing, but the money was used to finance a mission to the Highlands and the Isles in which Robert was to have the assistance of his elder brother, James Alexander Haldane. They both left the Church of Scotland to begin a Congregational church in Edinburgh in 1799 when James was thirty-one and Robert thirty. On their mission of north Scotland they established 'tabernacles' in centres of population. Doctrinal differences over baptism induced the Haldanes to leave the Congregational Church and regard themselves as non-denominational Christians, though by some of their opponents they were called 'Haldanites'. They promoted missions to Ireland and Switzerland, as well as in the north of Scotland.[34] A period at Geneva persuaded Robert Haldane that most Swiss Calvinists were unitarian in their belief, so he set

about reconverting them to Calvinism, stressing the importance of personal faith and the absolute authority of the Bible.[35]

Haldane neither had the breadth nor the humanity of Simeon or Wilberforce. He saw evidence on the Continent of Protestants being corrupted in doctrine by Bibles containing the Apocrypha, and therefore he opposed Simeon's desire to retain it. Also he conceived that Mr Wilberforce himself, and what had been termed the 'Clapham Sect', had associated too much with Socinians and ungodly men, as well as with mere worldly politicians, for the purpose of promoting the abolition of slavery and other objects of philanthropy.[36] It was Robert Haldane's influence, rather than that of any other, that accounts for the growth away from the views of Simeon and Wilberforce to a Calvinistic orthodoxy that found its expression in the pages of the *Record*, which was controlled but not edited, by Alexander Haldane, for the first fifty-five years of its existence.

Alexander Haldane was the second son of James Alexander Haldane; he was born on 15 October 1800. He lived in Edinburgh till he was thirteen, when he and his elder brother were sent to Winteringham in Lincolnshire to study with Grainger, the rector.[37] Alexander was confirmed while in England and converted at the age of nineteen. He distinguished himself at Edinburgh University in English Literature and became acquainted with Sir Walter Scott. He returned to England to read for the Bar at Lincoln's Inn, during which time he had married Emma Hardcastle, with whom he fell in love when he saw her in riding habit; she was the daughter of Joseph Hardcastle, the first treasurer of the London Missionary Society. Among his friends were a number of Army officers, other barristers, and Evangelical clergy in London, especially William Howells of Long Acre Chapel, who from 1820 had allied himself with Robert Haldane and was prepared to be regarded as the leader of the London Calvinists.

How Alexander Haldane came to control the *Record* is best told in his obituary in the issue of 28 July 1882. The first number had appeared on 1 January 1828 and with the support of 'a few devoted men' it came out twice a week till 8 July, when it announced that it was finishing because of lack of resources.

> It was at this juncture that the late Mr Andrew Hamilton, one of the originators of the undertaking, offered to introduce two literary friends on whom he could thoroughly rely. These were *Mr Haldane* and the *Reverend Henry Blunt.*[38] *Mr Haldane* and *Mr Hamilton* became the chief writers. The new vigour which Mr Haldane's pen infused into the *Record*

told immediately upon its circulation. In return the originators of the *Record* were glad for Haldane to take a very leading part both in the literary work of the *Record* and also in the direction of its policy and the general management of its affairs.

It seems very likely that Haldane brought money as well as literary ability to the paper; he certainly gave time to journalism, which prevented his becoming an eminent barrister. The leader in the same issue of the *Record*, says that he had great strength of character, width of knowledge, and an encyclopaedic memory. It appears that he wrote the leading articles on what he considered the important issues and aimed at advancing the cause of Protestant Evangelical Religion. He was both clear and persistent in his own belief, and he influenced others to hold what he considered 'sound' doctrine.[39]

Fighting error had a place, but not a very high place, in the religion of Wilberforce and Simeon; Abner Brown mentions 'his unconcealed repugnance to the tone and temper of the *Record*'.[40]

W. J. Conybeare in his essay, *Church Parties*,[41] divides them into 'High', 'Low', and 'Broad', and comments, 'Of the parties named above the most influential in recent times has been that which has been called Low Church by its adversaries and Evangelical by its adherents.'[42] He subdivides the party into: normal type (Evangelical) 3,300 clergy; exaggerated type (Recordite) 2,500; stagnant type (Low and Slow) 700. The 'Low and Slow' are difficult to differentiate from Broad Church groups (but are possibly the Latitudinarian survivors from the previous century), but his division between Evangelical and Recordite is illuminating. The first he sees as 'the party of Milner, Martyn and Wilberforce'.[43] He lists their considerable achievements showing that the work of the CMS overseas is now matched by the home missionary work of the Church Pastoral Aid Society, with their use of scripture readers in slum parishes and in the evangelistic outreach to the navvies building the railways.[44] He gives more attention to the Recordites, whom he might have described as 'the party of the Haldanes and Irving'. In doctrine they maintain double predestination, atonement limited to the elect alone, and the equal inspiration of every part of Scripture – this is Calvinism as expounded by Robert Haldane. They also give a pre-millenarian interpretation of prophecy and affirm the hope of the return of the Jews to Palestine. In this they follow Irving, Drummond, and Hatley Frere.

Conybeare's opinion poll was a little arbitrary as it was based on a sample of 500 of a possible 18,000 Anglican clergy. We shall see that the

lines are not as clear as Conybeare draws them; some of our sons of the prophets have Recordite leanings. Close's views on theology and politics are as conservative as those of Alexander Haldane. After Bickersteth's death in 1850, Haldane replaced him as Shaftesbury's dearest friend and adviser. However, apart from occasional cross-currents, this is a book about the mainstream, the *Christian Observer* school, the school of Milner, Martyn, and Wilberforce.

TWO

Thomas Fowell Buxton

Fowell Buxton combined in himself the Quaker and Evangelical influences which abolished the slave trade and slavery. As a young man he experienced an evangelical conversion. Both his wife and his mother were members of Quaker families, the Osgoods and the Gurneys. Fowell and Hannah Buxton usually attended the parish church at Overstrand but sometimes they went to the Friends Meeting House instead.

Thomas Fowell was born on 1 April 1786. He derived both his names from his father who was devoted to field sports and was for a time High Sheriff of Essex, in which office he showed considerable concern for the inmates of local prisons. He died when Fowell was only six; he had two brothers younger than himself and two sisters. The family continued to live comfortably at Earls Colne in Essex with their mother. Anna Buxton was daughter of Osgood Hanbury, a brewer and a partner in the firm of Truman and Hanbury. She was a wise mother, maintaining a sane balance between discipline and freedom. Fowell says: 'She treated me as an equal, conversed with me and led me to express my opinions without reserve. . . . Throughout life I have acted and thought for myself.'[1] Fowell and his brothers were sent away to school at Greenwich. Fowell inherited his father's passion for hunting, shooting, and fishing, and naturally became attached to the gamekeeper, Abraham Plastow. Although Plastow could neither read nor write, he was a man of great integrity and very much part of the family. 'He rode with us, fished with us, shot with us on all occasions.'[2] Fowell was tall and strong; full-grown he was six foot four. At school his size earned him the name of Elephant Buxton. Some holidays were spent at Bellfield near Weymouth where there was a house belonging to Mrs Buxton.

Fowell left school at fifteen, spending his time in field sports and desultory reading. He might have drifted into idle gentility had he not been introduced to the Gurney family of Earlham Hall near Norwich. Earlham was on the road to Lynn and owned by John Gurney, second son of a wealthy wool-merchant, who had added banking to his wool business

and was probably the wealthiest man in Norwich. He lived at Keswick Hall, south of the town; this estate was inherited by his eldest son, Richard, who was married to Rachel Osgood, Fowell Buxton's aunt. A third son, Joseph, was married to Catherine Bell, who on her mother's side was a member of the Barclay family, which came also to have close connections with the Buxtons in the nineteenth century.

John Gurney was the first Gurney to occupy Earlham Hall. He had seven daughters and four sons, but when Fowell came first to Earlham he was a widower and the household was in the capable hands of Catherine, the eldest daughter. Five of the six eldest children were girls and three of these were away from home as the third daughter, Elizabeth (Betsy), had recently married Joseph Fry, a London banker, and her sisters Rachel and Hannah had been in London for the birth of the first child. In 1802, a few months after the baby arrived, the three sisters took the child to Earlham to show her off to the rest of the family. Hannah leapt out with the child in her arms; she wondered who the tall boy was. For the boy it was love at first sight and from that moment he determined that Hannah Gurney should be his wife. Fowell was only sixteen and Hannah was nineteen.

Earlham not only provided Fowell with a wife but with education, culture, and good company. John Gurney's children were not as strict Quakers as their sister, Elizabeth, had become. There was sketching, reading out of doors, riding, shooting, and dancing. As Fowell Buxton's son says, 'They received him as one of themselves. He at once joined with them in reading and study; he received a stimulus, not merely in the acquisition of knowledge, but in the formation of studious habits and intellectual tastes.'

Mrs Buxton had hopes that her son would inherit an Irish estate and she therefore thought it wise that he should go to Trinity College, Dublin, rather than Oxford or Cambridge. She also sent him to do a preliminary year with a private tutor in Donnybrook. Fowell worked extremely hard and won a number of university prizes. There was a proposal that he should allow his name to go forward as a parliamentary candidate for Dublin University, but Fowell Buxton refused the offer as he was determined to get married as soon as he could get back to England. He and Hannah Gurney were married in Tasburgh Friends Meeting House on 7 May 1807. Six months before Fowell and Hannah's wedding, Louisa, who was a year younger than Hannah, was married to Samuel Hoare her second cousin who belonged to another Quaker banking family. Samuel Hoare and Joseph John Gurney, the youngest but one of the Gurney

family, became Buxton's greatest friends. Joseph John Gurney was two years younger than Buxton; as a Quaker neither a university course nor a degree was open to him, but when Buxton started his degree course at Dublin, J. J. Gurney started reading with a private tutor at Oxford; his course lasted two years.

The Gurneys were enthusiastic supporters of the Bible Society, which had been founded in 1804, and soon had auxiliaries all over the country. It is possible that through Bible Society activity in Norfolk the Gurneys met the Reverend Edward Edwards, Rector of St Edmund's, North Lynn. From about 1808 Edwards became a regular visitor to Earlham, and Buxton must have met him there. Edwards was a life-long friend of Charles Simeon and John Venn of Clapham. In 1811 Buxton rode over to Lynn to see Edwards and another Evangelical clergyman, Robert Hankinson; they both urged him to attend Wheler Street Chapel, Spitalfields, where Josiah Pratt, the secretary of the Church Missionary Society, had just begun to take Sunday duty. The Buxtons left the Friends Meeting House in Bishopsgate where they had been attending since their coming to London, and went instead to Wheler Chapel behind Norton Folgate, an extension of Bishopsgate in the vicinity of what is now Liverpool Street station. Buxton was already a religious man; five years earlier he had bought a Bible with the purpose of reading it daily; there was also his regular attendance at Quaker worship, 'It was much and of vast moment that I learned from Mr Pratt.' He wrote to Pratt, 'Whatever I have done in my life for Africa, the seeds of it were sown in my heart, in Wheler Street Chapel.'[3] The truths that Pratt preached, Buxton came fully to accept during severe illness in the early weeks of 1813.

How the Buxtons came to be in Spitalfields requires some explanation. The opportunity of becoming an owner of an estate in Ireland came to nothing, so Fowell Buxton decided he would go into business. His uncles Sampson and Osgood Hanbury suggested that he might join them in the management of Truman's Brewery in Brick Lane, Spitalfields, with the prospect of becoming a partner within three years. From 1808, till they moved to Hampstead in 1815, the Buxtons lived in a house in Brick Lane owned by the brewery. After three years the firm became Truman, Hanbury and Buxton as it is today. He was almost immediately given the job of overhauling the firm's business methods; this he did with great efficiency, persuading the clerks to adopt more modern methods of book-keeping. Buxton, in his common-place book of 1817, records that one Saturday night he slept at Brick Lane, all the other partners being away for

the weekend. On Saturday morning he went into the brew house and was taken by one of the staff to inspect a vat containing beer, weighing 170 tons. Buxton made a note to have it repaired next morning and went on to Wheler Street Chapel. Here he prayed for guidance and quickly became convinced that he should return to the brewery instead of going home. The vat had sunk lower, so he sent for a surveyor and had the beer drawn off. The surveyor said that the vat might have collapsed in the next five minutes and destroyed the whole brewery.

He ceased gradually to be works manager but for the rest of his life he maintained a general superintendence. If he was in London for a dinner engagement he would change at the brewery.

He once said: 'I could brew one hour; do mathematics the next; and shoot the next; and each with my whole soul.'[4]

That Quakers and Evangelical Anglicans should be among the largest brewers in the nineteenth century is no more surprising than that Quakers should be the leading chocolate makers in the twentieth century. In the eighteenth century spirits, especially gin, were the source of social evil; drinking water was unsafe and scarce, and London hospitals provided their patients with alcoholic drinks. Names on the CMS subscription lists include Hoare, Barclay, Guinness, Perkins, Whitbread, as well as Buxton and Hanbury. Pratt had breakfast with Arthur Guinness in Dublin when he was seeking support for the Hibernian CMS. The Barclays and Hoares were bankers and Quakers who bought breweries. An anti-spirits movement originated in Evangelical and dissenting circles in the late 1820s. Spencer Thornton, vicar of Wendover, formed his own parish temperance society in 1839 and John Joseph Gurney eventually joined the movement; before this the ale supplied at Earlham Hall was famous. In 1830 there were only twelve large breweries in Britain which enjoyed some protection from competition, but an Act of Parliament removed this privilege. Buxton comments: 'I am far from being dissatisfied with the beer revolution. . . . I have always voted for free trade when the interests of others are concerned and it would be awkward to change when my own are in jeopardy.' In later years he said, 'But it was right; it broke in on a rotten part of our system – I am glad they amputated us.'[5]

In 1818 Buxton was elected Member of Parliament for Weymouth; it seems he was elected as a Tory, though really an Independent; later he became a Whig. He first allied himself with Sir James Mackintosh in the cause of penal reform and was thus fighting inside Parliament for what his sister-in-law, Elizabeth Fry, was working for outside Parliament. The

successive motions that Mackintosh and Buxton brought forward were lost by small majorities but the number of offences punishable by death was greatly reduced by Peel as Home Secretary in 1826.

In November 1819 Buxton gives J. J. Gurney an account of the debate on Peterloo:

> First, I voted with ministers, because I cannot bring myself to subject Manchester magistrates to a parliamentary inquiry; but nothing has shaken my convictions that the magistrates, ministers, and all have done exceedingly wrong. . . .[6]

To us it may seem strange that Buxton, convinced that the magistrates had acted wrongly, should want to protect them from a parliamentary inquiry.

By 1815 the Buxtons had four children; they decided to move from Spitalfields to Hampstead. Five years later Fowell Buxton's responsibilities at the brewery were such that he need no longer live in London, and the family moved back to Hannah's native Norfolk. They first rented Cromer Hall from the Windham family and, when in 1827 the Windhams wanted to build a new house for themselves on the old site, the Buxtons moved a few miles away to Northrepps Hall, near Overstrand.[7]

Entry to Parliament led to friendship with Wilberforce, whom Buxton had met through the Gurneys; there are one or two references in the letters that show that Buxton had been Wilberforce's guest. Buxton's admiration of Wilberforce's eloquence and winsomeness of character was matched by Wilberforce's growing conviction that the young MP who argued powerfully for penal reform could be his colleague and then his successor in the crusade against slavery in British possessions. On 24 May 1821 Wilberforce wrote inviting Buxton eventually to 'be an eligible leader in this holy enterprise'. Buxton did not accept immediately but spent his spare time reading the literature on the subject. When Wilberforce and Zachary Macaulay visited him in October 1822, Buxton agreed. Standing together they must have looked a strange pair, 'Elephant Buxton' and 'Shrimp Wilberforce'.

The actual campaign can be briefly told as there are several accounts of it in print. The same methods were used as in the Slave Trade campaign: extensive publicity and petitions to Parliament from all over the country. Added to books and pamphlets there were up-to-date facts in the monthly *Anti-Slavery Reporter* edited by Zachary Macaulay. In March 1823 Wilberforce and Buxton spoke on a petition from the Quakers asking for the abolition of slavery; Canning countered by saying that the Government was committed to gradual abolition. The West Indian

1 William Wilberforce

2 Charles Simeon

planters' cause was not helped by the treatment of two missionaries. William Shrewsbury, a Methodist missionary, was suspected of sending home reports unfavourable to the planters, his chapel on Barbados was demolished, and he was forced to leave the island. William Smith, of the London Missionary Society, had urged restraint in the treatment of the 13,000 slaves who revolted in Demerara; he was charged with inciting the rebellion and died in prison.

Buxton may not have been as consistently eloquent as Wilberforce in debate, but paragraphs from his speeches make impressive reading. On rights to compensation he said:

> 'I am a friend to compensation – but it is compensation on the broadest scale. . . . Do you ask for compensation for him who has wielded the whip? Then I ask for compensation for him who has smarted under its lash! Do you ask compensation for loss of property, contingent and future? Then I ask compensation for unnumbered wrongs, the very least of which is the incapacity of possessing any property whatever'.[8]

Opposition could be emotional and unfair. Hurrell Froude wrote: 'I cannot get over my prejudice against the niggers; every one I meet seems to me like an incarnation of the whole Anti-Slavery Society and Fowell Buxton at their head.'[9]

There was a lull in the campaign between 1828 and 1830. The Tory governments of Goderich and Wellington were unsympathetic and concerned with questions of Catholic Emancipation and Reform. With the return of the first Whig Government for forty years Buxton's hopes rose. Reform of abuse of representative government could be linked with a liberal movement leading to abolition of slavery. The movement took on new life; there was a big meeting of the Anti-Slavery Society on 15 May in London; Wilberforce was in the chair; Clarkson, Brougham, and Buxton spoke. It may be asked if there was any ulterior motive for a dinner Buxton gave at the brewery with beefsteaks for twenty-three guests, including Lord Grey, the Prime Minister, and at least two other members of the Cabinet. The Reformed Parliament removed some MPs opposed to abolition and replaced them with some who would vote with Buxton. O'Connell and the Irish members were ready to back Buxton as Buxton and his friends had voted for emancipation. In April 1832 Buxton's motion was defeated by 136 votes to 92. In August 1833 the measure was carried. It was agreed that the planters should receive £20 million compensation. Wilberforce died when the issue was no longer in doubt. Liberation came the following August. After the wedding of his daughter Priscilla, Buxton

writes: 'The bride has just gone; – everything has passed off to admiration, AND – there is not a slave in the British colonies.'[10]

On the death of William IV in June 1837, Parliament was dissolved; in the ensuing election Buxton lost his seat in parliament to the Tory candidate. He wrote to J. J. Gurney: 'As I leave Parliament for health, I do not by any means intend to defeat that end by dedicating myself to any other objects; I mean for conscience sake to ride, shoot, amuse myself and grow fat and flourishing.'[11] As we shall see, it did not work out that way, but the above quotation is a pretty accurate description of his occupations when he was away from London living the life of a Norfolk squire. He owned a number of horses and dogs (one of the horses he called Radical), but his great recreation was shooting, which he generally did with his brother-in-law, Samuel Hoare. Wilberforce and Simeon both accepted game that he had shot. In fact he shot so much that it would be surprising if it were all cooked and eaten. He and Sam Hoare kept a game book. In 1815 there were 811 partridges, 160 pheasants and 150 hares.

Thomas Binney, the eminent Congregationalist minister, gave a eulogistic lecture on Buxton to the YMCA only five years after his death. The one thing he found amiss in Buxton's character was his love of shooting: 'The idea of a man having family worship, reading the Bible and then going out with a gun', was criticism he had heard, and he added, 'Sir Fowell Buxton was rather too keen a sportsman; he was devoted to shooting to something like excess'. But, adds Binney, 'he was never drawn by any field companions into a debauch'.[12] Buxton had no scruples about his sport and he believed that in a life where many burdens might lead to depression, shooting was a recreation that contributed to his health and cheerfulness.[13]

There is a short biography of Buxton by Mrs Geldart, one of his Norfolk neighbours. She says that she used to watch over the fence on fine September mornings in the hope of seeing Sir Fowell Buxton pass by on his shooting excursions, sometimes accompanied by his sons, at that time little fair-haired boys on trotting long-tailed ponies; or by his brother-in-law, Mr. Hoare, who like himself was a keen sportsman.

Fowell Buxton remained a countryman all his life. He loved children and they instantly responded to him; he often drew their attention to the beauty and anatomy of flowers. On Sundays the children recited poetry; Fowell Buxton himself was fond of Cowper and Sir Walter Scott. At Overstrand he became a friend to the fishermen and lifeboatmen and they sometimes joined the ploughmen and milkmaids in the dining-room of Northrepps Hall on Sunday evenings, when he opened his family prayers

to them. Buxton would read a Bible passage and give a simple exposition. On weeknights he also prayed with his family; there were intercessions for his work, his friends, and family. Sometimes he wrote out the prayers he was going to use. He possessed a pocket Bible which he would read as he walked in the country.

When at home the Buxtons attended Overstrand church and are likely to have received Communion once a month, but on occasion Fowell Buxton was to be seen at the Friends Meeting House. Fowell Buxton retained this double allegiance all his life and it was a source of strength to him. On Sunday, 27 July 1834, he wrote:

> On Friday next, slavery is to cease throughout the British colonies. I wished therefore, to have a season of deep retirement of soul, of earnest prayer, and of close communion with my God, and for this purpose I went to a Friends' meeting.

Of sermons at 'Goat Lane', the meeting house at Norwich, 'I have heard those there that would not have disgraced a cathedral.' It seems quite fitting that Buxton should have become the first treasurer of the inter-denominational London City Mission, which was formed in 1835.

In the summer of 1837, Buxton was staying at Earlham accompanied by one of his sons, who states:

> He walked into my room one morning, at an early hour, and sitting down on my bedside, told me that he had been lying awake the whole night, reflecting on the subject of the slave trade, and that he believed that he had hit upon the remedy for that portentous evil.[15]

The result of his thought he set out in a letter to the Prime Minister, Lord Melbourne. Later he wrote the context in much fuller detail in *The Slave Trade and Its Remedy*, which was published late in 1839. It was Buxton's contention that the British squadron must be strengthened, and further, that the legitimate commerce must be introduced into West Africa to supplant the illegitimate commerce in human flesh. It was to implement these convictions that he founded the Society for the Extinction of the Slave Trade and the Civilization of Africa which financed and launched the Niger Expedition of 1840.

The first half of *The Slave Trade and Its Remedy* contains a description of the continuing horrors of the trade, and the second half, Buxton's proposals for its remedy. Early in the book he maintains that Africans have become used to receiving the products of the civilized world in exchange for their children and their subjects; he says they need an economy of their own

which will produce the goods they need and until there is an alternative source of commerce the slave trade will continue. Later on he goes into fuller detail:

> Legitimate commerce would put down the Slave Trade, by demonstrating the superior value of man as a labourer on the soil, to man as an object of merchandise; and if conducted on wise and equitable principles, might be the precursor, or rather the attendant, of civilisation, peace and Christianity, to the unenlightened, warlike and heathen tribes who now so fearfully prey on each other, to supply the slave markets of the New World. In this view of the subject, the merchant, the philanthropist, the patriot and the Christian may unite; and should the government of this country lend its powerful influence in organising a commercial system of just, liberal and comprehensive principles – guarding the rights of the native on the one hand, and securing protection to the honest trader on the other. . .[16]

The commercial system he had in mind involved the full use of West Africa's resources, including palm oil, timber, rice, grain, fruit, coffee, minerals, nuts, dyes, gums and drugs. West Africa could produce some of the raw cotton needed in Britain's cotton industry:

> Africa is capable of yielding this necessary article; it is as near to us as North America; nearer than the Brazils; two-thirds nearer to us than India. The vast tropical districts along the southern side of the Great Desert, the fine plains, and gently rising country from the northern bank of the Rio di Formosa, and from the Niger to the base of the Kong mountains are adapted to the culture and production of the finest cotton.[17]

As regards agriculture his plan was to cultivate rural districts. 'The ransom for Africa will be found in her fertile soil; and the moral worth of her people will advance as they become better instructed, more secure, more industrious, and more wealthy.'[18]

Buxton was not slow in putting his proposals into action. In the spring of 1839 he held private meetings 'attended by about twenty gentlemen'. In July the first public meeting was called of the Society for the Extinction of the Slave Trade and the Civilization of Africa. Those present included Bishop Blomfield, Lord Ashley, Sir Robert Inglis, Gladstone, Stephen Lushington, and Samuel Gurney. Buxton reported to a friend:

> It was a glorious meeting, quite an epitome of the state. Whig, Tory, and Radical; Dissenter, Low Church, High Church, tip-top High Church,

> or Oxfordism, all united. I was unwell, and made a wretched hand of my exposition, but good men and true came to my assistance and supplied my deficiencies, and no one better than the Bishop of London.
>
> We determined to form two associations perfectly distinct from each other, but having one common object in view, the putting an end to the slave trade and slavery. One of these associations to be an exclusively philanthropic character, and designed mainly to diffuse among the African tribes the light of Christianity, and the blessings of civilisation and free labour. The other to have a commercial character, and to unite with the above objects the pursuit of private enterprise and profit.[19]

In fact the two associations were kept distinct and the Society for the Extinction of the Slave Trade and the Civilization of Africa held its first anniversary at Exeter Hall on 1 June 1840. The platform party represented an even wider range of political and religious opinion, not to speak of social prestige, than the earlier meeting. The Prince Consort took the chair at what was his first public engagement since his wedding four months earlier; other speakers included Buxton, Archdeacon Samuel Wilberforce, Peel, Bishop C. R. Sumner of Winchester, Bishop Otter of Chichester, the Earl of Chichester, Sir Thomas Acland, Lushington, Samuel Gurney, Jabez Bunting and J. W. Cunningham. Also on the platform were Gladstone, Ashley, Bishop Longley of Ripon, Guizot, then French ambassador, the Duke of Norfolk representing the Roman Catholic laity in Britain, and O'Connell (representing Irish anti-slave opinion). Every seat was taken by 10 a.m. and the meeting dragged on till the early evening. A full and vivid account is given by Geoffrey Moorhouse in *The Missionaries*, chiefly relying on the report published in *The Times* the following day.[20]

The meeting showed that Buxton had massive support for his Niger Expedition at Court, in Parliament, and in the churches. His constituency was very much the same as that which had abolished the slave trade and slavery in British colonies. His new society was not a missionary society; it was an association aimed to destroy the African slave trade by substituting for it commerce and civilization. Ministers were to have their part as 'the best civilizers'. The Niger Expedition was not the work of the Church Missionary Society, but of a much wider public, concerned with humanity and justice.

From the beginning Buxton was sure of government support, particularly from the former Colonial Secretary, Lord Glenelg, and the under-secretary, Sir James Stephen, both of whose fathers were members of the Clapham Sect. Glenelg's successor, Lord Normanby, was equally

co-operative. In July 1840 he told a deputation from the society that the government had decided to provide a frigate and two steamers for the expedition. It was later agreed that a third steamer was more appropriate than the frigate.

Shortly after the meeting of June 1840, Fowell Buxton was made a baronet. Captains were appointed to the three steamers: Captain Trotter to the *Albert*, Commander Allen to the *Wilberforce*, and Commander Bird to the *Soudan*. All were iron steamships made by Macgregor Laird of Birkenhead. There were also two missionaries, Frederick Schon, a German missionary in Anglican orders, and Samuel Crowther, a former slave from the Egba people in what is now Nigeria. In 1841 he was an ordinand; he would one day return as the first African bishop.

Not everything went Buxton's way. Even at the early stage articles critical of the expedition appeared in *The Times* and the *Edinburgh Review*, and the attempt to gain financial support from well wishers all over the country was remembered by Dickens when he came to write *Bleak House* some ten years later. Mrs Jellyby tells Miss Summerson and Miss Clare:

> You find me, my dears, as usual, very busy; but that you will excuse. The African project at present employs my whole time. It involves me in correspondence with public bodies, and with private individuals anxious for the welfare of their species all over the country. I am happy to say it is advancing. We hope by this time next year to have from a hundred and fifty to two hundred healthy families cultivating coffee and educating the natives of Borrioboola-Gha on the left bank of the Niger.[21]

The expedition started well enough; at Abo, 100 miles up the Niger, and at Idda, a further 100 miles upstream, treaties were made with the chiefs to suppress the slave trade and engage in lawful commerce. Later there were reports which said that the soil could produce cotton, sugar cane, coffee, palm-oil, and ginger. At Lokoja the model farm was started, but early in December news reached England that the *Soudan* had returned to Fernando Po, nine men having died of fever. In January 1841 the *Record* reported fifteen deaths. In the same paper it was said that at a church in the city of London the following petition was used:

> . . . that it would please God in his mercy to restore such as have fallen into sickness, and to preserve the health and bless the endeavours of their fellow-labourers for the good of Africa.[22]

This suffrage was to be read in the morning before the Litany and in the evening before the prayer for all sorts and conditions of men.

Forty-two of the 145 Europeans died, but all the 108 Africans survived. Crowther thought 'that the great casualty figures . . . had resulted from the storage of green wood for the boilers in the holds of the vessels, where they had decomposed into malarial germs'. Schon was among the survivors; he spent a week at Northrepps Hall reporting to Buxton in March 1842. In June, the Africa Civilization Society met without Buxton, who was ill. In July, Lieutenant Webb sailed up the Niger in the *Wilberforce* to visit the model farm where progress was being made in forming a refuge for Africans from slave hunters, and providing labour for twenty or thirty acres of growing cotton. Unfortunately malaria again broke out on the *Wilberforce*, and the murder of the superintendent of the farm on his way back from Fernando Po, followed by unrest among the residents, led Webb to break up the settlement and evacuate the British. The Government was no longer prepared to back Buxton's society; in January 1843 he dissolved it saying, 'I feel as if I were going to the funeral of an old and dear friend.'[23]

Thomas Fowell Buxton died on 19 February 1845; he was fifty-nine. Perhaps Eugene Stock, the historian of CMS, put it too dramatically when he says: 'The failure of the Niger Expedition as distinctly killed Fowell Buxton as the Battle of Austerlitz killed Pitt.'[24] Yet it was the ideas Buxton expounded in his book, and at the euphoric meeting of 1 June 1840, which were to find fulfilment in the next thirty years. In the audience of that meeting was David Livingstone, then a medical student at the Charing Cross Hospital. There is a straight line from Buxton's speech in Exeter Hall in 1840 to Livingstone's speech in the Senate House in Cambridge in 1857. 'I go back to Africa', Livingstone said, 'to try to make an open path for commerce and Christianity.'[25] Both Livingstone and Buxton looked to commerce and Christianity to conquer the slave trade. In the 1850s the naval squadrons eventually put an end to the West African slave trade. In 1873, the year of Livingstone's death, the East African slave trade was brought to an end when the Sultan of Zanzibar, under threat of naval blockade, signed a treaty with Britain and closed the slave market. Livingstone also tried unsuccessfully to grow cotton on the banks of the Zambesi and on the Shire highlands. However, Buxton's idea of providing Africans with lawful commerce was carried through by Henry Venn, Secretary of the CMS. In 1850 he started, as a private venture, work with a cotton gin in Abeokuta. One of the first men to give Venn financial support was Edward Gurney, Fowell Buxton's brother-in-law.

Perhaps Edward Bickersteth, rector of Watton and formerly CMS Secretary, saw Buxton's contribution to the ending of African slave trade

and the extension of the Christian mission, when he wrote to J. Garwood of the London City Mission after Buxton's death:

> The Niger Expedition will in future eyes be no dishonour to him, but one of his crowns of glory. I had a thousand times rather have fallen in such an expedition than be numbered with those who taunt the servants of Christ with its want of success.[26]

THREE

Edward Bickersteth

Though Edward Bickersteth never had the advantage of a Cambridge education, nor the benefit of membership of Simeon's classes and conversation parties, he stands out as Simeon's successor and as leader of the Anglican Evangelical clergy from Simeon's death in 1836 to his own in 1850. From 1830 he was Rector of Watton, a village between Hertford and Stevenage; before that almost all his ministry was in the service of the Church Missionary Society of which he became Secretary in 1824. Francis Arnold found room for Bickersteth among his bishops and deans, in spite of his being neither:

> He was the famous rector of Watton, whose name and praise is in all the churches, who did so much for evangelising his countrymen at home, for the promotion of missionary work abroad and spread by his many writings the truths which he illustrated in his own life.[1]

None of his books is big by nineteenth-century standards, but they do show Bickersteth as a considerable theologian with works both on Baptism and the Lord's Supper. In other ways Bickersteth was the Keble of Victorian Evangelicalism; like Keble he was an exemplary parish clergyman beloved by all who knew him. Though not a poet, Bickersteth was a hymnologist, whose *Christian Psalmody* has been described by Bishop Walter Frere as 'a collection which for research and judgement was far ahead of all its predecessors'.[2] Apart from the CMS he was one of the founders of the Evangelical Alliance which has an honoured place in the history of the ecumenical movement, even if at the same time he assisted the establishment of Irish Church Missions which aimed at the conversion of Irish Roman Catholics. Professor Chadwick describes Bickersteth as the 'most colourful and godly of the evangelical clergy'.[3] Close, in his pompous way, was perhaps almost as colourful; Henry Venn, perhaps as godly and a greater secretary of CMS, but in the combination of both qualities Bickersteth had no peer.

His only son, Edward Henry, was Bishop of Exeter from 1885 to 1900, his grandson, Bishop in Japan from 1886 to 1897. The son was evangelical

like his father and a good pastoral bishop, the grandson, a missionary in the catholic tradition who left his Fellowship at Pembroke College to become the first Head of the Cambridge Mission to Delhi. Robert Bickersteth, Bishop of Ripon (1857–84), and Edward Bickersteth, Dean of Lichfield (1875–92), were nephews.

The Bickersteths were a Lancashire family from Bickerstaffe near Ormskirk, where they had been lords of the manor since the twelfth century. Henry Bickersteth was a doctor living at Kirkby Lonsdale; he had five sons and two daughters. Edward was the fourth son, and was born on 19 March 1786. He was sent to Kirkby Lonsdale Grammar School but left at fourteen to follow his elder brother John, working in the Post Office in London; here he was placed in the Dead Letter Office. As the Post Office duties only took him from 10 a.m. to 3 p.m. he was able to work part-time in the office of a solicitor, named Bleasdale, who had Westmorland connections. Bleasdale soon realized the potentialities of his new assistant and accepted him as an articled clerk. While still at the Post Office, Edward Bickersteth had been influenced by Hannah More's Cheap Repository Tracts and from the age of seventeen he had become a fairly regular communicant. Before he was twenty Edward Bickersteth was a convinced evangelical Christian, so much so that a new articled clerk was told, 'You will get a great deal out of Bickersteth, but he is a terrible Methodist.'[4] The new clerk was Thomas Bignold, son of a Norwich solicitor and the same age as Edward; the two soon became firm friends. Visits to Kirkby Lonsdale and Norwich followed and Edward became engaged to Thomas's elder sister, Sarah. They were married in May 1812 at St Peter Mancroft, Norwich, and with Mr Bleasdale's good will Edward became junior partner to his father-in-law, and the newly married couple set up house in Norwich.

John Bickersteth, Edward's elder brother, had also left the Post Office, and taken his degree at Trinity College, Cambridge, prior to ordination. While Edward was still in London and John still at Cambridge, Edward wrote his brother an excessively long letter setting out in detail the pros and cons of the case for his own seeking to enter the ministry. The pressure to do so seemed 'to enter into his prayers that he thought it necessary and proper to give the matter a very full and serious consideration'. But he was not sure, he had already changed jobs once and he had doubts whether his voice was adequate for the pulpit. His brother's reply was sympathetic but advised Edward to wait 'till the path was opened by God himself'. He had to wait another five years; Edward Bickersteth was nearly thirty when he was ordained deacon by Bishop Bathurst of Norwich.

While still in London, Bickersteth made friends with Henry Budd, Chaplain to the Bridewell, and Josiah Pratt who was Secretary of the CMS. Bickersteth attended Budd's church on Sundays. It is not surprising that Bickersteth had founded a CMS Association in Norwich while he was still a layman. There was already in Norwich a flourishing auxiliary of the Bible Society through the influence of the Gurney and Bignold families. Edward Bickersteth asked, 'Why should we not also have a CMS Association?' He persuaded Bishop Bathurst to agree to become patron of the Norwich Association; he also invited Josiah Pratt and Daniel Wilson, Vicar of Islington, to spend a week in Norwich preaching in various churches on the work of the society. The prospect was not promising. 'Many', wrote Bickersteth, 'seem to start with horror at the idea of missions as including everything enthusiastic and fanatical . . . but an Association there shall be, if I stand alone on the Castle Hill and proclaim it, and my wife be secretary.'[5] But he need not have worried; crowds flocked to hear Pratt and Wilson and the week produced £900 for the society.

Bickersteth's conviction that he should be ordained grew. Birks writes:

> In so important a step, he felt it 'a duty to wait till Providence clearly opened the door'. Such a door was opened in the year 1815. Difficulties arose in carrying on business on the principles which he and his partner had determined to follow, and he doubted whether duty would not compel him to leave Norwich. He opened his mind to Mr Pratt, and sought his advice. Mr Pratt had for several years conducted the whole business of the Church Missionary Society; but its operations were now extending so much, both at home and abroad, that he began to feel the absolute need of assistance. He had known Mr Bickersteth for many years, had watched over his early labours in Spitalfields and had witnessed his zeal and energy in establishing the Norwich Church Missionary Association. He felt it was just such an assistant he needed in the important business of the Missionary Society, and proposed to him that he should quit his present profession, seek ordination from the Bishop of Norwich, who, there was every reason to hope, would in this case dispense with the usual university course, come up to London to assist him in his ministry, and in the work of the Society, reside in the missionary house and superintend the missionaries there.[6]

Bathurst agreed to dispense with the degree course, but gave the accepted ordinand a book list which included Pearson on the Creed, and Burnet on the Thirty-Nine Articles. Bickersteth left his work in the partnership with Bignold's goodwill and began serious full-time study,

including Latin and Greek. This was at the beginning of August 1815; in November he took the Bishop's examination. 'I passed through it', he wrote to his parents, 'very comfortably and without embarrassment, and to the perfect satisfaction of the examiner. I stated some of the great doctrines of the Bible, translated the Greek Testament, Grotius, and a Latin article, and wrote a Latin and also an English theme'[7] (which was a considerable achievement for a candidate whose formal education had ended at fourteen).

Bickersteth had only just embarked on his course of study, when he received a further letter from Pratt asking him whether he would be willing to undertake a special mission to Africa on the behalf of CMS immediately after he had been ordained priest. Communication between the home committee and the German missionaries in West Africa was proving difficult; the base was in Sierra Leone, but there were mission stations in Susoo territory a hundred miles further north. In these missions there were schools where, as Stock puts it, 'German missionaries, while still trying to pick up Susoo were teaching English'. It was the need for an on-the-spot report that made Pratt write to Bickersteth. Bickersteth agreed to go but asked that his wife might be allowed to accompany him. Pratt replied:

> The Committee all feel . . . for your dear wife, in the projected temporary separation; but her being with you, particularly if she should be indisposed, would so occupy your mind, that you would feel greatly embarrassed in your exertions.

With the deacon's examination behind him in November, Bickersteth found himself ordained deacon and priest before Christmas; he was made deacon by the Bishop of Norwich on 10 December 1815, and priest by Bishop Henry Ryder of Gloucester a few days later. On 24 January 1816 he was on his way to Sierra Leone. Stock says:

> Bickersteth's visit was greatly blessed by God. It corrected many evils; it initiated many new plans; it gave fresh impetus to the whole work; it proved a real starting-point of the permanent Sierra Leone Mission. In personal matters the senior missionary, Renner . . . wrote: 'Our respected visitor was partial to none of us, but acted in a straight course, dealing out meat in due season; admonishing, reproving or comforting, as every one's situation or circumstances might require.'[8]

Bickersteth had full authority, junior as he was, to dismiss or suspend any missionary. Because of the terrible toll of death by disease, there were

only six Lutheran clergy and one schoolmaster; the original number of men and women who had gone out before Bickersteth was twenty-six. Bickersteth dismissed no one, but he did obtain an African interpreter to serve the missionaries and also urged them to use the dry season to extend their influence. There was another way in which he exercised his episcope. Birks says:

> He thought that some of the elder children might now with advantage be admitted to the Lord's Supper. Nine boys and four girls, above the age of fifteen, were selected to receive instruction from him. He went through with them that part of the Catechism which refers to this subject. Having explained the ordinance, he told them they should each do what seemed right to do in their own minds. It was a privilege to attend and a command, and they were then come to years when he thought it right to bring it before them. He then prayed with them. He bestowed much time and care in preparing these dear children for that sacred feast in which his own soul so much delighted, and on Easter Sunday he admitted six of them to the Supper of the Lord.[9]

Bickersteth returned from the Susoo missionary settlements in April 1816. Before he sailed for England he spent half a day in a school maintained partly by the British Government and partly by private subscriptions. A subscription of £5 per annum for six years was sufficient to provide for a child for six years; his name might be chosen by the benefactor. Apart from the naming there is something of a touch of a covenant subscription in a Christian stewardship scheme about it. Presumably CMS had contributed a large enough sum to entitle their representative to distribute a number of names. Bickersteth says:

> I spoke with several who were likely to understand me, telling the character of those whose names they bore. Could we but give them the souls of these good men, what a blessing these children would be to Africa! The Lord can do this, and more than this. Indeed I hope some Buchanan, Martyn, Biddulph, Milner, Simeon, Wood, Corrie, Pratt, Richmond, and Noel etc etc, may arise from among them, to proclaim to their countrymen the glad tidings of salvation by Christ. Their black faces seemed gratified with the labels we put round their necks.[10]

On his return to England, Bickersteth began the work for which he was originally appointed; this was to visit CMS associations throughout the country and to be principal of the missionary college. The college had moved from Thomas Scott's rectory in Aston Sandford in 1812, and again

in 1820 to Barnsbury House, Islington, where it became the home for the Bickersteth family, the college for candidates in training, and the office of the CMS Assistant Secretary. Candidates stayed at Barnsbury before going up to university or being sent for private study with carefully selected clerical tutors. When they had completed their academic training, they returned to Islington for the final period of training before their departure to work overseas. This might be a period of weeks or of months, during which, according to Birks, Bickersteth was in the habit of delivering to them a course of lectures upon missionary duties, of which very scant notes have been preserved. Between lectures, as it were, he travelled the country. In 1817 alone he preached nearly 150 sermons for CMS.

In 1824 Pratt retired and Bickersteth was for six years CMS Secretary. He had two assistants, Dandeson Coates, a layman who lived in 14 Salisbury Square from his appointment in 1820, and the Reverend Thomas Woodroffe, who became Assistant Clerical Secretary on Pratt's retirement. In 1825 he gave up superintending the studies of the twelve missionary candidates, as a permanent college was being built in another part of Islington with J. N. Pearson of Trinity, Cambridge, as its first Principal. The travelling on behalf of the Society continued. In 1825, soon after the *Anniversary* meeting, he left London for Cambridge, where he preached at Mr Simeon's church to a congregation of two hundred students.

The programme Bickersteth set himself for the next five years was also formidable. Most Sundays he was away from home preaching for the society, but if he were back in London for a weekend he would be preaching to the small afternoon congregation of Wheler Chapel, Spitalfields, of which he had been appointed lecturer on his return from Africa. His travels took him all over Britain. After visiting a remote Irish district, he wrote that they lived like the Africans but with more clothing, though without shoes and stockings or bonnets and hats. The sermon list for 1826 closes *Weary and heavy-laden, but at rest in Christ*. When not on tour there was plenty of administrative work to be done at Church Missionary House. In spite of all this he was a devoted husband and a good father, though his wife never knew whom he might bring home. In 1820, when their eldest girl was a baby, he noted: 'We have two fresh New Zealand chiefs, Shunghee, and Why-Ka-Too, with Mr Kendall from New Zealand. Our babe laughs heartily at their tattooed faces.'[11]

The first two children were girls, then came Edward Henry born in 1825, and three more girls. The year 1827 provided an unexpected opportunity for Bickersteth and his wife to have an extended continental holiday and meet with leading Protestants in the Netherlands,

Switzerland, and Germany. The occasion for the visit is given by Birks, who having reminded his reader that the CMS had drawn many of its missionaries from the Basle Missionary Institution, went on to say that one of the students from Basle had become a universalist. The CMS committee were anxious to preserve the strict orthodoxy of their own college at Islington to which Basle missionary candidates came.[12] There is no report on what they learnt from the Basle visit which was thought sufficiently important to involve taking Dandeson Coates as well, but the Bickersteths stayed on touring Switzerland, northern Italy, and Sardinia. Contacts made on this holiday must have proved useful to Edward Bickersteth when the Evangelical Alliance was being formed nearly twenty years later.

For the six years that Bickersteth was CMS Secretary he left most of the day-to-day running of the Society to the very efficient Dandeson Coates, but Bickersteth was not only the CMS public relations officer but the man responsible for policy and forward-looking decisions. All his proposals had to be put before the committee in London where at times he was strongly opposed and on occasion outvoted. Henry Venn, himself CMS Secretary from 1841 to 1872, says that time and again Bickersteth had been proved right by events and his opponents wrong.[13] He also draws attention to the vast expansion that occurred during Bickersteth's term of office: mission stations increased from 8 to 56, ordained missionaries from 13 to 58, lay missionaries from 19 to 93, native catechists from 2 to 457, and numbers in CMS schools from 200 to 15,791. The number of communicants had risen to 1,000. At home the number of associations doubled and income rose from £10,000 to £40,000 a year.

The reasons for Bickersteth's retirement are complex. He was overworked; he asked that Sunday deputations might be reduced to six a year and his hours for working at the London office to five hours a day so that he might give more time to his family and his congregation. These proposals were unacceptable to the committee. In 1830 he was outvoted on a decision concerning changes that he wanted in the training college. There was also his change of view on missionary eschatology. Birks adds that for some time he had been longing for a settled pastoral ministry in which he could be fully involved in a parish, although he would still be prepared to give some time to CMS deputation work though no longer as their paid agent. In March 1830 Mr Abel Smith, MP for Hertfordshire and an occasional member of Wheler Chapel, offered him the living of Watton near Hertford, of which he was patron. Bickersteth accepted and remained rector of Watton till his death twenty years later. Bickersteth followed William Dealtry, who held Watton in plurality with Clapham in Surrey

where he had succeeded John Venn. He relinquished Watton on being appointed archdeacon of Surrey.[14]

There were services in the morning and the afternoon to which Bickersteth added 'a catechetical lecture in the evening' and a weekday lecture on Wednesday. He also found that opening the Saturday prayer meeting at the Rectory to family friends and pious parishioners 'gave a deeper tone to services on the following day'. This was a fairly heavy programme for a village of only 800, which is not all that larger today. On his arrival, and for the three succeeding years, he circulated an address among his parishioners. In this he set out the Gospel, exhorted them to use the means of grace, warned them against the besetting sins of the parish, and invited them to come to him in private with all freedom, as their sincere friend, whose greatest joy would be to promote their spiritual welfare. In the year before his death, communicants had risen from twenty-five to between eighty and one hundred. On Sunday there was also a men's Bible class held in the chancel for a dozen or more middle-aged or elderly men at which Bickersteth expounded a chapter of the Bible. This was presumably early on Sunday evenings and was preceded by Sunday School. The same congregation seemed to be present at Morning and Evening Prayer; the latter being still held in the afternoon at which the subject of the morning's sermon might well be continued. There was an evening lecture in the school room which consisted of an exposition of the Gospels and Epistles, the Psalms, and the Thirty-nine Articles and Church services. Those daughters who were unmarried established a working school for young women and adult evening schools for young men; these were held on Thursdays and Fridays in a building next to the rectory and there might be as many as fifty present. On Mondays and Fridays there were cottage meetings for women at three o'clock. Bickersteth gave different evenings to different groups in the parish. He had one meeting for personal friends when he spoke on the articles or gave a lecture on church history, he had another meeting for school teachers and farmers' wives, another for daughters of small tradesmen, and a fourth for the district visitors whose counterparts were to be found in almost every evangelical parish in Victorian England.

Added to all this, Bickersteth still travelled the country for CMS covering about a thousand miles a year, wrote sixteen books, and compiled a hymnal which deserves separate attention. Bickersteth's *Christian Psalmody* appeared in 1832. The history of Anglican hymnody is long and intricate; on the whole, clergy who used hymns in the place of metrical psalms made their own collections for their own congregations; Newton

with Cowper's assistance wrote the Olney hymns for the Olney congregation, Thomas Cotterill came to St Paul's, Sheffield, with a collection he had used in his Staffordshire parish and, with the able assistance of James Montgomery, produced a fine collection which was only allowed to be used in the Province of York when dedicated to Archbishop Harcourt who decided on the final selection. Reginald Heber's *Hymns written and adapted to the Church Service of the Year* appeared in 1826, a year after his death, with an Introduction by the Archbishop of Canterbury. Bickersteth's *Christian Psalmody* was written originally for Watton. 'I have been preparing a new hymn book for my people', he writes. The next year shows that it was being more widely used. 'I have much reason to bless my heavenly Father for the acceptance of my Hymn-book, which has already been introduced into many churches, and is likely to be into many more.'[15] In 1841 it comprised a collection of 900 psalms, hymns and spiritual songs, selected and arranged for public and social, family and private worship and was dedicated to his diocesan, Bishop Kaye of Lincoln. In the Preface he wrote:

> The privilege of singing is as great as the duty is clear, it tends to store the memory with precious fruits of God's word, and this assists in maintaining spirituality of mind and constant communion with our God. It greatly helps the poor to acquire the knowledge of the things of Christ. It furnishes constant subjects of devout meditation. The heart is supported under trials, and many a vital and precious truth is expressed in a hymn, which the unhealthy moral atmosphere of the world would otherwise quench and suppress.[16]

The hymns include those of Watts, Wesley, Doddridge, Cowper, Newton, Kelly, Montgomery, and three by Bickersteth himself.

One of Bickersteth's own hymns is on the Lord's Supper:

Hast thou, holy Lord, Redeemer,
Left for man this pledge of love,
Thee to honour, to remember
When enthroned in light above?

Didst Thou quit for him thy glory,
Sojourn in a vale of tears,
Realize that bitter story
Prophesied by holy seers?

Didst thou pierced with keenest anguish
Close the great, the gracious plan,
Guiltless suffer, guiltless languish
To deliver guilty man?

And shall the redeemed ungrateful,
Hostile to a Saviour's views
Sunk in sin and pleasures hateful
This thy dearest pledge refuse?

Search, O Lord! and cleanse and save us
Heal us by thy power divine
Burst the bonds that here enslave us
That we may be wholly thine.

Thus may we, secur'd from sadness
All with joy and peace believe,
Feed on thee with faith and gladness
And thy cup of grace receive.

The demand for Bickersteth's books was such that after his death Seeleys, his publisher, proposed to produce a cheap and uniform edition of Bickersteth's works, claiming that 'there are very few modern writers in Theology whose works have been so extensively read as those of Mr Bickersteth'.[17] The books fall into three groups: those concerned with devotion and theology, those intended for family worship, and those dealing with biblical prophecy.

On his return from Africa, Bickersteth began to prepare devotional manuals to help believers to grow in the Christian life. His first book, *A Scripture Help*, was published in 1814, before he was ordained. In 1817 he found time to enlarge it for the third edition with the assistance of a Baptist minister. Encouraged by success, he began *A Treatise on Prayer* and was engaged on it whenever he could obtain sufficient quiet. Birks says that Bickersteth often used his sermons to follow through some subject on which he intended to publish a book. The work, he says, was done in 'fragments of time' but was not hastily put together.[18] *A Treatise on Prayer* certainly began that way as twelve sermons preached in Wheler Chapel; the same is true of *The Christian Hearer* which is based on a course of sermons 'On Hearing the Word' given in 1823. One chapter of this was headed 'The Christian Student'. In 1829 Bickersteth used this chapter as the basis of a book with the same title to assist Christians in acquiring religious

knowledge, with lists of books for various ages and classes of society. In 1840 came the last in the series, *A Treatise on Baptism*. The second group of books was really intended to supplement what was already available for use in family worship. Bickersteth was doing for family prayers in his generation what Canon Frank Colquhoun is doing for parish worship in ours (with his *Parish Prayers* and *Contemporary Parish Prayers*).[19] Four of the final group are on the prophecies and the restoration of the Jews to Palestine. *The Divine Warning* aims to show the contrast between scriptural and prayer book doctrine on the one hand and the false teaching of the Tractarians and Roman Catholics on the other.

A Treatise on Prayer is designed to help the Christian to pray and to provide him with a few forms of prayer; it includes a consideration of the theology of prayer, public worship and private prayer, and problems caused by distraction and lack of feeling. Following on analysis drawn up by Bishop Wilkins, Bickersteth allows his reader to look at the different components of prayer, confession, petition, and thanksgiving, in considerable detail. Wilkins's analysis is very similar to that in Andrewes' *Preces Privatae*.[20] There is a chapter on 'Family Worship' which has a footnote, 'The greatest part of this chapter may perhaps be read with advantage by the master of a family, when first beginning to attend to this duty.'[21] The final chapter gives forms of prayer which can be used in prayer in private and in the family. Bickersteth says he has been trying to induce his readers to pray without forms on their own and at family prayers, but he realizes that there are 'many to whom this from various causes, would not immediately be practicable'.[22] There seem in fact to have been very many, for Bickersteth found a ready market for an expansion of these two chapters into *Family Prayers*, a complete course for eight weeks with additional prayers suited to various occasions. These include prayers for each part of the day, before and after Holy Baptism, before and after Holy Communion, family prayers for almost every occasion, including moving to a new residence, choice of a school, and for servants coming into the family and those leaving it. There are prayers for saints days, to which are added the Martyrdom of Charles I, the Restoration, and a prayer for 5 November in which thanks is given for 'our deliverance from the papal conspiracy of the gunpowder treason'. A prayer in 'Time of Riots and Insubordination' asks God to 'still the tumult of the people and restrain wrath'.[23] There is a prayer for our great cities which ends:

> May our merchants, regarding themselves as stewards of thy bounties, be ever guided in the acquisition of wealth by thy holy law, conducting their

> dealings with strict integrity, and never going beyond, or defrauding one another. And in their expenditure of honourable gains, may they labour to further the spread of thy kingdom upon earth and the well-being and salvation of their fellow men.[24]

That his attitude towards class structure was the same as Hannah More's can be seen in his 'prayer for a servant coming into the family':

> We desire to welcome into our household another member of our family, entreating thee, who hast appointed the various stations of life, for grace to fulfil the several duties of our stations to thy glory. May the Master rule as knowing that he has a Master in heaven with whom is no respect of persons, and ever giving that which is just and equal; and the servants labour not with eye-service as men-pleasers, but with good-will doing service from the heart, as unto the Lord and not unto men.[25]

Bickersteth's most important work is his third, *On the Lord's Supper*. There is no evidence that this started as a series of sermons. Bickersteth was distressed by the lack of emphasis that most Christians placed on this sacrament and the infrequency of its celebration in most Anglican churches:

> Even in more religious congregations, where the ministry is most efficient, it has been calculated that rarely anything like one fourth stay to partake of the Lord's Supper; and the proportion is in general much less. The primitive Christians did not thus turn away from the Lord's table: the churches communicated every Lord's day, and it was the practice for ALL, both clergy and laity to receive.[26]

It was to meet this situation he wrote his book in 1822. The ninth edition of 1835 is considerably expanded, but there is nothing polemical in it. Bickersteth's controversy with the Tractarians was left to *The Divine Warning* and *The Promised Glory of the Church*, both published in 1844. The book has two parts: the first is theologically designed to explain the nature of the sacrament; the second is practical, designed to assist the communicant in devoutly receiving it. Later he made shortened versions of each part calling the first 'Invitation to the Lord's Supper' and the second 'A Companion to the Holy Communion'.

The theological section contains quotations from Andrewes, Jeremy Taylor, Patrick, Matthew Henry, and Richardson of York. It is attractively written and contains ideas that might be expected from an Evangelical theologian and some that would not. This is how he introduces his subject:

> The Lord's Supper is a solemn ordinance, designed for a perpetual exhibition and commemoration of the atoning sacrifice of the death of Christ. It is a representation to the outward senses of this great truth, that the only Son of God became man, and died for our sins. It teaches us by signs and emblems, those doctrines which the preaching of the gospel brings before us expressly in words. Herein Christ offers himself to us with all his benefits, and we receive him by faith.
>
> Its great design is to represent, or place before us, to commemorate, and to shew forth the death of Christ as a sacrifice for sin, and to declare our expectation of his coming again.[27]

When talking of the Lord's sacrifice for sin, he uses the word 'expiation' not 'propitiation', and of Christ 'pleading his merits before God'; he even quotes an unnamed author who says that we plead the merits 'of the same sacrifice here, that our great High Priest is continually urging for us in heaven'.[28] Bickersteth was writing in 1822 and he might not have used this phraseology if he had been writing in 1842. This theology was more like Cranmer's spiritual feeding:

> The real believer, through the mercy of God, in the right reception of the Lord's Supper, has the present enjoyment of those benefits which were obtained by the sacrifice of Christ, and the strengthening of those graces, in the exercise of which that enjoyment is communicated. Thus the Lord's Supper is calculated to give him an assured hope that the blessings of redemption belong to him, as well as to increase his faith and advance his sanctification.[29]
>
> The due attendance on this means of grace will be accompanied by a manifest growth in humility, delighting in God, and doing good. Our spirit will become more meek, and tender, and heavenly. Just as when a sick man, through taking a medicine exactly suited to his disease, begins to recover from his disorder; his appetite returns, his recently enervated limbs are renewed with fresh strength, his lately pallid cheeks catch again the glow of health, he moves about afresh with freedom and goes to his work with alacrity and vigour, feeling more than ever the blessings of health, from having been confined to his habitation and his sick room: so, when at the Lord's table, we receive 'the healthful spirit of God's grace', *we hunger and thirst after righteousness*, we are raised up to new vigour in the spiritual life, we walk again with God, and go to our daily duties with fresh zeal and devotion.[30]

The communion of Christians with one another is not forgotten:

> As the loaf is formed of many once separate grains of wheat, so the people of Christ, however once distinct from each other, become connected by the uniting bond of the Gospel, in the most intimate and close union. As the wine in the cup is formed of the juice of many distinct grapes, which are all blended together, and thus the various juices become mingled and lost in one: so the once distinct and varied minds and hearts of Christians unite together in Christ Jesus; and thus they *have fellowship one with another.*[31]

The second part of the book consists of an extended devotional manual, giving practical help to the communicant. The section on preparation includes suggestions for self-examination and provides suitable prayers. It gives hints 'for the employment of the mind during the service', a commentary on the different parts of the service, followed by brief meditations, one of which could be used while the administration takes place. Meditations and prayers are also provided for use after the service, these are followed by a selection of psalms and hymns 'suited to the Lord's Supper'. Bickersteth has a final chapter headed, 'The Due Improvement of the Lord's Supper', which suggests ways in which the Christian may find in the sacrament 'a fresh spring to a holy life', involving love and service in the community with special regard for the poor.

In the early part of the book, Bickersteth tells his readers that, by neglecting their obligation to take Holy Communion, they are undervaluing their baptism. He says that baptism is a sign of admission into the Christian Church; the Lord's Supper is a sign of continuing in it and Christians who neglect the latter diminish the privilege of the former.[32] It was not till 1840 that Bickersteth wrote *A Treatise on Baptism* by which time he was fully aware of what the Tractarians were teaching on the subject. Here again Bickersteth did not take the view that many Evangelicals have taken and he refused to identify regeneration and conversion. He is quite clear that John 3.5 and Titus 3.5 refer to baptism:

> Regeneration may be considered in the seed of life implanted, and its manifestation in a life to be nourished and carried forward, as all life is, by suitable means and provision. In this respect it differs from conversion, which is the extension of life existing, by the turning of the soul to the only true Author and Giver of life.
>
> The reality and freeness of grace was seen in baptismal regeneration; the accountableness of man was seen in the actual limitation of

regeneration to real receivers, exercising faith in the grace of the sacrament. Both parts of these divine truths being needful, we see the goodness of God to us, and the increased safety of the church against the dangers of abuse in both parts being maintained. We need the jealousy of the Protestant and Reformed churches against superstitious dependence on the outward rite. The early church had a real corrective from the far larger proportion of baptisms being among adults, and from the jealous care and watchfulness with which they prepared them for this ordinance.[33]

What Bickersteth seems to be saying is that there is a partial regeneration at infant baptism, made total at conversion. On the practical side, Bickersteth provides a commentary on the service as he does in *On the Lord's Supper*; prayers and meditations are provided for adult candidates, and a list of Christian names with their meaning is given as well as chapters on the duty of parents and of the baptized. He also asks sponsors to try to see that a child is brought up in a spirit of holiness, to pray for the child regularly, and to urge parents to fulfil their duty in having the child prepared for confirmation and attendance at the Lord's Supper.

There are very few quotations from the Christian Fathers in the book on the Eucharist as Bickersteth himself remarked in his Preface, but with the Oxford Movement came an appeal to the Fathers, which led Evangelicals to undervalue the Fathers' contribution. It was to meet this situation that Bickersteth produced in 1838 *The Christian Fathers of the First and Second Centuries*. His collection includes extracts from Clement of Rome, Ignatius, Polycarp, Justin, Athenagoras, and the Epistle to Diognetus. Bickersteth prefaces each extract with a biographical note and ends with his reflections on the passage included. His purpose was to allow Evangelicals to see for themselves that the writings of the Fathers are witnesses to the truth of Christ found in the Scripture, and they have particular advantages, 'from their nearness to the times of the apostles, and the vividness of the early impressions of truth'.[34]

Four of Bickersteth's books are on the prophecies; the first, *Remarks on the Prophecies*, had to be largely re-written because of Bickersteth's change of view. This is how Birks accounts for this change: 'When he was first brought . . . to the knowledge of the gospel, he adopted the view . . . popular among serious Christians, and looked forward to the gradual conversion of the world, by the spread of Christian missions.' He was suspicious of the Irvingites and feared that speculation with regard to prophecy might detract from the real work of mission. As late as May 1831

he wrote to his wife from a midland town, 'the good men are all afloat on prophesying, and the immediate work of the Lord is disregarded for the uncertain future.' But Birks tells us that 'the public events which followed his removal to Watton, were of an awakening and unusual kind', reference no doubt to the 1830 revolution in France and the social disturbances in this country preceding the Reform Act. By January 1833 Bickersteth had come to the conclusion that the signs of the times were such that he declared himself a 'pre-millenarian'. Birks says:

> He was led to believe that the second coming of Christ will precede the Millennium; that the first resurrection is literal, and that Christ will establish a kingdom of righteousness on earth at His return, before the resurrection of the wicked, and their final judgement.[35]

He no longer believed in 'a fixed interval of a thousand years, before the promised return of Christ', but he still believed in the duty of Christian mission throughout the world, which seemed all the more urgent to him because of 'the shortness of the time'.

The question arises whether this change of view has anything to do with Bickersteth's resignation from CMS in 1830. Birks obviously feels it does not, though he admits that Bickersteth's inquiry went on for several years. It could therefore be true that he was having some doubts concerning the theology he had received from his friend, Josiah Pratt, and thought it only honest to resign. When Pratt died in 1834, Bickersteth said that they saw eye to eye on almost everything except on Bickersteth's insistence on 'the near approach of Christ's second coming'.

It was reading Bickersteth's books, and what he had come to know of his character, that made Lord Ashley seek 'a personal acquaintance'. Ashley stayed at Watton for the first time in August 1835. This was the first of many such visits; a remarkable friendship grew up, with plenty of give and take on either side. Bickersteth wrote some powerful letters to the *Record* on the treatment of the factory children, and Ashley found himself through Bickersteth linked up with the leading Evangelicals, laity as well as clergy. Bickersteth's estimate of Ashley is found in the words with which he dedicated to him his *Treatise on Baptism* in 1840:

> To the
> Right Honourable Lord Ashley,
> M.P. for the County of Dorset
> In grateful testimony of his labours
> For the benefit of the Factory Children,

For the maintenance of Christian Education by the State,
And for unimpaired continuance
Of our Protestant institutions,
As well as of his efforts to communicate
Our highest blessings to others,
And especially to the children of Israel.
And with hearty prayers for his spiritual and eternal welfare
This volume is inscribed by the author.

The other side of the picture is given by Hodder at the time of Bickersteth's death in 1850:

> In his society Lord Ashley always found satisfaction; on almost every subject their views were identical, and many a solemn hour had they spent together in discussing the times in relation to Tractarianism; in pondering over unfulfilled prophecies – the frequent subject of Mr Bickersteth's pulpit discourses – in talking over the restoration to their promised land, and, dearer than all, in hoping and praying for the Second Coming of the Son of Man.[36]

Bickersteth and Ashley thought that the second coming might be brought nearer by the return of the Jews to Palestine, and this led Ashley to ask in his diary on 8 October 1838: 'Could we not erect a Protestant Bishopric at Jerusalem and give him jurisdiction over all the Levant, Malta, and whatever chaplaincies there might be on the coast of Africa?'[37]

At the May meeting of the London Society for Promoting Christianity among the Jews, there was mention of a Protestant congregation in Jerusalem consisting of a few converted Jews and visitors, who were under the care of a lay pastor named Nicolayson. At the meeting it was announced that Bishop Blomfield had given £10 towards a fund to build a church in Jerusalem, and later in the year he ordained Nicolayson. The following year Bickersteth and Ashley were both present as was the Prussian diplomat, Chevalier Bunsen. Publicity for the fund was given in the *Record*; Bickersteth was able to thank the paper for the sum of £200.

Events moved swiftly from the idea of an Anglican church in Jerusalem, to a Jerusalem bishopric. Frederick William, king of Prussia, was anxious to reintroduce episcopacy into the Lutheran Church in Germany. Politically, both Britain and Prussia were jealous of the growing French and Russian influence in the Near East at the expense of Turkey; this disposed Palmerston favourably towards Ashley's scheme for a bishop to look after the needs of 'Protestant Christians' in Jerusalem. Chevalier

Bunsen, as Frederick William's representative, worked in close harmony with Ashley. The king of Prussia gave £15,000 towards the establishment of the bishopric; the same sum was to be raised in Britain, mainly through the London Society for Promoting Christian Knowledge among the Jews. The arrangement was that the bishop should be appointed alternately by Britain and Prussia; if he were a Lutheran he should be ordained into Anglican orders before consecration and subscribe to the thirty-nine articles, if an Anglican he was to agree to the Confession of Augsburg. The first choice of candidate was Alexander M'Caul, who had been a missionary for the Jews' Society in Poland and since his return to Britain had become a close friend of Ashley and, in all probability, of Bickersteth as well. M'Caul refused, saying that the first bishop should be a Christian Jew; he suggested Michael Solomon Alexander, a converted rabbi, who was Professor of Hebrew at King's College, London. He was consecrated on 7 November 1841, and M'Caul preached the sermon. Archbishop Sumner and Bishop Blomfield were enthusiastic, so were Archdeacon Samuel Wilberforce and F. D. Maurice. Newman and other Tractarians voiced strong objections to this blending of the Anglican and Lutheran churches.

In 1844 Bickersteth's last two books were published. *The Divine Warning* is a published sermon suggesting that the pouring out of the sixth vial could be seen in 'the spread of lawlessness, infidelity, and superstition, in Chartism, Socialism, and open or half-disguised popery'.[38] He saw 'half-disguised popery' in the Oxford Movement. The second book, *The Promised Glory of the Church of Christ*, has an Appendix entitled 'Tractarian Errors and Evangelical Truths', drawn up in parallel columns. Most of what he has put in either column is predictable, with two exceptions, the atonement and the ministry:

That the docrine of the atonement ought systematically to be kept back in the ministerial instructions of the clergy, and not to be preached to every creature, and made known to all men for the obedience of faith.	The atonement to be preached to all men.

This is significant as Bickersteth has picked out exactly what Isaac Williams intended in Tract 80, 'On Reserve in communicating Religious Knowledge'. It is also significant that Bickersteth does not suggest that 'Evangelical Truth' implies any particular doctrine of the atonement.

That episcopal ordination in unbroken succession is essential to the existence of a true Church, and that without this no sacrament can be valid, or be a means of spiritual blessing.	That the three orders of the ministry are an historical fact, and by the goodness of God preserved to us in our Church, but not absolutely essential to the existence of a true Church. The first and most reassuring characters of a true church are the profession of a true faith by its members, the preaching of the true word of God, and the due ministration of the sacraments.[39]

Bickersteth was able to show that there is recognition of foreign episcopal churches in the writings of Andrewes, Cosin, Bramhall, Laud, and Usher thus anticipating by more than a century the argument used by Norman Sykes[40] and the thirty-two theologians' letter on Intercommunion.[41]

Bickersteth's opposition to the Oxford Movement was not entirely negative. In March 1839, he wrote to the *Herts Reformer*:

> It is true that I deprecate many of their statements and views as erroneous in themselves and tending to still more dangerous errors. But there is too much seriousness, conscientiousness and even partial truth mingled with these views, for me to have expressed utmost abhorrence against them[42]

But he also believed that just as the Tractarians were publishing the 'Library of the Fathers', so Evangelicals should republish the chief works of the English Reformers. With this in view Bickersteth, in 1840, started the Parker Society with a committee of which Ashley was chairman and a 'Mr Stokes of Colchester', the active secretary. There were 7,000 subscribers and fifty-five volumes of the works of the English Reformers up to the death of Elizabeth I.[43] Together with the 'Library of the Fathers' (1838) on the one side and the 'Library of Anglo-Catholic Theology' (1841) on the other side, it was possible for the current theological debate to be conducted by men who had easy access to the writings of men to whom they referred.

Bickersteth's greatest contribution may well prove to be the part he played in the history of the ecumenical movement. Ruth Rouse points out how the Evangelical awakening had produced evangelical groups in Geneva, the south of France, Russia, Holland, and Belgium in the period between 1790 and 1820. As we have already seen, Bickersteth had contact with some of these continental Protestants in the twenties, and he had another continental holiday in the thirties. The interdenominational Bible and Tract Societies provided further contact. Ruth Rouse says that these

evangelical outbreaks had the unfortunate effect of creating new divisions in existing churches, forming free churches in France and Switzerland, and in 1843 evangelical ministers sought freedom in the matter of church patronage and seceded to form the Free Church of Scotland, under the leadership of Thomas Chalmers. Yet it was from this European underground evangelical community that the leaders of the ecumenical movement of the 1840s emerged. Merle d'Aubigné, whose book on the Reformation is still published by the Banner of Truth Trust, was a Swiss evangelical and Joseph Monod, whose Christian social concern influenced J. M. Ludlow, was a French evangelical.

By 1839 there was a stiffening of denominationalism because of the opposition of Anglicans of all schools to state interference in education, which was thought to favour the Dissenters, and because of the educational clauses of Graham's Factory Act, which were thought to favour Anglicans. The Anti-Church State Party was formed by Edward Miall in 1844. It was in this atmosphere that Chalmers suggested a drawing together of evangelical Christians in Britain, with 'co-operation immediately with a view to incorporation afterwards'. In England the aim was simply a union of individual Christians belonging to different churches. In 1842 the Congregationalist, John Angell James, wanted an alliance for opposing the three Ps, 'Popery, Puseyism and Plymouth Brethrenism'.

There was a meeting at Exeter Hall in June 1843 which included Anglicans, and another in Liverpool in October 1845 which was to prepare for the formation of an Evangelical Alliance. Bickersteth was on the committee which prepared for this, and he chaired the second morning of the conference and wrote many letters to Anglican friends before and after the meeting urging them to join. He ignored the hostility which the *Record* and many of its readers were showing towards dissenters, and declared his ecumenical principles clearly and fairly. To Hugh M'Neile of Liverpool, who had written to Bickersteth saying he could not support the Alliance, Bickersteth replied:

> The Church of England is not the whole Church of Christ in England. It probably was once; but for our sins, particularly the way in which the Act of 1662 was passed, and our own Church sins, it might to a great extent have been so now. Now you aim to bring our whole country to that state of unity. But my view is, that though we should aim at this in the way of truth, forbearance and love, we must also humble ourselves before God for our exceeding Church sinfulness, which has prevented our dissenting brethren from recovering the light of truth which we

> really enjoy, and has . . . engaged their zeal even directly against what we believe to be the truth of God.
>
> Our disunion is our weakness.
>
> I equally with you view John 17.23 as only to be accomplished at the return of the Lord; but it is the ideal at which we are to be aiming; as, 'Thy kingdom come' is the ideal at which we aim in missions.[44]

Four years later Bickersteth was dead. The *Christian Miscellany and Family Visitor* for February 1851 said 'he had a heart which the Church of England was too scanty to hold, and for which nothing could be found adequate but the amplitude of the Universal Church'.

FOUR

Lord Shaftesbury

This chapter is not a potted biography of Shaftesbury. A new, full biography based on the Shaftesbury diaries and other papers, has recently been provided by Georgina Battiscombe. The aim here is to give enough background from my own reading of the sources to interpret Lord Shaftesbury, his character and work, making possible a new understanding of Shaftesbury, the Christian and influential churchman. The name, Lord Ashley, is used when the subject matter obviously concerns the period before he succeeded to the title in 1851.

'Have been reading Seeley's abridgement of Wilberforce's *Life*. How many things we felt alike, what similar disappointments, misgivings and disgusts.' This sentence occurs in Lord Shaftesbury's diary in 1843. Other passages show that he thought of himself as Wilberforce's successor. Between them they removed more human misery than any other British social reformers inside or outside Parliament. In Parliament, Shaftesbury was chiefly responsible for a series of Factory Acts which excluded children under thirteen from the factories, and limited the working day of women and young people to ten and a half hours on week-days and seven and a half on Saturdays. He was also responsible for the Mines and Collieries Act which forbade the employment in mines of women, and children under ten; the Chimney Sweeps Act which brought to an end the practice of the chimneys in the stately homes of England being hand-swept by climbing boys; the Lunacy Acts which ensured better buildings and more humane treatment for the mentally ill; and the Common Lodging-Houses Act which made provision for their registration and inspection. Apart from one brief interval, he was Chairman of the Lunacy Commission all his political life, and he was a member of the Board of Health with Southwood Smith and Edwin Chadwick during its six-year existence. Outside Parliament the causes he initiated and supported were legion: Ragged Schools for destitute and homeless children; emigration schemes and training ships to enable them to start a new life; various societies to help costermongers, flower-girls, milliners, and many others. As Wilberforce became the champion of the slave, Shaftesbury became the champion of the child. He loved and

fought for unloved, unwanted, defenceless children wherever he found them; in cotton mills and woollen mills, in brick works, collieries and calico-print works, under railway arches, in Regent's Park where one boy slept in the roller, on the streets which they swept or where they sold fruit and matches, held horses or picked pockets. 'I have just ended Lord Shaftesbury's *Life* . . .' wrote Cardinal Manning. 'What a retrospect of work done. It makes me feel that my life has been wasted.'[1]

The reason why Shaftesbury's achievement was so great, his work so thorough, is that he insisted wherever possible on personal investigation. 'Descended a coal-pit 450 feet, thought it a duty, easier to talk after you have seen.'[2] 'I asked for a collection of cripples and deformities. In a short time more than eighty were gathered in a large courtyard. . . . They stood or squatted before me in the shapes of the letters of the alphabet. . . . When I visited Bradford under the limitation of hours. . . . I called for a similar exhibition of cripples; but, God be praised, there was not one to be found in that great city.'[3] The same thoroughness marked his visits to slums, lunatic asylums, schools. He writes of a journey through the centre of Manchester in 1842: 'Perambulated the town on Saturday night with two Inspectors, and passed through Cellars, Garrets, Gin-Palaces, Beer-Houses, Brothels, Gaming-houses and every resource of vice and violence.'[4] One evening when dinner was on the table a woman called to report that a young friend had been committed to an asylum fifty miles outside London. Within a quarter of an hour Shaftesbury was on his way to the station to examine the case for himself and to get the patient discharged.[5] He was prepared, on occasion, to make his title work for a good cause. 'I went today to Limehouse to attend the opening of the new National School – as it was a Church work for the purpose of Christian education, I could not refuse . . . this being one of the causes where a Lord may be especially useful. There is in this country a strong tendency to respect rank; and as a distinction of order is by God's own appointment we ought to avail ourselves of it, humbly and thankfully for His honour.'[6] Two brief sayings sum up his attitude: 'Christianity is not a state of opinion and speculation. Christianity is essentially practical' and 'What the poor want is not patronage but sympathy.' His sympathy was deep and real; he would sit in slum houses listening, and drinking mugs of sweet, strong tea. Children talked to him easily and naturally. He was a philanthropist (a word which he loathed), but also a man 'who sat where they sat' and no sentimentalist. He wept when he discovered that many of the children had come to a particular Ragged School without breakfast, and without much prospect of a meal when they got home, but shortly after his visit two churns of soup

arrived from his own kitchen. The delivery was maintained every morning that winter.

Shaftesbury's championship of unprotected and homeless children sprang partly from his own unhappy childhood. His parents showed him little affection; as a boy he knew what it was to be cold and hungry at night. His first school at Chiswick was no better. The only person to show him love was Maria Millis, the housekeeper. She had been maid to his mother, Anne Churchill, who brought her with her from Blenheim, near Woodstock, when she married. At Woodstock church, Maria had come to accept the simple Evangelical faith which she was able to pass on to the seven-year-old boy. It may be an exaggeration to say that Shaftesbury's faith was the same at seventy as at seven, but there is a measure of truth in it. Throughout his life, and especially in old age, he repeated a prayer she had taught him; his love for the Bible stems from stories he heard at Maria's knee. Soon after his eighth birthday Maria died. She left him her gold watch which became to him almost a sacrament of divine and human love; he would produce it saying, 'That was given me by the dearest friend I ever had in this world'.

At the age of twelve he became a boarder at Harrow, where he was much happier than at Chiswick or at home. The story of his seeing a pauper's funeral on Harrow Hill is probably authentic, though his vow to devote his life to pleading 'for the poor and friendless', only found expression when he agreed to serve on the Select Committee on lunatics and lunatic asylums in 1827, and to become parliamentary leader of the Ten Hours Movement six years later. Meanwhile he had gained First Class honours at Oxford and was elected Tory MP for Woodstock by the age of twenty-five. If he had not yielded to persuasion to take up the causes of the mentally ill and the factory children, he would certainly have reached high office.

The two things that mattered most to Lord Ashley were his faith and his family. In 1830, against his father's wishes, he married the beautiful Lady Emily Cowper, a niece of Lord Melbourne. Minny, as she was called, soon came to share her husband's religious views, though none of his fanaticisms; it was she who encouraged him to say 'yes' to the Ten Hours' deputation. The marriage was happy and well balanced; he did not always get his own way yet there seems to have been plenty of laughter. He loathed leaving her, and his diary always records the times they took the Sacrament together.

They had a large family of six boys and four girls. Ashley was not one of those fathers who cares so much about other people's children that he

3 Thomas Fowell Buxton

4 Edward Bickersteth

neglects his own. Promises made to his children were to be kept. 'Had a treat – went to the zoological gardens with the kids.'[7] Another time he took the boys to a lecture by Faraday. Summer holidays were difficult to arrange with the arrival most years of a new baby, but in the forties there were summer holidays at Ramsgate and Broadstairs where Ashley and Minny walked along the beach while the children chased each other over the sands. Christmas and Easter were often spent at Brighton. In 1839 he took Minny and Anthony, their eldest boy, on a tour of the factory areas and on to Scotland. Four years later, after Minny had had a miscarriage, he accompanied her and the two eldest boys to France and Italy.

Ashley's relationships within the family were excellent, except with his father and his eldest son. The elder Lord Shaftesbury gave Ashley only a small allowance, never enough to keep him out of debt. His father disapproved of the marriage; it was nine years before Ashley, Minny, and the children were invited to the family home of Wimborne St Giles in Dorset. In Parliament, Ashley listened to his opponents drawing attention to the miserable conditions on his father's estates. On succeeding to the earldom in 1851, Shaftesbury tried to make amends as quickly as he could with little enough money to do so. His own relationship with Anthony was no better. He had hoped for a son who would follow him into Parliament and become a model Christian. Anthony had neither his father's brains, faith, nor character; Ashley describes him as 'good-natured, frivolous, indolent, having no thought beyond fencing, swimming, the accordian, and the Trumpet'. Ashley sent him into the Navy rather than to the university where companions could lead him 'to the turf, the green room or the gaming table'. By the time he was seventeen he had involved his father in a debt of seventy-five pounds: 'He is far distant – I see nothing in him to please or comfort me.'[8] Anthony went through life charming everybody but was always in debt. While his brothers, Evelyn and Lionel, married wives of whom their father approved, Anthony's wife is continually criticized. 'My daughter in law is become as notorious as "Bill Sykes" or "Moll Flanders".'[9] In the last ten years of his life, Shaftesbury became reconciled to Anthony and Harriet; he enjoyed playing with his grandchildren. However, the story did not end happily; Anthony shot himself in a London cab within a year of his father's death. Shaftesbury was on excellent terms with his other children and grandchildren. Evelyn, his fourth son, became Palmerston's private secretary.

Criticisms of people Shaftesbury did not like, such as Harriet Ashley, are usually suspect. While Wilberforce used his diary as a confessional, a looking back over the day to see where he had failed his God and his

neighbour, Shaftesbury used his to catalogue, often vehemently, the faults of those who had thwarted his plans or hurt his feelings. The extravagant abuse he poured into the diary on Peel and Graham, Gladstone and Samuel Wilberforce would have amazed them. The Evangelical clergy, with one or two exceptions, continually disappointed him.

Within a year of accepting the leadership of the Ten Hours Movement Ashley became more open and ardent in his Christian discipleship. In 1834 he first attended the committee of the National Society, and began to read Hannah More's *Memoirs*. About this time he met Alexander M'Caul, who had settled in London in 1832. M'Caul was a scholarly Irishman who had worked with the Jews Society in Poland.[10] Though neither Hodder's nor Ashley's diaries give any clue, it is possible that mutual interest in biblical prophecy brought the two men together, or it may have been that Ashley found M'Caul when seeking an accomplished tutor for his own Hebrew studies. In due course Minny became godmother to M'Caul's daughter, and Ashley was playfully talking about 'Rabbi M'Caul'. Whether his meeting with M'Caul preceded that with Edward Bickersteth at Watton in 1835 we do not know, but it is certainly true that with these two men, Ashley found a depth of Christian friendship he found nowhere else.

In 1836 Ashley became the First President of the Church Pastoral Aid Society; fifteen years later he succeeded Lord Bexley as President of the British and Foreign Bible Society. This was the year his father died and he succeeded to the title. Accession to the peerage made him eligible for the presidency of the Church Missionary Society as well, but the opportunity never arose as the Earl of Chichester outlived the Earl of Shaftesbury by a year. In 1833 the first President, Lord Gambier, had died and the Church Missionary Society invited Lord Cholmondley to serve, but he refused. The second choice was Henry Pelham, Earl of Chichester; he accepted.

The new President was a captain in the Royal Horse Guards and only thirty, in fact a year younger than Ashley. To have as a President a man whose grandfather and grand-uncle had both been Prime Minister was a considerable coup for the Society. One cannot help wondering, if Ashley had been well known as an Evangelical layman in 1833, whether the rule restricting the presidency to peers of the realm might have been waived,[11] and he, rather than Chichester, would have become President of the CMS.

Shaftesbury and Chichester came into headlong collision over the question of education for children in factories. In Parliament, Chichester was a predictable Whig under Melbourne and a loyal Liberal under Gladstone; he defended the new Poor Law in the Lords, and, somewhat to his Protestant friends' alarm, the Maynooth Grant. He was being true to his

party when he sided with Cobden and Bright on Free Trade, and advocated freedom from government interference in industry; Ashley's supporters were on his own side of the house. On every subject, political or ecclesiastical, he and Chichester seemed to be opposed to each other.

In 1843 Ashley tried to recruit him for his anti-Puseyite lay movement.

> Lord Chichester writes to me a very angry letter, and very foolish – I had told him that 'we had no great objects in common'. I confess I could not suppress my indignation to see a great professor like himself (not a hypocrite, I cannot believe that, but a self-deceiver), who could support Lord Melbourne's administration personally and politically, through thick and thin, sacrificing, who can doubt it, many scruples and feelings to the duty of party; but now in a combined movement for the maintenance of Protestant truth, full of difficulties and technical objections, yielding nothing, for the common interest. This is too much.[12]

However, the biggest source of friction must have been the Home and Colonial Infant School Society. This was started in the 1830s with Chichester as its President, and included on its committee, J. H. Plumptre and J. Hardy (both MPs), J. H. Woodward of CMS, Daniel Wilson, vicar of Islington, and John Cumming, a fanatical Presbyterian minister. The committee proceeded on the Whig principle of not interfering with the factory owners' running of their business. This maintained that education of young children 'cannot be effectively carried on whilst the children are employed in the factories, and it must in consequence be mainly accomplished previous to entering'. At a meeting in 1838 Chichester said that the new Society was suspicious of schemes for national education, and could only give support to that which was founded on strict biblical principles. The current increase in education was not necessarily an increase in moral education nor had it diminished crime. The work of the new Society was important because teaching was given 'at the very earliest period at which children were capable of receiving it'.[13] The curriculum consisted of hymn-singing, spelling, reading, and needlework. The children were clean and happy and were taught to sing 'God save the Queen'. The enterprise was of considerable size. There was a model school (i.e. a teacher training college), in Gray's Inn Road. The master (Principal) had been sent to Glasgow for training because of the city's progressive ideas on education. By 1838 there were 170 teachers trained and model schools

established at Liverpool, York, and Norwich. In Islington, for example, there were eight infant schools with 1,000 pupils.[14]

This system at least provided some education for children before they entered the factories at the age of nine. Under the Factory Act of 1833 some schools had been set up in factories, but employers were neither compelled to have them nor to use them. In 1843 Ashley, completely ignoring Chichester's society, moved an address to the Queen asking her 'to take into her instant and serious consideration the best means of diffusing the benefits and blessings of a moral and religious education amongst the working classes of her people'.[15] In response to this Sir James Graham, the Home Secretary, introduced his Factory Education Bill. This reduced the hours of work for children from eight, to six and a half per day, and made compulsory the provision and use of factory schools. The management of the schools was to be in the hands of the local incumbent, his churchwardens, and four others appointed by the magistrates. The Bill was rejected because of violent opposition from Nonconformists inside and outside Parliament, who were rightly incensed at the unfair advantage the Church of England was receiving. Unfortunately there was no further measure for a wide extension of education for children till the Education Act of 1870.

Shaftesbury took a keen interest in ecclesiastical appointments, especially of bishops and deans. 'These appointments make my mouth water – what men I *could* name, and by God's blessing would.'[16] This was a dream which he had little hope of realizing. The comments on the appointments made in the diary are usually adverse and harsh. He approved of Melbourne sending P. N. Shuttleworth to Chichester, but not of sending Connop Thirlwall to St David's. 'Amongst his [Melbourne's] bad acts, this is unusually bad, and in every point of view offensive.' Presumably he felt Thirlwall was a liberal theologian who translated radical German books.[17] On the other hand, the appointment of Professor R. D. Hampden to Hereford was not offensive to Shaftesbury as Hampden had forsworn his attachment to Neology. In 1849 Shaftesbury wrote to Russell asking that William Goode might succeed Edward Stanley as Bishop of Norwich; Russell refused and appointed Samuel Hinds, another liberal scholar. A month later the deanery of St Paul's became vacant; Shaftesbury confides in his diary: 'How ardently do I desire that it might be given to M'Caul. But to desire this is to desire that I might be made Queen of Madagascar.'[18] H. H. Milman was appointed, which can have pleased Shaftesbury no more than the sending of Hinds to Norwich.

Little could Shaftesbury have guessed that his dream would shortly come

true. Palmerston, who was Prime Minister from 1855 to 1865, with an interval of fifteen months in 1858-9, consulted Shaftesbury on all his ecclesiastical appointments. The close friendship which came to exist between the puritan Shaftesbury and the rakish Palmerston was due to Shaftesbury's marriage to Minny. For many years Minny's mother, Lady Cowper, had been Palmerston's mistress; when Lord Cowper died in 1839 they married. It has been suggested[19] that Minny may have been Palmerston's child; whether this is true or not, he always treated her as a favourite daughter. Shaftesbury came to have a great affection for his new father-in-law and mother-in-law; he and Minny were frequent vistors at their successive homes at Panshanger, in Hertfordshire, and Broadlands, in Hampshire. In Parliament, Palmerston became the front-rank politician whom Shaftesbury trusted most and the only one he was glad to see Prime Minister. Palmerston supported the factory bills, and Shaftesbury, Palmerston's foreign policy, including the liberation of Italy.

With Palmerston becoming Premier, Shaftesbury did not realize that his day had come. 'People will begin to expect that Palmerston's Church nominations will differ much from Aberdeen's, being influenced by my opinion. There could not be a greater error. He has never in his life and never will . . . consult me on anything.'[20] 'People' were right and Shaftesbury was wrong; though in theology Palmerston might not know Moses from Sidney Smith, he knew that his friend was a good and discerning Christian and would find 'proper men' for these appointments. Shaftesbury became Palmerston's most influential adviser, though he did consult others, including Minny's brother William Cowper, who was sometimes an Evangelical, sometimes a Broad Churchman; in the 1850s he was Broad Church.

Shaftesbury says that from the first Palmerston consulted him about all appointments of bishops and deans. Palmerston's leading question was always: 'Is he a good and proper man?' There were no queries either as to family or politics, though Palmerston hoped that the newly appointed bishop would not vote against him in the House of Lords. 'Good and proper men' would work well with Nonconformists and not follow the examples of Bishop George Murray of Rochester and Bishop Hugh Percy of Carlisle, who refused to consecrate burial grounds unless the Church and Chapel plots were separated by a wall. On 8 June, Shaftesbury viewed the situation with considerable pessimism:

> Several bishops are sick, and the influence of W.C. increases, mine goes down. Here we are on his right hand and his left, the very antipodes

of doctrine, opinion and feeling, each striving to affect his choice. If neology prevails we must take it as a sign that God is wroth with us.[21]

There was no ground for pessimism; already in April 1856, Montagu Villiers had been appointed to Carlisle and this was quickly followed within the next fifteen months by the appointments of Charles Baring to Gloucester and Bristol, Robert Bickersteth to Ripon, A. C. Tait to London, and J. T. Pelham to Norwich. Shaftesbury had a pretty clear idea of which sort of men ought to be bishops. Melbourne, Peel, and Russell had usually chosen dons and headmasters, but Shaftesbury, with Palmerston's agreement, was looking to the parishes not to the universities and schools. He comments:

> Professors, tutors and dons of colleges are by no means on the average, men fitted for episcopal duty. The knowledge of mankind and experience of parochial life are not acquired in musty libraries and easy chairs.

Apart from Tait, all were parochial clergy and all were Evangelicals with busy London parishes: Villiers was Rector of St George's, Bloomsbury (1841-56), Baring, vicar of All Saints, Marylebone, (1847-55), Bickersteth, rector of St Giles-in-the-Fields (1851-57), and Pelham followed Baring at All Saints, Marylebone, having been a country vicar in Norfolk for fifteen years. Shaftesbury's work with the Church Pastoral Aid Society, the London City Mission, and his experience with the Board of Health, kept him informed of the pastoral work of the Evangelical clergy in London. The men whose names he put forward were men whose work and character he knew personally. If Shaftesbury had stuck to his list, Pelham would have gone to London and Tait to one of the other three vacant sees. However, Shaftesbury realized that bringing Tait to London would please the Queen; so Tait went to London and Pelham to Norwich.[23] Shaftesbury had no reason to regret Tait's appointment. As a Broad Churchman, Shaftesbury considered him 'the mildest among them'. He was delighted by Tait's initiative in open-air preaching, his visits to bus depots as well as his support of Shaftesbury's theatre services. The other four bishops were 'decidedly of the Evangelical School . . . I could not foresee the duration of his [Palmerston's] power, and I was resolved to put forward men who would preach the truth, be active in their dioceses, be acceptable to the working people, and not offensive to the Nonconformists.'[24]

Francis Arnold quoted popular opinion that these four had been chosen,

like bishops in the past, for their family connection.[25] Villiers' elder brother, Lord Clarendon, was Palmerston's Foreign Secretary; the Villiers, like the Pelhams, were distinguished Whigs. Charles Baring belonged to the banking family of Baring Brothers, and even Robert Bickersteth had an uncle who was a peer and Master of the Rolls.[26] But pedigree was not Shaftesbury's concern; he wanted Evangelical bishops who would be good pastoral diocesans and for this, he would claim, he had chosen the right men whatever their individual limitations.

Montagu Villiers was the most popular preacher in London. Though he employed missionaries from the undenominational London City Mission and was highly regarded by Nonconformists, the *Times* deplored his style of preaching, saying that 'he preached too uniformly to the poor in intellect as well as to the poor in spirit and the poor in pocket'.[27] He proved an effective diocesan; he appointed an Archdeacon of Westmorland and divided the diocese into eighteen rural deaneries, thus bringing it into line with Victorian church administration elsewhere. He was a strict disciplinarian; he suspended two of his clergy for drunkenness, deprived a third for simony and a fourth for laziness. However, he did have two shortcomings: he only appointed to office men of his own opinions, and his clergy found him distant in comparison with his successor, Samuel Waldegrave. One incumbent said, 'With Bishop Waldegrave, I feel in the company of a friend, but in the presence of Villiers I felt frozen'.[28] In 1860 he was translated to Durham on Shaftesbury's initiative. The following year he died; he was only forty-eight. Shaftesbury's claim that he had been the 'poor man's bishop'[29] must be put alongside the accusations of over-popular preaching and aristocratic aloofness.

Villiers was succeeded at Durham by Charles Baring, who had been Bishop of Gloucester and Bristol for five years and was to be at Durham for seventeen. He was fourth son of Sir Francis Baring and a very wealthy man; nevertheless he lived in great simplicity and was extremely generous in cases of need. He was a hard-working bishop, forming many new parishes, but keeping to his diocese and rarely attending the House of Lords. He is usually criticized for his partisan appointments and his opposition to the creation of a separate diocese for Northumberland. Whereas his critics called him 'Overbearing Baring', Mandell Creighton, coming to the diocese towards the end of Baring's time, puts the pros and cons this way:

> Bishop Baring was a man of deep personal piety and of great kindliness . . . He was in theological opinions a strong Evangelical, and in his

> public utterances he did not disguise the fact . . .. He took a more decided step than any other bishop by refusing to licence curates to clergymen whose ritual he thought to be contrary to his interpretation of the Prayer Book. This gave rise to much controversy, but did not impair the respect in which he was personally held.[30]

Bickersteth and Pelham were less party bishops than Villiers or Baring, and, apart from Tait, were possibly Palmerston's best appointments. Shaftesbury eventually decided that Robert Bickersteth ought to be Bishop of Ripon, probably because he saw some of Edward Bickersteth's qualities in the nephew. Shaftesbury also knew St Giles-in-the-Fields well enough to realize that apprenticeship in a densely populated London parish could be a good preparation for pastoral care of the overcrowded industrial towns of the West Riding of Yorkshire, many of which Shaftesbury knew personally from his factory tours.

Robert Bickersteth was a son of John Bickersteth, vicar of Acton, Suffolk (see Chapter 3). Simeon was his godfather. Robert started studying medicine at St Thomas's Hospital but, convinced of the call to ordination, he transferred to Queens' College, Cambridge. His first living was St John's, Clapham Rise, a residential parish where his preaching and pastoral gifts attracted a large congregation.

In 1850 Bickersteth was invited by the Lord Chancellor to become Rector of St Giles-in-the-Fields, which made him neighbour to Villiers at St George's, Bloomsbury. His parish was south of the Bloomsbury squares; most of it consisted of a notorious Dickensian slum. Here is Bickersteth's own description:

> The district is composed mainly of those who reside in narrow alleys, courts and lanes, closely packed together in houses ill-ventilated, with no adequate provision for the access of air or light . . . badly drained, with no adequate supply of water.[31]

In the north-west, the Tottenham Court Road end, there was an Irish ghetto where Roman Catholic priests and Anglican city missionaries struggled for the souls of the inhabitants of the rookeries.[32]

Bickersteth's predecessor had a curate and a scripture reader. Bickersteth, enjoying the support of the Church Pastoral Aid Society, was head of a large team ministry comprising seven curates, five readers from the Church Pastoral Aid Society, and seven London City missionaries. The missionaries and readers penetrated the slums and reported back to the rector once a fortnight. Sometimes Bickersteth accompanied his staff on

their visits. The administration involved in this work and in that of being chairman of the St Giles's Vestry, proved invaluable experience for the future.

In 1854 Bickersteth was appointed a residentiary canon of Salisbury; he did not, however, resign St Giles, his three months residence always being arranged for the summer. The Bishop of Salisbury was the saintly W. K. Hamilton, the first Tractarian to have been made a bishop. He and Bickersteth quickly became friends; the respect and understanding which Bickersteth showed at Ripon for every variety of High Churchmanship, stems from this friendship. This was quite remarkable, for Bickersteth had succeeded his uncle as Honorary Secretary of the Irish Church Missions whose sole object was the conversion of Irish Roman Catholics.

An insight into Shaftesbury's neurotic frenzy over the appointment of Palmerston bishops is to be found in the entries in his diary for the autumn of 1856. Villiers and Baring were both Oxford men, which led Palmerston to say to Shaftesbury, 'Pray look out for a Cambridge man; they turned me out of Cambridge, and I should not like to be thought resentful.'[33] Shaftesbury at first had no candidate in mind whom he could wholeheartedly recommend. 'October 14th: Ripon is still vacant . . . no fit man in Cambridge of any note. Have commended Selwyn; not that he is absolutely good, but relatively the best.' We do not know if Palmerston acted on this suggestion, but Selwyn remained in New Zealand for another ten years;[34] meanwhile Shaftesbury had found in Robert Bickersteth a candidate for whom he was more enthusiastic. 'Nov. 22nd: Urged strongly, urged Palmerston – to the appointment of Robert Bickersteth to the See of Ripon.'[35]

> November 23rd: Indescribable the anxiety, trouble, movement respecting Bishops. A word dropped today has thrown me into a fear . . . that he has conceived something against Bickersteth! What is it? Much I apprehend that W.C. has dropped 'a word out of season' – I tremble with eagerness and solicitude – it seems humanly speaking, the least and only hope for the church. Palmerston is old, he may die; be turned out – no one who succeeds him would give us anything good; nay, he would give us everything bad.[36]
>
> Nov. 29th: 27 past 12 o'clock. I open my book to record my deep, humble, hearty and everlasting gratitude to Almighty God for his unspeakable goodness in inclining the heart of Palmerston towards Bickersteth. That excellent man has received the appointment.[37]

Palmerston was criticized for the appointment. It was said that

Bickersteth had been chosen for his uncle's merits; it was even rumoured that Palmerston was so ignorant of church affairs that he thought he was appointing Edward Bickersteth (who had in fact died in 1850), and was surprised to find the new bishop was only forty. W. F. Hook, still vicar of Leeds, said that the new bishop seemed 'almost young enough to be my son'.[38] Nevertheless a deep friendship between the two men was built up.

After Bickersteth's primary charge in 1858 Hook said that he did not think that another bishop on the bench could have written it.

Bickersteth's policy with the ritualists in Leeds and elsewhere was to tell incumbents that he had no power to prevent them 'wearing the unusual vestments', though he made it clear that to do so was contrary to his wishes. He aimed at settling disputes between aggrieved parishioners and incumbents by seeing them together, privately. On the other hand, he insisted on the observance of the clause in *Parker's Advertisements* (1566) prescribing the wearing of copes in cathedrals and collegiate churches for the celebration of Holy Communion. Not only did he wear a cope himself, he persuaded the Dean of Ripon, that hardy Irish Protestant, Hugh M'Neile, to do the same.

Bickersteth had learnt the art of speaking to working men at St Giles; northern navvies, miners, and millworkers also appreciated his directness and simplicity. It was also said that businessmen admired his simple, direct preaching. Bickersteth encouraged the work of the Anglican Sisterhoods in the diocese because of the work he had seen of women district visitors in St Giles. He gladly became Visitor to the Sisterhood at Horbury.[39]

His parish work had made him an efficient administrator. He replied to all his letters himself and only towards the end of his episcopate did his daughter act as his secretary. There was a need to build and rebuild a large number of churches; to this end he gathered churchmen in industrial areas and spoke to them of their responsibility and in the villages he invited the farmers to come and listen to him.

In his Charge of 1858 he asked that the Holy Communion should be celebrated in every parish at least once a month. This was an innovation in some rural parishes as well as some urban ones. Preparation for ordination was thorough for the time; the Bishop saw each candidate twice. He frequently preached at the ordination himself.

In politics, Bickersteth was a Liberal. He spoke in the Lords for the Bill allowing a man to marry his deceased wife's sister; the only bishop to support him was Thirlwall of St David's. He welcomed Forster's Education Act and was a regular visitor to Ripon Training College.[40] He attended Church Congresses, which many Evangelicals avoided, and

himself set the precedent of reciting the Apostles' Creed at the beginning of the congress.

Unfortunately Robert Bickersteth wore himself out by his exertions and was bed-ridden for the last two years of his life. He refused to resign and the diocese was deprived of an active bishop till he died in 1884; he was sixty-eight.

Thomas Pelham, Lord Chichester's younger brother, came to Acton when Robert Bickersteth was sixteen. He was there for two years, gaining experience of a parish between taking his degree at Oxford and his ordination in the Chichester diocese. During this period the two future bishops must have come to know each other well. In his curacy at Eastergate, Pelham became friendly with Archdeacon Manning. He returned to the Norwich diocese, when, at the age of twenty-six, he became Rector of Bergh Apton, a tiny village between Norwich and Beccles. He remained there for fifteen years. It is not surprising that Lord Chichester's brother should be active in the CMS cause. He held a residential meeting annually for secretaries in his rectory, 'to overhaul and forward CMS work in the county'. Sometimes so many came that they had not only to share rooms but beds. In 1855 Pelham was appointed to succeed Baring as Rector of All Saints', Marylebone, where he had a similar style of ministry to Bickersteth at St Giles-in-the-Fields. His team consisted of four curates, seven London city missionaries, and one scripture reader. He also had district visitors working in five districts of the parish. Holy Communion was celebrated on Sundays, on Tuesday and Friday mornings, and Thursday evenings.

However unfavourably Shaftesbury regarded Lord Chichester, his brother, Thomas Pelham, was, as we have seen, his original candidate to succeed Blomfield at London. When Shaftesbury knew that the Queen wanted Tait to become Bishop of London he dropped Pelham, and anyone reading Hodder would think that Tait was Shaftesbury's first choice.[41] Pelham's appointment to Norwich, however, was due to the initiative, not of Shaftesbury, but of Sir Benjamin Hall.[42] This is not surprising, for Sir Benjamin was MP for Marylebone and probably a member of Pelham's congregation. He was also a junior minister in Palmerston's first government and a man who spoke frequently in the Commons on the questions of Church reform. Henry Venn preached at Pelham's consecration.

Pelham's task at Norwich was as formidable as Bickersteth's at Ripon. Norwich has always been a predominantly rural diocese with many tiny villages often dominated by huge medieval churches. Pelham reckoned

that it would take him twenty years to get round by visiting a parish each Sunday. In fact, having embarked on this programme, he frequently found himself staying on over Monday as well. He was constantly on the move; he succeeded in stirring up the dormant energies of his senior clergy. He was a wise administrator and a good leader. He was fair to clergy of all schools of thought and greatly loved by most of them. The *Christian Remembrancer* said that his views were well known and conscientiously held, but they were coupled with 'some ability, entire earnestness, and the manners and feelings of a gentleman'.[43] In his Charge of 1865 he spoke of Romanizing tendencies, but he also mentioned the other extreme which undervalued the sacraments. He asked that there should be a celebration of Holy Communion at least once a month and at festivals. In 1865 there were six churches in the diocese that had a weekly communion, seven once a fortnight, 302 had a monthly celebration, and the other 704 less frequently. By 1879 those who had celebrations once a month or more often had risen to 846. Pelham wanted the font used for baptisms, and the sacrament to be administered during a public service.

Pelham was amazingly forward-looking; he urged the division of over-large dioceses including his own, where he wanted a new diocese created in the southern portion. He asked that rural deans should call their clergy together twice a year; he, himself, aimed at meeting each rural deanery twice in seven years. He welcomed the Education Act of 1870, saying that it could bring great benefits to the Church, one of which was to increase the number of teachers in training at the diocesan college from forty to sixty. He postponed retirement till only a year before he died, aged eighty-three.

In the appointments recommended during Palmerston's second ministry, Shaftesbury turned again to the universities. There were two reasons for this. First, Palmerston asked Shaftesbury to take note of the presence of High Churchmen in his Cabinet, including Gladstone, which probably accounts for the appointment of Harold Browne (Ely) and certainly of W. Jacobson (Chester). Second, Shaftesbury himself felt 'honour should be done to everyone connected with the answers to *Essays and Reviews*.'[44] These included W. Thomson (Gloucester and York), C. J. Ellicott (Gloucester and Bristol), and Browne,[45] who had contributed to an orthodox reply with the title *Aids to Faith*. Of the others, F. Jeune of Peterborough and H. Philpot of Worcester were heads of colleges, J. C. Wigram of Rochester had been Secretary of the National Society, and S. Waldegrave of Carlisle, though a former Fellow of All Souls', had had some parish experience in the Salisbury diocese. Waldegrave, though of

Shaftesbury's churchmanship, owed his appointment to Tait. He proved as energetic as Villiers but more human; unfortunately he was just as biased. On the whole, in spite of their lack of parochial experience, these bishops served the Church well.

By the sixties episcopal standards were rising. This was due in part to the well-published example of Samuel Wilberforce at Oxford, and later at Winchester. However, the real change came earlier with the long episcopates of Henry Ryder at Gloucester and Lichfield, Charles Sumner at Llandaff and Winchester, and John Bird Sumner at Chester and Canterbury. These men revived the ideal of a bishop active in his diocese, taking great care over ordinations and confirmations, and being available to his clergy. Though Shaftesbury does not mention these three Evangelical bishops by name,[46] it was they who most likely provided a new model of pastoral bishops to the Palmerston bishops, whether they were Evangelical or not. Those who were Evangelical worked hard in their dioceses, loved their people, and came to London for the round of annual May meetings and for little else. Good pastoral bishops, who might or might not be scholars, were what the mid-Victorian Church needed and Shaftesbury did all within his power to meet that need. None of the five,[47] 'decidedly of the Evangelical school', was a national figure; for such a man the Church had to wait until J. C. Ryle became Bishop of Liverpool in 1880.

During Palmerston's two administrations, thirteen deans had been appointed, of whom three were definitely Evangelical; Close (Carlisle), Goode (Ripon), and Henry Law (Gloucester). How much Alexander Haldane influenced Shaftesbury in the names submitted to Palmerston for bishoprics and deaneries it is impossible to say, but we do know that Haldane was gratefully thanked; there can be no doubt that Haldane was Shaftesbury's special friend and adviser during the last thirty years of Shaftesbury's life.

In this period, Shaftesbury devoted considerable time to fighting the three Rs of rationalism, ritualism, and romanism. For Shaftesbury the first, usually referred to as 'neology', was the most dangerous as it threatened Christian belief in Christ's divinity and atoning death, as well as the inspiration and authority of the scriptures. Shaftesbury was very unhappy when the Queen asked Palmerston to appoint Stanley as Dean of Westminster in 1863. This meant the appointment of a man Shaftesbury considered a 'neologist', in place of the orthodox and Evangelical, Alexander M'Caul, who was Shaftesbury's candidate. *Essays and Reviews* brought Shaftesbury and his cousin, Edward Pusey, into combined

opposition. Colenso's book on the Pentateuch and Professor J. R. Seeley's *Ecce Homo*, Shaftesbury condemned violently.

Shaftesbury was less wholehearted in his condemnation of the ritualists. With some misgivings he joined the Church Association when it was founded in 1865. Haldane and another friend called Stephens wanted him to be active in the Protestant cause. As with the mines and factories he would only speak when he had seen, so Haldane and Stephens took him to St Alban's, Holborn. Shaftesbury refused to serve on the Ritual Commission as he feared partiality might influence his judgement. Nevertheless, he took an active part in the debates leading to the Public Worship Regulation Act of 1874; it was his amendment that ensured that complaints against breaches of the law would be heard by a single lay judge instead of in an episcopal court.

Shaftesbury was much more concerned with what he considered the growth of romanism in the Church of England than he was by Roman Catholicism itself. He was friendly with Archbishop Manning of Westminster with whom he worked in the cause of the poor in the London slums. In 1879 he managed to avoid attending a meeting of the Irish Church Missions because he considered the resolutions 'violent' and 'vituperative'.

Shaftesbury was a pioneer in the movement for services in unconsecrated buildings. It was reported that at Islington parish church and elsewhere, pewholders had refused to open their doors to let operatives sit by them. This inequality was removed by services held in Exeter Hall in 1857, and in five London theatres from 1859. These were supported by Tait, who was also a strong advocate of services for people at their work. Preachers included Villiers and Robert Bickersteth.

During the last thirty years of his life, Shaftesbury remained as busy as ever, giving less time to Parliament and more to forwarding Evangelical and humanitarian causes. After taking the chair at two meetings, he went on to open a reading room in Westminster for the poor. After recording this he adds: 'Letters and chairs eat me up. . . . I am as thin as a wafer.'[48] That was in 1848; amongst the new causes in which he became involved were the Young Men's Christian Association, the Royal Free Hospital and the training of women doctors, and the London College of Divinity established for the training of men for the Anglican ministry.

Shaftesbury was a great doer; a great doer of everything that would further justice and happiness for the exploited and unwanted child, and make less miserable the condition of the social outcast of Victorian Britain. His emphasis on personal inspection meant a growing familiarity with the industrial towns, but it was London that he knew best of all. It was in

London with the city missionaries and scripture readers that he penetrated the grimmest areas. It was clergy whom he had seen at work in the inner city, directing the work of curates, city missionaries, and readers, whom he longed to see as bishops directing the work of dioceses. This wish was unexpectedly and wonderfully fulfilled.

It may be because Shaftesbury was in constant touch with human wretchedness that he was often morbid and depressed himself, seldom able to shut out distress he had recently witnessed or heard about. Wilberforce was a buoyant personality, full of fun and enjoyment, but his knowledge of the miseries of the Slave Trade was second-hand, whereas Shaftesbury spoke from first-hand knowledge of wretchedness he had seen. But there is a further difference between the two characters: Wilberforce grew friends wherever he went; Shaftesbury was very much a loner. True he had Minny and Bickersteth and M'Caul and, eventually, Haldane, but he worried on his own over one problem after another. Furthermore, he was thin-skinned and easily hurt. He would brood over imagined injustice done to himself by Peel or Gladstone, or Archbishop Sumner or William Cowper. All this helps us to realize that the man who brought so much happiness to others was often gloomy himself. As Shaftesbury grew older the hope of the Second Coming of Christ, which he had discussed with Edward Bickersteth years earlier, became the driving force of effort and service that never let up. When the Lord came he must find this servant watching and about his Master's business. 'Surely I come quickly. Amen. Even so, come, Lord Jesus.'

FIVE

Henry Venn

One or more members of the Venn family have been Anglican clergymen from the end of the sixteenth century to the beginning of the twentieth. Most distinguished amongst these are Henry Venn of Huddersfield, his only son, John Venn of Clapham, and his grandson, Henry Venn of the Church Missionary Society.

Henry Venn was named after his grandfather, who died at Clapham rectory eighteen months after his grandson's birth. On the day of the child's baptism he drank his health and offered prayers for him. In temperament, Henry Venn was like his grandfather: he was cheerful and talked easily with people. He had a sense of fun which was not dispelled by his work-load. His humour, energy, and industry came from his grandfather. From his father he derived his gentleness and a mind open to scientific inquiry and practical experiment. Vision and resourcefulness he derived from both men. As a preacher, he was not in the same class as either of them; as a leader, he was their equal. Henry's mother, Kitty Venn, died when he was nine; he may well have inherited her vivacity and ability to manage on a restricted budget.

When Henry was eight, his father took him and Samuel Thornton[1] as private pupils. Henry Venn tells us in an autobiographical fragment, that they did not receive the special attention intended:

> I suppose plans for instruction were adopted, such as my Father's wisdom was well calculated to devise; but he was overwhelmed with business of his important ministerial charge, and could only hear our lessons in the morning from eight to nine. The rest of the time we learnt our lessons alone in a schoolroom which opened out on a playground, and two windows looked into the street. I have a more lively recollection of transactions at the door and window than at the table. . . . I cannot but in some measure deplore the desultory habits of reading which I thus acquired. That habit of strenuous application and exact attention which boys get at a good school, . . . I never had.[2]

Henry fails to add that no one who knew him as an adult would have found

him guilty of any of these bad habits. Rather they tended to comment on his ability to master facts and state a case, as well as his capability to work without a break. Other friends were Charles Shore[3] (Lord Teignmouth's eldest boy) and George Stainforth,[4] both of whom were his contemporaries at Cambridge. Boyhood recollections were 'all of unmixed happiness'. Nevertheless, Henry matured early. When he was sixteen, his father allowed him to share in the teaching of Thomas and John Baring.[5] Henry was only seventeen when John Venn died, yet his father's friends thought him fully capable of preparing John Venn's sermons for publication. He was also given the responsibility for the education of his younger brother, John. There was six years between them; they remained friends and partners all their lives.

In the March before Henry's father died, he had been sent to Cambridge to read for a year with Professor Farish, a friend and contemporary of John Venn, and Charles Simeon. Farish took him for mathematics; for classics he was supervised by Henry Venn Elliott, Henry Venn's cousin at Trinity.

Henry Venn entered Queens' College for the Michaelmas Term of 1814. The President of Queens' was Isaac Milner, Wilberforce's companion at the time of his conversion. It was because of Milner that some Evangelicals were sending their sons to Queens', though a large number still went to Magdalene where Farish was a Fellow.[6] Queens' was the fourth college in numbers. Academic standards at Cambridge had already begun to rise from the low water-mark of the eighteenth century. Venn worked hard and gained a college prize for Latin and two for mathematics. His only forms of exercise were long walks and, when he could afford it, a ride on horseback; his favourite route was to Ely via Newmarket Heath. He attended services at Trinity Church, and became a 'Sim', going to both the sermon classes and conversation parties in Simeon's rooms in King's. His friends were G. Stainforth, H. V. Elliott,[7] and C. J. Shore. In 1815 there was an outbreak of typhoid; students were asked to leave Cambridge. Henry Venn and his sisters went to Cromer where they were joined by George Stainforth. Venn went over to Earlham to visit Fowell Buxton and the Gurneys. On his return to Cambridge, he continued his work for Finals and was nineteenth Wrangler in the Tripos of 1818. He spent the summer of that year as Wilberforce's guest at Rydal. In January 1818, Venn was elected Fellow of Queens' and was ordained deacon by the Bishop of Ely. In the summer he went on a continental tour with his sister, Jane, and her husband, James Stephen. The two men had known each other as boys, but Stephen was seven years older. It is possible that from this holiday came

the strong adult friendship which came to mean so much to them both.

In 1821 Venn accepted the curacy of St Dunstan's, Fleet Street. The rector had another parish and left his curate with what amounted to sole charge. Henry Venn lived in Mabledon Place, St Pancras, with the rest of the family consisting of Aunt Jane,[8] Emelia, Caroline, Catherine, and John. It was in 1823 that Henry Venn became a member of the CMS committee of which his father had been the original chairman. During his four years in London, Venn only took two holidays; both were concerned with family history. In 1823 he visited Otterton in Devon, where the first two generations of clerical Venns had lived. In 1824 he went to Huddersfield, to collect material for his memoir of his grandfather. 'I saw all the old people in that town and neighbourhood, who had received their first religious impressions under Mr Venn's ministry, and still maintained a religious character.'[9] What some of the people said he inserted in the memoir of Henry Venn, which his father had left almost completed at the time of his death. To this he added a rich selection of Henry Venn's correspondence, which included about a thousand letters. The finished book appeared in 1834 when he was vicar of Drypool. It went into six editions in five years and remains a principal source book of the Evangelical Revival. The Preface contains a brief section which sets out to show that Anglican Evangelicalism does not stem from Wesley:

> I think I have stated enough to prove, that there was a body of Evangelical labourers, who were independent of the Methodists, and nearly contemporaneous with them, and whose labours had an immediate and remarkable influence upon the clergy of the Church of England.[10]

Among the Venn papers, there is a small notebook in which Henry Venn has listed the dates of conversion of the early Evangelicals and the relationship of Wesley to each one, plus copious other notes. There is little doubt that he intended to write a history of the early Evangelicals. His viewpoint on the relationship of Anglican Evangelicalism to the Wesleys has been vindicated by recent research.[11]

In 1824 Venn returned to Cambridge, as he felt the need of the discipline of systematic and regular study. He was appointed Lecturer and Dean of his college and was Proctor for one academic year. He acquired a reputation for tact and firmness. He was an active member of the Cambridge branch of the Bible Society; he supported Simeon in the dispute as to whether the Apocrypha should be included in the Society's

Bibles. In 1827 he was appointed evening lecturer at St Mary's, the university church, which gave the town congregation the opportunity of hearing a sermon directed to them rather than to members of the university.

During 1827 William Wilberforce invited Henry Venn to become vicar of Drypool, on the bleak eastern side of Hull.[12] Venn accepted what proved to be a tough assignment, the parish 'having 6,000 poor and none but poor'. Nevertheless Hull, the home of Joseph and Isaac Milner, was something of an Evangelical centre; among the incumbents were John Scott, son of Thomas Scott the commentator, and Thomas Dikes of St John's. Hull was also the home town of Venn's mother, and there were several friends and relations still living there, though none in Drypool. One of these families was the Sykes family; Mary Ann Sykes had married Henry Thornton. It was when Mary Ann's brother, Nicholas, was staying at Clapham that Henry Venn first met his youngest daughter, Martha. They met again when he reached Hull and they were married in January 1829. She gave him eleven very happy years of married life; they had a daughter, Henrietta, and two sons, John and Henry.

At Hull, there were all the signs of an energetic and well-directed ministry and 160 candidates came forward for the first confirmation. During the month of preparation, Henry Venn gave three lectures a week in church; during the final week he was in church for six hours each day so that he could speak to each candidate on their own. He followed his father's example in starting a district visiting society and an evening lecture. At Clapham, John Venn had used his evening lecture for what was really a children's service with a children's address, and an opportunity for catechizing the children; to this came the parents who did not usually come to any other service. Henry Venn held his evening lecture in the parish room; his congregation, as far as we can tell from Martha Venn's letters, were adults who did not come to the services in church; they were mostly soldiers and their wives. The so-called lecture was in effect an evangelistic address, whose effect Martha describes in a letter to one of Henry's sisters:

> There seems to be a remarkable degree of . . . enquiry amongst the people, more particularly amongst the soldiers and their wives. I cannot tell you how many of this class have come to this house desiring to see Henry; not a week passes without two or three, sometimes more. They are all of them of the upper class, if I may so call them, that is to say, they are generally officers' servants, sergeants, or so – people removed from

want, which does away with all fear of their coming from other motives. They attend his lectures, and in almost every instance they mention them as a means of their being brought to think seriously; they also now come to the Sacrament.[13]

She adds, 'certainly Henry has much encouragement', and certainly he had, for he no doubt remembered that at the heart of his grandfather's ministry was the mid-week sermon, and the procession of visitors at the vicarage on the following days.

The District Visiting Society stems straight from the Clapham Poor Society. There were about 230 visitors; they distributed tracts and collected funds for the poor and 'the Greenland fishery men'. Other Hull incumbents followed his example. Thomas Chalmers, who had established his own society in Glasgow and persuaded others to follow his example, stayed with Venn in 1833 and commended the work 'of a most active and zealous minister'.[14]

Henry Venn's ministry at Hull revealed something of the CMS Secretary in the making; there is already to be seen the abundant energy, the imaginative use of evangelistic and pastoral opportunities, the power to organize a Christian community and give it clear direction, time for people and their problems, sheer hard work, and genuine humility before God and man.

The year 1834 saw the removal of the Venn family from Hull to London. Henry Venn let it be known that he wanted to return to London to be in touch with members of his family and his former Clapham friends; it also gave him the opportunity of resuming his place on the CMS committee. Daniel Wilson, who had succeeded his father, the Bishop of Calcutta, as vicar of Islington, was able to offer him St John's, Holloway. The church is on Highgate Hill, with the parish then extending about two miles down the Great North Road with fields behind. It was a new parish; Henry Venn bought his own house in Hornsey Lane. There was a large garden, and beyond, open country into which the children went on their ponies. He carried on work in the parish on much the same lines as at Drypool with the same societies.

In 1838 Martha Venn was expecting her third child; for many weeks her husband carried her upstairs. The baby died. Henry Venn, feeling weak and strained, consulted a doctor, who told him that he was suffering from dilation of the heart and that he should go away from the parish for several months. He spent almost a year at Leamington and returned much better, only to find his wife had begun to show signs of consumption. They went

to Torquay where Martha died on 21 March 1840. The closeness of Henry to his wife had brought comment from the Stephens, who used to talk of 'the extraordinary strength of his conjugal devotion'. Both Henry's father and grandfather, had lost their wives through an early death and both eventually married again; but it was almost unthinkable that Henry Venn should marry again. For him union with his wife was not broken by death. He told a friend that often, when finding a committee meeting more than usually tedious, he had sweet converse with Martha; a pleasant illustration that you can never really tell what is happening at a committee meeting. It also illustrates what one Evangelical family understood by the communion of saints.[15]

It is not altogether surprising that in 1841, Henry Venn should be invited to become Honorary Clerical Secretary of the CMS albeit 'pro tempore'. His father's imaginative chairmanship had not been forgotten. Henry Venn was obviously capable; his Cambridge Fellowship and considerable success at Drypool showed that. His assiduous membership of the CMS Committee when at St Dunstan's, Fleet Street, and now at St John's, Upper Holloway, was proof of his commitment to the Society. The CMS had been lacking in imaginative guidance and direction since the resignation of Bickersteth in 1830. There was no clear policy; leadership within the Society was in the hands of a somewhat abrasive character, a layman, Dandeson Coates. Coates was certainly not the man to handle the delicate relationship which existed between the Society and the bishops at home and overseas, nor was he capable, either by character or training, of guiding the society through an era of bitter controversy between the missionaries and supporters of the Society, and Tractarians, Ritualists and Rationalists.

It is against this background that Venn made an important initiative while he was still only a committee member. With consummate skill and wisdom he produced a document known as 'The Appendix to the Annual Report of 1839'. This succeeded in allaying the suspicion of the bishops, and defined the role of the CMS as a body operating within the Church of England. Venn compares the role of the Society to that of a lay patron who presents his candidate to the bishop and asks him to institute him to a particular living. The Society is responsible for the financing and training of the missionary candidates, but the Bishop of London ordains them and 'sends them forth'. Once in a missionary diocese, they are required to hold the bishop's licence, and the Society can only move its missionary from one district to another with the bishop's consent. In practice, this meant that the Society remained a voluntary society. If a bishop withdrew a missionary's

licence the Society had no difficulty in placing him in another diocese, or, more likely, in another country. This document showed the committee that, in Henry Venn, they had a man whose intelligence and imagination matched up to the problems and perplexities through which Christian mission was passing in the middle years of the nineteenth century.

The gifts of character which Henry Venn brought to his new job, have already been mentioned at the beginning of the chapter. His energy, his intellectual grasp, his humour, his gentle kindness, were soon perceived by those who worked with him. They also noticed his great business ability, his mastery of detail, his shrewd common sense. Sir James Stephen said that he had the abilities of a good lawyer; Thomas Clegg, the Manchester cotton merchant, said that he had those of a first-class accountant. He was capable of remaining calm and unruffled through stormy meetings. He was particularly generous towards missionaries and missionary candidates. A missionary who returned home from abroad would almost certainly be invited to dine and spend the night at his house. Having made him completely at ease, Venn was able to encourage him to talk about his experience overseas or how he had dealt with this or that problem. J. T. Wolters of Smyrna had a son at Malta College, who was also considering becoming a missionary. Venn wrote to the father: 'Let your son come to England for a personal interview. I will receive him into my house and be as a father to him.'[16] He was as good as his word. Departing missionaries stayed with him before leaving, missionaries brought home through ill-health were also invited home.

With air travel it is possible for the Secretary of the CMS to visit missionaries at their posts overseas. In Venn's day it took at least six weeks to reach Lagos by boat, and facilities for inland travel were primitive and slow. We have already seen that Venn invited missionaries on furlough to visit him at his office and stay at his home. To the missionary overseas he wrote personal letters, which were intended to show his personal interest as well as a means of obtaining information. Here is a passage from a letter he wrote during his first six weeks as Secretary, to the Rev. F. Haslam teaching in Ceylon.

> My dear brother Haslam,
>
> In the discharge of my office as Secretary of this Society, I have undertaken the personal correspondence with our missionary brethren; and I feel a peculiar interest in addressing you as the head of an Institution to which my mind has long turned as one of the brightest spots of the missionary work.

Venn proceeds to ask for information about the plans and regulations of the Cotta Institution and speaks of his own experience of pupils as a tutor of a Cambridge college.[17]

Both Bickersteth and Coates had been responsible for correspondence with missionaries; now Venn took it on. The increase in the number of missionaries meant an increase in the number of letters to be written. Max Warren, who has read this correspondence, gives extracts from letters to individual missionaries, as well as communications sent to all the Society's missionaries. In one of the individual letters, Venn gently reprimands a missionary in Benares who wants to move to another post, he urges in a second, the importance of learning the language of the people, and to a group of missionaries leaving for India, he stresses the importance of the 'itinerant missionary' concerned with evangelism, not underrating the work of consolidation which is the responsibility of the 'station' missionary and vice-versa. Of the Letters of Instruction which Venn gave to missionaries at the time of their leaving this country, one example may be given. In this letter, sent afterwards to all the Society's missionaries, Venn stresses the importance of each missionary sending a realistic report on the year's work, and for it to feed 'missionary interest at home' which 'is the heart of all that is going forward in distant lands'.[18]

In 1847 Venn resigned his living in Holloway, and the following year moved from Hornsey Rise to another house in Highbury Crescent, two miles nearer London. His younger son, Henry, gives an account in the *Annals* of his father's daily programme. Prayers, he says, were at eight and breakfast a few minutes later. If his father had been working till after one in the morning, he did not come down till half an hour after the usual time, and prayers followed breakfast. He left for Salisbury Square at about nine, usually walking the two and a half miles. Venn would be in his office from ten to about five, scarcely moving from his chair. Josiah Bartlett, his secretary, brought him a cup of coffee and two penny buns at one. On Tuesdays there was a committee meeting that lasted most of the day. Most of the time on other days was taken up with interviews with one visitor after another, not all of them missionaries. After the visitors had gone there might be dispatches still to be written, in which case Venn and Bartlett stayed behind to do them. On those days dinner, timed for half-past six, was postponed till seven. By eight, Venn was sitting in the drawing-room at a table covered with papers. One of the boys read to him from recently received missionary letters and journals while he made notes. The servants came in for prayers at ten. The boys then went to bed, but Venn sat on with his letters and dispatches, seldom getting to bed before one;

when preparing for the annual May Meeting he might work till dawn.[19]

Sunday afternoons, Venn felt, could be devoted to reading the journals of other missionary societies which did not 'break his Sabbath rest, nor . . . distract his mind with business'.[20]

In Venn's conduct of the Committee, he put into practice principles that are still at use. In a letter written after his resignation he says:

> In such a work as this it is absolutely necessary that a large and generous confidence should be reposed in the Secretaries. There can be no practical danger of their confidence being disappointed as long as the Committee uphold the principle of equality of responsibility among the Secretaries, and the practice of forming their decisions by general agreement rather than by casting votes. . . . The Secretaries of our Society are the originators of the measures to be passed, the chief authorities on its principles and practice, and must often act on their own discretion in cases of emergency, and in confidential interviews with Church or State authorities. At the same time I must bear my testimony that this large confidence reposed in the Secretaries is not inconsistent with the independence of judgement and ultimate supremacy on the part of the committee.[21]

This practical ideal is very much of a piece with Venn's principle for missionaries and leaders of native churches, that they come responsibly to their own decisions; when that has been achieved the bishop may be appointed to be shepherd of the flock of Christ.

Venn was superb in committee. He knew when to move from one subject to the next, and how to use his extensive knowledge of the details of the question being discussed to establish a quiet authority. It is said that he could not be ruffled, and he certainly would not squash anybody. But the authority was there; his chair was known as the 'throne'.

Whatever his qualities in the committee room, he knew his serious defects on the public platform, for he was neither a good preacher nor an interesting public speaker; his brother John was both. He therefore came up from Hereford each spring with the express purpose of reading his brother's report to the Anniversary Meeting.

Venn was exceedingly fortunate in having Lord Chichester as President of the Society throughout his long term of office. He had been President seven years before Venn became Chief Secretary, and was still President fourteen years after Venn's resignation. We have already seen Chichester in conflict with Shaftesbury in Chapter 4. As President, Chichester served

the Society well. Because of his family name and activity in national politics, he was better known than his predecessor, Lord Gambier. It was his role as President to deal with government authorities, as it was Venn's, as Secretary, to deal with church authorities. In fact it seems that Venn and Chichester went together on deputations to government departments. Chichester says:

> I always came away impressed with the fact that whatever weight was due to the deputations, and whatever impression made upon the Queen's Ministers, was mainly owing to the clear, intelligent and business-like statements of our honoured Secretary. I know that this was the opinion of several of the Ministers with whom I conversed on the subject afterwards.[22]

Chichester and Venn must have made an odd pair. Chichester, tall, erect, with moustache and side-whiskers, every inch an officer and an aristocrat. Venn, medium height, stocky, clean-shaven but with side-whiskers, more like a professional or a business man. Venn talking, Chichester listening to Venn's tales of the great and the good whom he had known, or known about: his father, his grandfather, Simeon, Wilberforce, and Zachary Macaulay perhaps, laced with humour, except when the subject made fun inappropriate. Their journeys together included visits to the training college of Islington, to talk with the German missionary candidates there. Chichester even accompanied Venn to the shops to find the right corn mill for use in Nigeria.

Venn was loth to be distracted from his main task of proclaiming the gospel by getting involved in the contemporary controversies about ritualism and rationalism. While it is true that one of Venn's reasons for refusing to join the alliance of Shaftesbury and Pusey against *Essays and Reviews* and Bishop Colenso was that he did not want to appear to approve of Pusey's views on other church matters, it is also true that there is no reference to either in the annual reports he wrote.[23] It may well have been that his reputation for fair-mindedness led to his being asked to serve on two Royal Commissions on subjects that hardly bothered him. The *Christian Observer* says that Venn must have begrudged time devoted to discussing the shape of vestments or the position of the celebrant. But he did learn something and had the generosity to say so. Chichester says that, 'with tears of thankfulness in his eyes', Venn said very solemnly, 'A.B., with all the nonsensical practices observed in his church, preaches the Gospel and souls are converted. . . . Evidently the Holy Spirit is working

with them, and I rejoice and thank God.'[24] With ritualists like 'A.B.', who preached the gospel, Venn had come to have some sympathy, but he did not begin to understand the rationalists. He told Sir James Stephen, 'I knew as a young man all that could be said against Christianity, and I put the thoughts aside as temptations of the devil. They have never troubled me since.'[25] But they did trouble Stephen, who on another occasion said: 'My dear Henry, it is impossible for a man like you, who dwells in a castle of certainties, to have any sympathy with such a poor doubting fellow as I am.'[26]

Venn believed with the founders of the CMS that its aim was the evangelization of the world. This would not be brought about by missionaries who had established a church in one area remaining there as pastors. He reckoned that if all the clergy in England were transported to China, they could only minister to a twentieth part of the population. From the very early days he put forward his leading idea of the 'euthanasia of missions'. It appears in many speeches, letters, and other documents. In a policy statement issued in 1851 Venn says:

> The object of the Church Missionary Society's missions, viewed in their ecclesiastical aspect, is the development of Native Churches, with a view to their ultimate settlement upon a self-supporting, self-governing and self-extending system. When this settlement has been effected, the Mission will have attained its *euthanasia*, and the Missionary and all Missionary agency can be transferred to the regions beyond.[27]

Venn feared that native churches from which the European missionary had not departed would become missionary dominated, and the work of world evangelism delayed. In Venn's vision, the foreign missionary was always primarily an evangelist to win converts, not a pastor to superintend the native church. How this ideal might be achieved, Venn set out in 1861 in a Minute, which was submitted to all the Society's missionaries and managing committees. In order to make a native church self-governing and self-supporting, he suggested that converts should be divided into companies and each placed under the direction of a 'Christian Headman'. There were to be weekly meetings for united counsel and action, and contributions to the church fund would be collected. Monthly meetings for headmen would be presided over by the missionary, reports would be given, and contributions handed over.

The first step in the organization of the native church would be the forming of a congregation from one or more of these companies; this was to include a schoolmaster or local teacher, whose salary was to be paid from

the native church fund. The missionary was to determine when the fund was sufficient for this to happen. The next step was to be the merging of several of these congregations to form a native pastorate under a native pastor, also paid from the native church fund. The headmen's monthly meetings were to move from the direction of the missionary to that of the pastor. The pastors themselves were still to be under the superintendence of the missionary. The next step would be the formation of a district conference comprising a number of pastorates consisting of pastors, lay delegates, and the European missionaries in the district.

> When any considerable District has been thus provided for by an organized Native Church, foreign agency will have no further place in the work, and that district will have been fully prepared for a native Episcopate.[28]

Venn maintained that in older missions the change of system must be gradual, but in new missions the new ideas might be applied. However, in Sierra Leone, the oldest mission, nine out of twelve missionary districts had become self-supporting native pastorates and were, from 1852, under the direction of the Bishop of Sierra Leone, who was a European, and the Church council.[29]

Venn's ideas made further progress in South India. Here there was an attempt to build a native church from the grass-roots, beginning with a number of converts under the care of a Christian schoolmaster, visited periodically by the European missionary. A committee to administer the church fund was also set up. All this corresponded to Venn's first step. Next came the formation of district church councils, and finally, in some areas there were central councils consisting of all the native pastors and lay delegates from the church councils, who acted in an advisory capacity to the Bishop and the CMS mission. They were almost self-governing and self-supporting, as in Sierra Leone, but unlike Sierra Leone they were not self-extending. The Sierra Leone Church, composed of ex-slaves, sent a stream of African missionaries along the coast of West Africa often seeking to evangelize the tribes from which they came.

Venn's ideas of episcopacy were very much conditioned by the conflict of views on the subject within the Victorian church. The tractarian ideal of a bishop ruling his diocese unfettered by state control, was at variance with Venn's ideal of constitutional episcopacy.[30] Just as the establishment in England placed certain limitations on a bishop's authority, as for example in the matter of the parson's freehold, so Venn believed that there should be similar restrictions on the power of the bishop overseas. This became the

interpretation eventually accepted by his friend, Daniel Wilson, Bishop of Calcutta (1832–38). After his death Venn wrote:

> He rightly conceived that the more direct work of missions, in all temporal affairs, must be mainly managed by their Committees; the Bishop standing in the relation of a counsellor at such bounds, though having the sole spiritual oversight of the Missionary Clergy.[31]

Venn writes to a friend on the extension of the church in India:

> It is said . . . that additional Bishops always led to an increase of the Clergy. But in a colony of Christian settlers a Bishop is able to stimulate a Christian people to build Churches and to support additional Clergymen; whilst a Bishop among the heathen is dependent on the voluntary agency of Missionary Societies at a distance to supply the means and the men for the work of the Ministry. As soon as 'the Mission' has, through God's blessing, raised up a self-supporting Native Church, with its Native Pastors, so that the Missionary action of a Society in England may be withdrawn, then will be the time for giving the Native Church a Bishop of its own. In the meantime let the missionaries labour as at present, under a recognised Church-of-England Episcopacy.[32]

In other words, Venn did not want a multiplication of European bishops, preferring to wait for the emergence of a native episcopate. Meanwhile, the decision as to who came, who stayed, and who left was securely in the hands of the committee in London.

Having said this it must be admitted that Venn was inconsistent in his attitude to episcopacy. In India he would only agree to an episcopate with similar checks and balances as in England, but in Canada and West Africa he supported the creation of bishoprics without any constitutional checks, presumably because he did not see the likelihood of Tractarian appointments in West Africa, and Canada was too far away for his opinion to count for very much. The same was true of New Zealand of which Selwyn became the first bishop in 1841. The whole problem of the relationship between the bishop and CMS was complicated by the problem of distance; it took a year for a letter to be sent out to New Zealand and for an answer to be received, during which time the situation could alter radically. All this was made more difficult by the attitude of the missionaries to the settlers. The missionaries distrusted and disliked the settlers; they had opposed their admission to New Zealand as a threat to the Maori population among whom they had been working for twenty-five years.

Within eighteen months Selwyn ordained seven CMS lay agents already working in New Zealand, but refused to ordain others unless he might place them without reference to the Society. This led to a long argument with Venn. It was finally agreed that the matter should be decided by a committee of missionaries chaired by the Bishop;[33] this was a sensible compromise. It is worth pointing out that in New Zealand there were all the difficulties which Venn had tried to avoid by constitutional episcopacy in India; a bishop independent in a way that he could never have been in an English diocese, in doctrine favouring the Tractarians, in authority able to defy the wishes of the London committee (as few or none of the missionaries would be willing to be transferred elsewhere because of lands which some missionary families had acquired). In fact, many of the missionaries' children grew up to become farmers of land they had cleared of trees and undergrowth themselves. In 1847, the CMS committee received a secret dispatch from Governor Grey complaining that influential persons, including missionaries, had made claims for land which overlooked the rights of the Maoris and the British settlers. Venn and the committee did not wait to hear the missionaries' case, but ordered them to accept the decision of the Governor and the Bishop as to how much land they should be allowed to keep. Sons who had become farmers felt this was a gross injustice. The refusal of Archdeacon Henry Williams to give up his title-deeds led to his being suspended by the Society. Seven years later when more was known about the facts of the dispute, Grey and Selwyn were both in England and pleaded with Venn that Henry Williams should be reinstated. Venn wrote a sincere but rather cold letter of apology, accompanying the committee's resolution to restore him to his status as a CMS missionary. Venn's blunder here arose out of his identifying too closely the situation in New Zealand with that of Great Britain, and treating the missionaries as naughty boys who were failing to obey the prefects.

Where Venn was more far-sighted and proved right by events was in his building up of an indigenous church in West Africa and in India. We have already looked at this without mentioning Samuel Crowther. It is a mistake to see Crowther as a native bishop of a native church. Crowther was a Yoruba; if he had been made first Bishop of Lagos then Venn's ideals would have been fulfilled. However, Crowther, as we have seen in an earlier chapter (p. 26), had been involved in Buxton's 1841 expedition to bring Christianity and commerce further up and across the Niger to the Ibos and the Igares. In sending Crowther to be bishop of an area mostly east of the Niger, Venn was sending him and his staff to a land where, in spite of

their colour, they were foreign missionaries. There was one exception, J. C. Taylor, who was an Ibo who worked as a translator at Onitsha. What Venn seems to have wanted was an episcopal leader to continue the steamboat mission to people living on the banks of the Niger. A powerful reason for sending an African bishop was the large number of deaths of Europeans on the 1841 Niger expedition, the high mortality rate of European missionaries on the coast, and the recent tragedy of Sierra Leone which had welcomed and buried three English bishops between 1852 and 1859. Venn's chief failure, according to Max Warren, is that he failed to give Crowther as strong support as he might have done, and that some European missionaries who should have been under his jurisdiction were excluded. After Venn's death, Crowther became subject to attack from headquarters and some white missionaries. Warren asks:

> How much of the sad history of Crowther's later years and the unhappy controversy between the local African leadership and the CMS could have been avoided had Venn given Crowther greater assistance? These are questions of very great importance. They bear not only on Venn's own record, but on the subsequent history of the church in Nigeria, on the growth of African independent churches and on the development of African nationalism.[34]

Relationships between the churches in Great Britain were at their lowest ebb in the fifties and sixties of the last century. Anti-Roman feeling was worked up to hysteria by organized Protestant opposition to Sir Robert Peel's decision to increase the British government grant to the Roman Catholic seminary at Maynooth from £9,000 to £27,000.[35] The same year, 1845, saw Newman's secession to Rome; there were further secessions following the Gorham Judgement in 1850. The re-establishment of the Roman hierarchy in England caused further indignation against the Roman Catholic church. With dissenters relations were not much better: the argument over state grants to denominational schools was at its height; Edward Miall launched his attack on the established Church with his British anti-State-Church Association in 1844. Even the Evangelical Alliance, which we have seen played an important part in the genesis of the Ecumenical Movement, was intended to draw Protestants together in resisting Roman Catholicism.

It was during this period, and in this atmosphere, that Henry Venn wrote *The Missionary Life and Labours of Francis Xavier*. He started work on it in 1848; it was published in 1862. Venn's anti-Romanism was as strong as Bickersteth's. In his report to the CMS May Meeting of 1845 he said, 'It

would be better had China not been opened to the gospel than that the papacy should take possession of it.'[36] His book on Xavier had two aims: first, to show the real character of Roman Catholic missions in India, and second, to give a demythologized life of Xavier free from the romance given to it by Roman Catholic historians. At the end of the book he has no difficulty in pronouncing a hostile verdict on Roman Catholic missions:

> It may be permitted to one who has had large opportunities and long experience in the supervision of Missions to state his firm conviction, that all attempts to lay the foundation of a Protestant Mission, without true conversions and spiritual life in individual souls, will be as unsatisfactory and transient as those of Xavier and his followers.[37]

However, his admiration for Xavier the missionary, keeps bursting through and Venn urges his readers to learn from his example and character. Of his leadership of the mission Venn says, 'Its exercise was blended with so much tenderness of affection, and with such expressions of personal humility and Christian courtesy, as cannot but excite our admiration as to the robust magnanimity of the man.'[38]

Venn's own concept of conducting a mission overseas comes through clearly in this book. In the Preface he sees 'a modern counterpart' in 'the notion that an autocratic power is wanted in a Mission, such as a Missionary Bishop might exercise'.[39] Here he is challenging the views of Bishop Wilberforce and the Society for the Propagation of the Gospel, and the new formed Universities' Mission to Central Africa, who insisted that mission should start with the bishop being on the spot and giving the lead from the beginning, as with the heroic Bishop Mackenzie in central Africa. Venn, however, believed in building from the bottom up, leaving the Church in West Africa to grow without episcopal supervision for half a century. Venn claimed that the 'work is so varied, and its emergencies so sudden, that the evangelist must be left to act on his own responsibility and judgement', and that 'no formidable difficulties will arise from the contrariety of individual opinion; and such as do arise will easily be composed by affectionate, Christian, and wise counsels, whether offered on the spot, or transmitted from Europe.'[40]

Buxton's ideas inspired Venn to initiate commercial enterprises in West Africa. He formed a small committee, including among others, Shaftesbury, Harrowby, Acland, Inglis and Sir E. N. Buxton (one of Fowell's sons), to advise him and give him financial backing. This was in 1845, the year of Buxton's death. Venn's sons tell us that their father used to:

> . . . encourage the missionaries to send him samples of dyes, cotton, ginger, arrowroot, pepper, coffee, palm oil, ivory, ebony etc. These samples he would send to persons in England who were able to judge of their quality and commercial value. Amongst his papers we have found letters from Sir W. Hooker, of Kew Gardens, from brokers in London and Manchester, from timber merchants, from wholesale druggists, and many others.[41]

The next step was to bring Africans to England to spend three months at Kew Gardens. Here they learnt modern methods of cultivation and returned to Africa with a box of plants to grow on their own farms. As with Buxton, Venn's chief interest was in African cotton. He sent out to Henry Townsend at Abeokuta, the first cotton gin[42] ever to be used there, but he was looking for something more ambitious. In the congregation of a church in the Manchester area where Venn was preaching was Thomas Clegg, a cotton merchant who traded with Africa. Clegg afterwards wrote to the vicar saying that 'if Mr Venn wanted to promote Christian civilization he had better teach the natives not to waste the products of their country'.[43] To the Africans responsible for the Industrial Institution at Abeokuta, Venn writes:

> If the Institution prospers so far as to afford any surplus profits, such surplus will be available for Missionary purposes. But this is not the object of the Institution. That object is to train up natives, especially those educated in our Schools, to industrial employments, and to help the Natives to establish themselves in profitable trade and commerce, to supersede by God's blessings the abominable traffic in each other.
>
> It is hoped also that by keeping up direct intercourse between African growers of cotton and other produce and the European markets, the trade may be placed on a more satisfactory and prosperous footing than if it were altogether in the hands of European traders as middle men residing on the coast.[44]

By 1859 there were between two and three hundred gins at work in Abeokuta and five presses. This enterprise was to be kept entirely separate from the work of the CMS. But as with missions the aim was to make the people involved and self-supporting.

Venn's commercial enterprises were only one of the ways Venn used his fertile imagination to give indirect help to the Christian mission overseas. Like his father he was fascinated by scientific instruments, and practical enough to understand their use. On holiday he would be found

5 Lord Shaftesbury

6 Henry Venn

experimenting with aneroid barometers, prismatic compasses, and telescopes, in order to encourage missionaries to take their environment seriously. He also made himself responsible for reducing to writing some of the African languages. In this he worked long hours in collaboration with Chevalier Bunsen, the distinguished German scholar and diplomat. Max Warren says that Crowther was not exaggerating when he told Venn:

> You have done more, sir, today for Christianity in Africa than you ever did before; for now we can write down our own languages without fear of being misunderstood.[45]

Henry Venn was not only a great missionary statesman; he was intellectually an all-rounder, able to master almost any subject to which he chose to put his mind – one of the great Victorians.

While Venn was Secretary there were CMS missions in West and East Africa, Palestine, India, Ceylon, China, Japan, New Zealand, north-west Canada, Mauritius, and Madagascar. The number and the quality of the missionaries increased considerably. There were CMS associations in Oxford and Cambridge. Venn himself, or some other member of the society, addressed a meeting in Cambridge each term. The number of graduates offering themselves as missionaries grew remarkably. From 1815 to 1840 there were sixteen graduates, from 1841 to 1848 there were thirty-two, from 1849 to 1862 there were sixty-two, from 1862 to 1872 numbers had dropped to twenty-three. It is worth noting that the biggest intake of graduates was in the fifties by which time there were a number of CMS schools and colleges in Africa and India.[46]

Venn's first priority in Afrcia was evangelization; education had to take second place. It is for this reason that higher and secondary education in Africa grew very slowly, with the exception of Fourah Bay. This was founded as a theological college in Bickersteth's time (1827). In 1845 a grammar school for boys was added, and two years later, a boarding school for girls. In India the situation was entirely different, with several institutions for higher education already well established when Venn came to office. The Baptist missionary, William Carey, had founded a college for higher education at Serampore. At the same time, the Government formed a college in Calcutta to teach Hindus mainly English, literature, science, and oriental languages. In 1830, also in Calcutta, Alexander Duff, a Church of Scotland missionary, started a Christian school which offered English education based on Christian principles to Hindu boys of the upper classes. Other missions, including the CMS, followed Duff's notable example at Masulipatim (founded by Robert Noble as the English School

in 1843), and at St John's College, Agra (founded by Valpy French and E. C. Stuart ten years later). This approach, which meant that many leading CMS missionaries in India were lecturers and schoolmasters first and evangelists second, was not congenial to Venn. It is in this context that Venn's misunderstanding of the work of James Long must be seen.

James Long was, for the whole of Venn's secretariat, at Thakurpuker, a village south of Calcutta. He was a born communicator, combining in himself the qualities of a lecturer, a teacher of young children, and an Old Testament prophet. In an early letter, Venn advised Long to drop Milton and Pope from a course intended for 'Christian students', which might be attended by 'heathen students', because 'there are so many wrong sentiments in Pope and so many things in Milton which are calculated to lead into erroneous views any one not established in the truth'.[47] Venn was afraid syncretism might result through students becoming familiar with classical mythology through Milton. There is no comment recorded of Venn's reaction to an incident in which Long was involved in 1865. Long had translated a Bengali play, *Mirror of Indigo-Planting*, which exposed the treatment of Bengali peasants by the planters. For this play, Long was condemned by an English judge and jury to a month's imprisonment and fined 1,000 rupees. A wealthy Bengali paid the fine, and resolutions of sympathy poured in on Long, one signed by 3,000 Hindus. After this Long's influence with the Hindu community was as great as that of any contemporary missionary. Venn must have been as suspicious of this new opening as he was of the teaching of Milton and Pope. For Venn, other faiths were always 'heathen'. He could not look forward to the day of dialogue and religious pluralism. James Long had won the confidence of the Bengalis in Calcutta and had access to their intellectual circles.[48] Long, not Venn, was the forerunner of Temple Gairdner and Kenneth Cragg.

Venn, in fact, never understood India in the way he understood Africa. His outlook was similar to that of Christian friends who had served in the highest posts in the Indian Civil Service or in the Colonial Office; several of them on their return to England became members of the CMS Committee. Venn was proud of what Britain had done for India in bringing political stability and justice to petty states, where there was no recognized order of succession and corruption was rampant. Venn was not critical of the rulers of India as he was, for instance, of the rulers and settlers in New Zealand; he accepted the British raj. For his understanding of Indian religion, Venn was dependent on his interviews with returned missionaries and those on furlough, on his own reading, and most

especially on those members of the CMS Committee who had first-hand experience of India.

Among Christian soldier-statesmen whom Venn admired, were Henry and John Lawrence, Robert Montgomery, and Herbert Edwardes. Henry Lawrence invited the CMS to set up a mission in Oudh, an invitation which Montgomery repeated when he succeeded Lawrence. Edwardes was closest of them all to the CMS; he had built up an excellent relationship with the Indians in the Punjab. Edwardes advocated that the Bible should be taught in government as well as missionary schools, that government recognition of caste should cease, and that Hindu and Moslem holy days should be abolished. Venn would certainly have welcomed the teaching of the Bible in all schools; whether he was prepared to ask for government action against caste and holy days is doubtful, whatever his attitudes to 'heathen religion'. Nevertheless, when Edwardes returned to the Punjab in 1862, Venn sent him an address which reads rather like an 'instruction' to a successful missionary, and includes the sentence, 'Our hopes, under God, rest upon Christian statesmen in India, and especially upon the bold line of Christian policy maintained by the authorities in the Punjab.'[49]

Henry Venn was one of the few Anglican Evangelical leaders who hoped for great things from the revival of 1859. Revival spread from America to Ulster, Wales, Scotland, and eventually to England. Its leaders were Brownlow North and Reginald Radcliffe; North was a grandson of a former Bishop of Winchester, Radcliffe was a Liverpool solicitor. In England, the revival received a mixed reception from the Evangelical bishops and clergy, and from the Evangelical press. Archbishop Sumner of Canterbury and Bishop Tait of London, supported Shaftesbury in the Lords when he was attacked for allowing Radcliffe to conduct a Sunday evening service in a theatre. Robert Bickersteth of Ripon, however, would only give his blessing to united services in Bradford if the preacher were a member of the Church of England. G. H. Sumner, in his biography of his father, Charles Sumner of Winchester, ignores the 1859 revival but says that a year or two earlier his father had criticized an industrial missioner, whose factory prayer meetings resembled those 'conducted by Wesley and Whitefield', and the 'so called Revival meetings on both sides of the Atlantic'.[50] This was the attitude of clergy like Miller, who promoted urban missions in Birmingham, and Stowell, who took part in them. It was also the attitude of the *Christian Observer* and the *Record*, the former admitting 'no small amount of fanaticism present, disfiguring and disgracing the work which called to mind the extravagancies of the early

Methodists'.[51] There seems generally to have been a fear of emotional outpourings in disorderly rallies and prayer meetings, with hymns set to tunes of the day and rowdy choruses. This surely, they thought, could be left to militant Methodists like William and Catherine Booth, who were on the way out of the Methodist New Connexion and into the founding of the Salvation Army. Doubtless the memory of not only Wesley and Whitefield, but of Irving and his tongue-speaking prayer-meetings in Regent Square, made Anglican Evangelical incumbents shield their respectable congregations from unholy disorders. But Venn writes:

> On the subject of revivals I am so confident that we must rise with the wave, or be overwhelmed by it, that I shall propose on Monday to send over a special deputation to Ireland to the revival region, to visit the great towns, and to obtain the prayers, sympathy and hearts and hands, if possible, of some of the awakened servants of God. I am anxious thus to connect the revival with missionary zeal for the sake of the revivalists themselves, as well as for our cause. As far as I can learn, in America the two have not been sufficiently interlaced, and the Mission cause has actually gone back.[52]

On the following Sunday, Venn preached in St Paul's on the revival and afterwards tackled Henry Melvill, the canon in residence, on his attitude. Melvill expressed surprise that Venn thought there was anything in it. Among English clergy visiting Ulster was Henry's brother, John, who had been very impressed by the large number of reported conversions all over Wales. Unfortunately, there seems to be no record of what he reported to Henry after his return from Ulster. Henry Venn, himself, reluctantly joined the sceptics, not because of the meagre support Anglican clergy in London gave to the movement, nor because he was put off by hymns set to tunes of the day, or by the introduction of rowdy choruses. For Venn, the litmus test of revival was candidates for service overseas. In this he failed, at least in the early sixties. He may have been a little hasty in his judgement when he wrote to the *Record* in March 1861, 'There can be no question that the period was one not merely of no advance but of some retrogression in zeal for the conversion of the heathen.'[53]

A fairer estimate is probably that of Eugene Stock, who in his history says that the effect of the revival movement was not seen till much later. In his memoirs he says that the most significant part of the revival in England was in the interdenominational prayer meetings for the outpouring of the Holy Spirit, held in a large hall in Islington and in vestries of city churches in the lunch hour, which he himself attended. He comments: 'The

movement as a whole . . . was not taken up warmly by the Evangelical clergy. They feared irregularity and excitement.'[54]

Lord Chichester says that Chevalier Bunsen and Archbishop Sumner were the two distinguished Christians who most appreciated Venn. Sumner was translated from Chester to Canterbury early in 1848, the year of the CMS Jubilee. As Archbishop, he preached one of the Jubilee sermons. On the only occasion when Chichester was unable to be present one Anniversary, Sumner took the chair. Venn always knew he had an *entrée* to Lambeth Palace, and also to Fulham Palace. Blomfield he liked; Venn and he worked well together implementing the Colonial Bishopric Act. After Venn had resigned his living, Blomfield made him a Prebendary of St Paul's, which gave him an official right to be present at the ordination of missionaries. After a luncheon party at Addington Palace, the Archbishop suggested Venn should join Tait and himself in the garden. This was a few days before Tait's consecration as Blomfield's successor. They talked about overseas missions, city missions, open-air preaching, and the use of lay assistants. Venn found himself reassured that co-operation between the Bishop of London and the Society, and the Society's Secretary, would continue. He did not feel the same about Sumner's successor, Archbishop Longley; Longley was a moderate High Churchman and Venn feared Tractarian tendencies which might question his own policy of constitutional episcopacy overseas. He need not have worried; Longley had been, and continued to be, a good friend of CMS and made no attempt to interfere with policy. He consecrated Crowther and 'wrote to him kind and wise letters'.[55] Tait followed Longley in 1868 when Venn's secretariat was nearly over.

At home in Highbury Crescent, Henry Venn was looked after by his daughter, Henrietta; his sons, John and Henry went to school in Islington. Henry Venn himself had a taste for poetry and read Dryden and Pope to the boys and Scott's *Lay of the Last Minstrel.* When the boys were older, they read him some of Browning's longer poems. His attitude towards 'worldly amusements' was identical to that of James and Jane Stephen. 'Theatres, novel-reading, dancing, cards, etc., were never, to the best of my recollection, named or denounced, but the understanding was none the less clear that such things were not for him and his.'[56] John Venn of Clapham bought Scott's novels as they came out; most of them seem to have found their way into the possession of his daughters, but *Quentin Durward* remained in Henry's library.

For holidays, while his wife was alive, Henry Venn drove his young family in a carriage all over Britain visiting relations and friends. Henry

Venn's love of mountains took him several times to Switzerland, but more often he spent his summer holiday at the sea-side with the family. However, he had no problem in leaving the children as 'Hereford was another home to us: our uncle John was almost like another father'.[57]

In 1860, some years after his sons had left home, Henrietta was seriously ill. Therefore Henry Venn looked for a house away from the London fogs. This he found at East Sheen, between Mortlake and Richmond Park. Within a few years Venn became increasingly lame. After 1866 he no longer drew up the annual report. He also worked on his correspondence at home two or three days a week to avoid tiredness increased by the journey to town. In 1868, in spite of his declining health and his being over seventy, he took over the editorship of the *Christian Observer*, as there seemed to be no other candidate. He died on 13 January 1873; his last letter to a missionary in Africa was written less than a fortnight earlier. He was a month short of his seventy-seventh birthday.

During Venn's thirty years he organized the Society's Jubilee celebrations in 1848, its fiftieth year, and preached funeral sermons for Pratt and Bickersteth; both were predecessors whom he greatly admired. In March 1862, he moved the Society's offices out of their small hired house into their own purpose-built tall house in Salisbury Square, with plenty of office accommodation.[58] Venn did not find it necessary to travel round the country as Bickersteth had done; he was convinced that his work could be done from his desk in Salisbury Square, and through the Tuesday Committee meeting.

Venn, though a committed Evangelical, was not a strong party man. No matters of ecclesiastical controversy were allowed by him to be mentioned at anniversary meetings. He was courteous to the Society for the Propagation of the Gospel, and retained his membership of it when Pratt and Bickersteth resigned as a protest against its alleged Tractarianism. On the other hand, Venn disliked the *Record* and the *Record* disliked him.[59] Unlike Alexander Haldane, Venn insisted that Evangelicalism is in its essence a positive movement primarily concerned with the evangelization of the world, and therefore time should not be wasted in fruitless controversy.

The man who could recognize the greatness of Xavier and could see the Spirit at work in ritualistic churches, was also the man who could see the way ahead for the missionary movement, with indigenous churches led by bishops who had emerged from those churches. Venn was very much a Victorian Christian but, like F. D. Maurice, his vision and broad sympathy make him a prophet who has something to say to this century.

SIX

James Stephen

James Stephen was Wilberforce's nephew; his father's second wife was Wilberforce's sister, Sarah. In 1824 Stephen became more closely associated with the fight against slavery by accepting a post as Counsel to the Colonial Office, worth only half of what he was earning at the bar. Ten years later he became Assistant Under-Secretary to the Colonial Office and shortly afterwards, Under-Secretary of State. He thus became a senior civil servant in the recently established Colonial Office. The Colonial Office had only been separated from the War Office in 1812 and Stephen was the second Under-Secretary.

James Stephen was very intelligent, a superb administrator and a man with a knowledge of, and a compassion for the people who lived in the colonies. For eleven years he practically governed the Empire from Whitehall. The nick-names, 'Mr Over-Secretary Stephen', 'Mr Mother-Country Stephen', and 'King Stephen', were given by hostile critics; nevertheless they rightly suggest the reality of his authority and effectiveness.

It was because of Wilberforce and the need of the slaves that Stephen moved into the Colonial Office. His admiration and affection for his uncle knew no bounds. He told his wife to make their eldest boy, Herbert, observe Mr Wilberforce and try to fix 'in the dear child's mind some recollection of him. He may live to be as old as Mr W. himself without ever meeting any man whose image would be so worth-while retaining.'[1]

On the Sunday before Wilberforce died, James Stephen had dinner with him; a fortnight later he tells Henry Taylor:[2] 'I am carrying round with me daily and hourly the vivid recollection of the friend that I have lost; I long to write, though I never shall, an account of that admirable and singular person.' It is possible that young James Stephen was more influenced by Wilberforce than he was by his own father.

The elder James Stephen[3] was a man of strong passions, who brought to the cause of abolition, dynamism as well as dedication. As a young man he found himself in love with two women at the same time. While engaged to Anne, who was plain but intelligent, he had an affair with Maria whom he

found physically more attractive. Maria was the mother of his first child, William, who was born in 1781. Anne was still prepared to marry James, and Maria was generous enough to surrender both him and their child. From 1783 to 1794 Stephen practised as a barrister in St Kitt's, where he became a secret abolitionist, having seen the injustice of slavery first-hand. His second son, Henry, was born in the West Indies and the third, James, in Lambeth during a winter's leave, on 13 January 1789. It was at this time that Stephen met Wilberforce, who persuaded the Stephens to make their home in Clapham on their return to England. The youngest children, George and Anne, were born at Clapham. In 1796 Anne Stephen died and four years later James Stephen married Wilberforce's widowed sister, Sarah Clarke. He had a distinguished career at the Bar, becoming a Master in Chancery in 1811. From 1808 he was MP first for Tralee in Ireland and then for East Grinstead. He was a close friend of Spencer Perceval, who was Prime Minister from 1808 to 1812. Perceval invited Stephen to draft the Orders in Council intended to control cargoes of neutral shipping still trading with ports in Napoleon's Europe. In the meanwhile he wrote books and pamphlets against the Slave Trade and Slavery. He died in 1832, the year before the Bill for abolition of slavery in the British colonies was drafted by his son and passed by both Houses of Parliament. James inherited from his father his energy and skill as a lawyer and as a drafter of legislation. His capacity for work was enormous but his passions were well under control.

For James Stephen, the Clapham of his boyhood was a colony of heaven. He was six when his family settled there on returning from the West Indies in 1794; he was twenty and about to start his final year at Cambridge when the Stephens and the Wilberforces moved to London in 1808. His father, with the possible exception of Henry Thornton, became Wilberforce's closest ally and friend; both lived into their seventies, Wilberforce outliving his friend by a year. Stephen's chapter on 'The Clapham Sect' in *Essays in Ecclesiastical Biography* is likely to remain the most accurate account of the fraternity; this is not surprising since Stephen was an able historian and every individual portrayed had been known to him personally. In his correspondence, and no doubt in his conversation, he would revert to that little heaven on earth that he had known as a boy. For instance he asks his wife:

> Oh, where are the people who are at once really cultivated in heart and understanding – the people with whom we could associate as our fathers used to associate with each other. No "Clapham Sect" nowadays.[4]

Again, in 1852, Stephen writes to Daniel Wilson, the aged Bishop of Calcutta, about the same families. Emelia Venn, he says, is the only survivor of his father's generation; she is ninety-two and 'still animating' the house of her nephew, John Venn, now 'a kind of apostle at Hereford'. Henry Venn, in spite of illness, 'keeps bravely at his work' as Secretary of the Church Missionary Society. 'Tom Macaulay (for he must always be Tom to his old friends) does not expect to publish the next two volumes of his history before Christmas, 1854.' Lord Glenelg (Charles Grant) had called. 'He has scarcely changed in appearance, and is unchangeable in his gentle and kindly nature.'[5]

James Stephen stayed with Bishop Samuel Wilberforce at Cuddesdon in 1853. Six years earlier he had written to one of his sons: 'Sam Wilberforce, with a mitre on his cranuim, is not exactly the Sam whom I used to carry on my back up his father's staircase some forty years ago.'[6]

James had an attack of small-pox as a boy, and as a result suffered from poor eyesight all his life. He went away to tutors for his education, first to Mr Estlin of Bristol, who was a Unitarian, and afterwards to Henry Jowett, at Little Dunham in west Norfolk. Jowett's predecessor was John Venn, who himself had Charles and Robert Grant as pupils. In 1806 James went to Trinity Hall, Cambridge, the college being chosen because Joseph Jowett, Henry's brother, was Professor of Civil Law and also a Fellow of the college. James tells us almost nothing about his time in Cambridge except that the 'three or four years during which I lived on the banks of the Cam were passed in a pleasant, though not a very cheap, hotel. I do not think staying at home would have deprived me of any aids for intellectual discipline or for acquiring literary and scientific knowledge.' Of Simeon at Kings's, Isaac Milner at Queens', and Farish at Magdalene, he says nothing; in the case of Farish this is surprising, as Farish had recently become James's uncle by marriage to James's sister, Hannah.

Stephen took his LL.B. degree in 1812. From Cambridge, he went to Lincoln's Inn for a year, after which he was called to the Bar. On 22 July 1814 he married Jane Venn at Harrow parish church; he was twenty-five and she was twenty-one and they had, of course, known each other from childhood. The wedding was taken by J. W. Cunningham, who had been curate of Clapham towards the end of John Venn's life. Jane Stephen was beautiful and intelligent; she was also a devoted wife and in time a much-loved mother. When James was away from home they wrote to each other every day. On one occasion she asked Fitzjames: 'Did you ever know your father do anything because it was pleasant?', to which came the reply: 'Yes, once – when he married you.'[7] James Stephen was now brother-

in-law of Henry and John Venn; they remained close friends for life.

James and Jane Stephen were regular guests when Henry Venn was entertaining at Highbury Crescent, and they met socially on other occasions. When Fitzjames and Leslie were students at King's College, London, they were expected to call at their uncle's each evening for family prayers. Nevertheless, apart from the few years that Stephen was a member of the CMS Committee, the two men do not seem to have consulted each other at all on their professional business, though some of the areas in which they were working were the same, for instance, India, Australia, and New Zealand. Stephen greatly valued the connection with the Venns. He writes to Jane:

> There is actually not a single copy of your father's sermons to be had. . . . I have bought *The Life* and the *Complete Duty*. Do you know that I never think of the author of those books without a sort of awe to think that I am his grandson-in-law? He was a wondrous man – as unlike such as I am, as the sea at Brighton is unlike this puddle in the park by me.[8]

Stephen was a successful barrister. His father transferred some of his practice to him, in addition to which he was soon pursuing a lucrative career at the equity Bar. In 1824 he transferred, as we have seen, to the legal section of the Colonial Office. He was in fact legal adviser, a post he doubled up with Counsel to the Board of Trade. Fitzjames says that his father had been seriously ill and was suffering from poor eyesight, but it is unlikely that he moved because he wanted a lighter job.[9] His colleague at the Colonial Office, Sir Henry Taylor, is surely right when he says that Stephen, 'shared the anti-slavery sentiments' of his father and his uncle 'with an ardour equal to their own. It was this ardour which led him . . . to exchange a practice at the bar, yielding £3,000 a year, for the office of Counsel to the Colonial Office, with £1,500, whereby he hoped to get a hold upon the policy of the Government in the matter of slavery.'[10]

Under the old colonial system, the empire existed for the convenience of Britain: the West Indies for the supply of sugar, Canada for timber, furs, and fish, and New South Wales as a convict colony. By the Treaty of Vienna, Great Britain acquired territories formerly belonging to France, Holland, and Spain, including Malta, the Cape of Good Hope, and a number of West Indian islands. The abolition of the slave trade revolutionized conditions in the West Indies, West Africa, and the Cape of Good Hope; Canada and Australia moved towards self-government, the

latter no longer being used as a penal settlement, and New Zealand was colonized. In all this the British public took almost as little interest as it did in the old colonial system; widespread enthusiasm for empire only came in the last quarter of the century.

Over the empire in this second stage, Stephen, though only a professional adviser, was almost supreme. The relationship of the crown varied from colony to colony, 'from nations like Canada and New South Wales down to the rock of Heligoland inhabited by a few Germans'.[11] Apart from Lord Stanley and Lord Glenelg, secretaries came and went in quick succession. Stanley became Colonial Secretary in March 1833. He himself attempted to draw up the Bill for the abolition of slavery but found it was beyond him. On a Saturday morning, he gave Stephen notice that he was to do it; he also made clear it must be ready for him early the following week, otherwise it could not be presented in the current session. Stephen took a clerk home with him; they worked through from midday on Saturday till midday on Monday, with Stephen dictating to his amanuensis. The act has sixty-six sections, and fills twenty-six pages of the statute book. Taylor says that Stanley made his great speech in the slavery debate of 1833, drawing exclusively on Stephen's report, and, says Taylor, 'having sucked his orange, and made his speech, he laid his orange aside'.[12] The exhausted 'orange' had to retire to the Isle of Wight to recover.

Stephen's ideals for the colonial territories can be summed up in a sentence: 'We emancipate our grown-up sons, but keep our unmarried daughters, and our children who may chance to be rickety.'[13] Canada and New South Wales were the grown-up sons who were encouraged to become self-governing colonies, the people of the West Indies and the African possessions were the children, and perhaps British India and New Zealand their unmarried daughters.

Impatient of all this was a group with a very different idea of empire, Gibbon Wakefield, Charles Buller, Lord Durham, and Sir William Molesworth. As disciples of Jeremy Bentham, they called themselves radicals, putting into practice Bentham's idea of using colonies for surplus population. They wanted to direct and control emigration from this country and mitigate some of its hardship. It is easy to see that Stephen with his concern for elder and younger members of the imperial family should be called 'Mr Mother-Country Stephen',[14] 'Mr Over-Secretary Stephen', and 'King Stephen'. Stephen had never seen a colony. Durham took Wakefield and Buller with him to Canada; their names occur again in the South Australian and New Zealand Associations.

To Wakefield, Stephen was the faceless bureaucrat who, in the Colonial Office, held all the strings and manipulated Secretaries of State like puppets. Wakefield borrows Buller's term 'Mr Mother-Country'.

> Mr Mothercountry's whole heart is in the business of his office. Not insensible to the knowledge or the charms of the power which he possesses, habit and a sense of duty are often the real motives of the unremitting exertions, by which he alone retains it. For this is the real secret of his influence. Long experience has made him thoroughly conversant with every detail of his business; and long habit has made his business the main, perhaps with the exception of his family, the sole source of his interest and enjoyment. By day and by night, at office or at home, his labour is constant. No pile of despatches, with their multifarious enclosures, no red-taped heap of colonial grievances or squabbles, can scare his practised eye. He handles with unfaltering hand the papers at which his superiors quail: and ere they have waded through one half of them, he suggests the course, which the previous measures dictated by himself compel the government to adopt. He alone knows on what principles the predecessors of the noble or right honourable Secretary acted before: he alone, therefore, can point out the step which in pursuance of the previous policy it is incumbent to take: and the very advice, which it is thus rendered incumbent on the present Secretary of State to take, produces results that will give him as sure a hold on the next Secretary of State.[15]

Later he infers that the whole of Stephen's system was against change and fostered procrastination.

Though some of the details are true, here is a caricature of the description of Stephen at work, given by Taylor, his colleague. Stephen did not have a compulsive love of power, nor a desire to manipulate anyone. He came into the Colonial Office to do what he could for the slaves; after emancipation he believed that direct rule was right, otherwise the planters, the ex-slave owners, would regain political power. Elsewhere he favoured self-governing states, first for the grown-up sons, and then for the unmarried daughters. But he had a special care for those who lived in the colonies before the settlers came, the Kaffirs in South Africa, the aborigines in Australia, and the Maoris in New Zealand.

In 1836 Wakefield formed his New Zealand Association, with the aim of annexing and colonizing New Zealand. Dandeson Coates, the lay Secretary of CMS, appealed to Glenelg 'as a Christian and as a statesman',[6]

to preserve Maori independence where, through the initiative of Anglican and Methodist missionaries, there were prosperous farms, schools, and churches. But that was not the whole story; other white settlers included escaped convicts from Van Diemen's Land (Tasmania), sailors who had deserted, and others who had been put ashore by their captains. In these circumstances Stephen was prepared to admit that a Maori state was not viable, and that Wakefield's colonists were likely to be more responsible than the colonists already there. In February 1839 Glenelg proposed British sovereignty over New Zealand; in March, Stephen submitted a memorandum which ensured that his policies rather than Wakefield's had parliamentary sanction. On 12 May the *Tory* left Plymouth with the first recognized settlers.

To counter Wakefield's moves, Stephen had a British consul appointed to negotiate with the Maoris. Stephen's instructions to the consul, Captain William Hobson, were that only the Crown could acquire land, that the rights of the Maoris were guaranteed, and a protector of the native peoples should be appointed. These conditions were incorporated in the treaty of Waitangi of 1840, made by Hobson and the Maori chiefs who, in exchange, surrendered their sovereign rights. 'From the Maori point of view', according to E. L. Woodward, 'the treaty was the best bargain made by any native race.'[17]

In the case of New Zealand, Stephen's great strength as a colonial administrator is to be seen. Stephen knew more about the situation than the Marquis of Normanby, who was Colonial Secretary; he knew more about it than Gibbon Wakefield and the members of the New Zealand Company, and the Maoris knew that in London there was a government department run by a man who understood their interests and was prepared to act on their behalf. Here we see, fifty years on, that ideal of trusteeship which was first worked out by members of the Clapham Sect for the sake of the citizens of their newly-formed colony of Sierra Leone; Stephen believed as they did, that the good of the governed is the first object of a colony.

James Stephen was also a pioneer in a rather different way. He was one of a growing number of young men of the middle class who, in the nineteenth century, made a career in the Civil Service or in the Indian Civil Service. In the eighteenth century, the government of the Empire was very much the monopoly of the aristocracy; in the nineteenth century, its government and administration were in the hands of the sons of doctors, lawyers, clergy, and schoolmasters (i.e. the professional class). Near the beginning, James Stephen, lawyer and son of a lawyer, was in the Colonial Office

demonstrating how professional the standards of Whitehall ought to be. Fitzjames Stephen says:

> I have been told that he was a perfectly admirable Under-Secretary of State, quick, firm, courageous, and a perfect master of his profession and of the special knowledge which his position required, and which I believe no other man in England possessed to anything like the same extent.[18]

This mastery of the job was acquired by unrelenting hard work. For a long time he was never away from London as much as a month a year. In the five-year period before his retirement, he was away for longer periods but even then he took a clerk with him and did business in the country as regularly as in town. 'For many years he never ate a dinner, contenting himself with a biscuit and a glass of sherry at lunch and an egg at tea.'[19] He made fun of his busyness; he writes to Marianne Thornton 'from my prison house in Downing Street', and 'all this written in Downing Street, chin deep in despatches'.[20]

Stephen's sensitivity and shyness were proverbial. Taylor says that in early life Stephen had been 'shy beyond all shyness'; some of this remained throughout his life and to strangers he might seem 'stern and pompous'. 'When he talked to you his eyes were invisible; and he went on in a mild, slow, continuous stream of discourse.' To those who knew him well this could be both informative and entertaining, but with visitors it was different. Taylor tells of one man who had something to say to Stephen who reported indignantly that 'Stephen began to speak, and after speaking for half an hour without a moment's pause, rose, bowed, thanked him for his valuable information, and rang the bell'.[21]

The criticism of empire-builders like Charles Buller and Gibbon Wakefield wounded him deeply. His wife described him as 'a man without a skin'; his friends were reluctant to suggest criticism, 'not because he resented advice but because he suffered so much from blame'. Leslie, whose temperament resembled his father's, knew what marriage and home meant to him. He, the most nervous, sensitive of men, could always retire to the serene atmosphere of a home governed by common sense. Jane Stephen enjoyed a long life of unbroken good health and, Leslie comments, 'she had indeed to practise cheerfulness as a duty in order to soothe her husband's anxieties'.[22]

Physically, James Stephen was 5 feet 10 inches tall; he had bright blue eyes and as a young man his hair was plentiful and reddish brown in colour, later becoming grizzled and short. He once said that he enjoyed shaving. 'It

is the only thing I do with my hands. I don't even write with them, I always dictate.'[23] Unlike Buxton with his shooting, Stephen had no recreation other than walking. Fitzjames says:

> I do not think he ever fired a gun, or caught a fish, or handled an oar. I have known him ride, but very seldom. He told me he could swim, but, when he was not much over fifty, he spoke of having done so once, as if he had long passed the age of swimming. I do not believe that he ever at any time of his life, fenced or boxed, or raced or jumped.[24]

Stephen once told Taylor that he himself was not a simple man, but in faith he was a Christian with a simple rule of life. 'I make it a rule,' he writes to his wife, 'but can't always keep it, to furnish myself in the morning with a text for meditation during the day'. In 1828 he tells her, 'On the 1st of January this year I resolved by the assistance of God, to make it my business for the year to acquire a Christianity which should have more of Jesus Christ in it.'[25]

In the last decade of his life, Stephen revealed his ability both as a university teacher and an author. From 1849 to 1859 he was Professor of Modern History at Cambridge, and also for two years Professor of History and Political Economy at the East India College at Haileybury. Dr Kitson Clark describes him as 'a man of intelligence, who delivered well-prepared lectures, but apparently the audiences were negligible.'[26] This was certainly true of the last four or five years, but as late as May 1854 he tells his wife: 'A musical performance at King's College has reduced my audience from 70 to 30.'[27] In days when it was not possible to take an honours degree in history, Stephen found that most of his hearers were seeking certificates for the 'poll' degree, which meant he had to choose between speaking over the heads of his audience or give them milk and water. His first course on the history of France was obviously of the former and was praised by de Tocqueville, but some of the others may have had more milk and water in them. 'Today I finished my Lecture No. 13. Three more and I and my hearers will part with the greatest of pleasure.'[28] He started by living in a house overlooking Parker's Piece, but finding he had almost no pupils coming to him and only being required to lecture in the Easter Term, he was able to live in London and stay at the University Arms in the summer. Presumably he lectured at Haileybury at other times of the year. Stephen died at Coblenz on 14 September 1849.

The early morning was Stephen's favourite time for writing. Fitzjames says of the *Essays in Ecclesiastical Biography* that they were done early in the morning or late at night, or on holiday. From what Leslie writes, they were

generally done by arranging with a clerk to be at Downing Street at an early hour. Stephen would then dictate till it was time for breakfast. The essays are, in effect, review articles of books sent him for the *Edinburgh Review* with no thought of republication. They are about fifty pages in length; the sentences are long, the style florid, and the knowledge of the detail amazing for a reviewer who does not seem to require a library of reference books. His method is to tell the story of the man concerned, whether it is Hildebrand or Wilberforce, and somewhere, usually at the end, to give his opinion on the book or books under review. Though he thought it a deserved insult to call Gladstone a Jesuit, he had considerable admiration for Ignatius Loyola. Not all his portraits of Claphamites are complimentary; for instance, of Lord Teignmouth, Governor General of India, he writes:

> He governed an empire without ambition, wrote poetry without inspiration, and gave himself up to labours of love without enthusiasm. He was in fact rather a fatiguing man.[29]

His *Lectures on the History of France* have the same character.

James Stephen can be known best through his relationship with his children. In 1835 he writes to Marianne Thornton:

> The great boy Herbert has an inflamed eye, and rejoices in it, for it is far better you know to endure eye-waters than the wars of Aeneas which is the alternative. Poor Fitz is under George Babington's hands. . . . Leslie is a wayward youth and a great pet and Caroline Emelia (Carymille) how shall I do justice to thee – the fat, the serene, the blue-eyed, the simple daughter of my house.[30]

Herbert was thirteen, Fitz six, Leslie four, and Caroline two. Herbert was lame in one foot, in spite of which he became a naval officer; he died when only twenty-four. Leslie inherited his father's shyness and his health was delicate but he overcame both at Cambridge. When he went for walks with his father while still at school he felt too overwhelmed to play his part in the conversation. Caroline felt much the same, saying that living in the same house as her father was like living in a cathedral. It was with Fitzjames alone that James Stephen had a son with whom he could share the fruits of his mind and Christian personality.

James and Jane Stephen were prepared to move the family home so that Fitzjames and Leslie might go to the school which their parents had chosen for them as day-boys; Leslie was thought to be too delicate for a boarding-school. For a time they were at a private school, run by an

Evangelical clergyman named Guest, at Brighton. The house in Kensington was let, rooms were taken in Brighton, and James Stephen went into lodgings in London, travelling to Brighton on Sundays and twice during the week. When they moved on to Eton, the Stephens took a house at Windsor and James Stephen was able to commute to the office. 'The third was spent as usual. A lazy walk before breakfast . . . a walk to Slough, a drive to Downing Street.'[31] This suggests that Stephen travelled to London by coach not by train. At home, Stephen continued to give great care to family prayers; Caroline gives this description:

> It was his custom frequently to give short expositions of the passages (generally from the Gospels) read at morning prayers; and to those expositions I look back as having laid the foundations of all my own religious thought. They certainly impressed more deeply and lastingly than any later teaching has done, and left me with a thankworthy and abiding sense of the wealth of spiritual meaning to be drawn from the Gospel stories and parables.[32]

As the children grew up and Stephen's health deteriorated the expositions were omitted, but 'sometimes, when alone with my mother and me, Caroline remembers him praying by name for the children he had lost, as well as for each of the survivors'.

Fitzjames says that as a boy he learnt the meaning of Evangelical seriousness, to hate evil, to live ever under the great Taskmaster's eye. When Fitzjames was about to be confirmed at Eton at the age of sixteen, his father wrote him what might still be regarded a model letter for the occasion:

> Infant baptism has certainly one great inconvenience in it. The unconscious subject is no direct party to the solemn vow made for him: and therefore . . . often lives and dies as if no such vow had been pledged; or as if he had no personal concern in it. The object of confirmation is to supply this omission. It is the personal adoption of an engagement formerly made by others on behalf of the youth to be confirmed. An unconfirmed man cannot, according to the ordinances of the Church of England, partake of the Sacrament of the Lord's Supper; and he reduces himself to the dilemma of either violating these ordinances, or being without one of the chief means Christ has appointed for obtaining strength and holiness and peace.[33]

Fitzjames's doubts about the Christian faith must have been already present in his mind at the time of his confirmation and in his talking with his father

who used to say: 'I have ever conversed with you as with a man not as with a child.'[34]

One of the last conversations between Fitzjames and his father was at Haileybury, when Fitzjames must have been about thirty. He asked his father if he really believed the whole Bible was true. His father replied that there were corrupt readings; his son said there were serious errors. His father seemed embarrassed and said, 'Well, well, my dear boy – perhaps it is as you say – but don't tell your mother and your sister.'[35] Here is a certain reserve in communicating religious knowledge. After his father's death Fitzjames accompanied his mother to church. He expected his own children to attend church and family prayers till they were sixteen; they then abandoned it.

Leslie Stephen, like his brother, had a few terms at King's College, London, between Eton and Cambridge. Here he came under the influence of F. D. Maurice and went up to Cambridge 'a vague believer in Maurice or in what were called Broad Church doctrines'.[36] When Leslie was elected to a Fellowship of his college, Trinity Hall, he was prepared to be ordained; it was not till several years later that he found himself unable to take chapel services because of growing agnostic convictions.

In his later years, Sir James Stephen's own beliefs were akin to those of Maurice, at least on the subject of hell. Earlier than Maurice and Bishop Colenso, Stephen was accused of heresy for a new epilogue to his *Essays in Ecclesiastical Biography*, in which he suggested doubts as to the eternity of hell fire. This was on the occasion of his appointment to his Cambridge Professorship in 1850. The passage reads:

> The doctrine of the future retribution forms no *necessary* substratum of any other Christian doctrine. If it could be completely disproved, its disappearance from the Christian system would not dissolve, nor apparently impair the strength of any other part of the mighty fabric.
>
> Every argument, every narrative, every expostulation, every warning in the Bible would be as complete and as intelligible, if not emphatical without it. The same thing cannot be said of any other of the main truths revealed in the Holy Scriptures.[37]

In light of this, a note in Stephen's diary on 8 September 1853 has a certain piquancy:

> I walked to Maurice's house. . . . My object is to give him some advice about the scrape into which he has got.[38]

This was a month before Maurice was dismissed from his chair at King's College, London, for 'heresy' on the same subject.

In law, history, colonial administration, and theology, Sir James Stephen was respected as an authority. Fitzjames was possibly exaggerating when he claimed that his father's intellectual abilities were 'on the same sort of level' as those of Macaulay, Carlyle, and Austin, the jurist.[39] This power of intellect is maintained by both Fitzjames and Leslie. It is also seen among their children, especially Fitzjames's daughter, Katherine, who became Principal of Newnham College, Cambridge, and Leslie's two daughters, best known by their married names, Vanessa Bell and Virginia Woolf. James Stephen and Marianne Thornton, great-aunt of E. M. Forster, form the links between the Clapham Sect and the Bloomsbury Set.[40]

James Stephen was by choice very much a member of the Clapham Sect and he would gladly have lived a generation earlier. Even in his liberal views of hell he might have won over some of the men of Clapham, including possibly John Venn and Wilberforce himself. In his integrity, dedication to peoples of distant colonies, his personal discipline, devotion to his family, and in his strong faith in Christ, Stephen was as near to his uncle as any of the Wilberforce sons, including Samuel. His own son, Fitzjames, after he had rejected the family faith, wrote of his father: 'He was one of the kindest, most honourable and good men I ever knew in my life.' However, the greatest tribute comes from outside both family and Church, from John Stuart Mill who said: 'If all the English Evangelicals were like him, I think I should attend their Exeter Hall meetings myself, and subscribe to their charities.'[41]

SEVEN

Francis Close

Of the six sons of the prophets, Francis Close is the most difficult to treat with fairness and sympathy. He was a big, dominating man, not easily tolerant of opposition. For thirty years, the names of Close and Cheltenham were synonymous; Tennyson's title, 'Pope of Cheltenham', was not undeserved. Close wrote seventy or so tracts and pamphlets, most of them negative; against horse-racing, the theatre, drink, smoking, and breaking the Sabbath. Today he would have been a Vice-President of the Festival of Light. He also opposed the Oxford Movement, Roman Catholicism, rationalism, and socialism. But there is another side. When Close became incumbent of St Mary's, Cheltenham he was twenty-nine; the congregation during the next thirty years was not predominantly elderly or female, and the teachers in the Sunday School were young men. The other thing to say is that Close became the Evangelical spokesman on education; he was the opposite number of the Tractarian Archdeacon, G. A. Denison of Taunton, who made wild pronouncements on many of the ecclesiastical issues of his day, but on his own subject, education, he was worth hearing. It was the same with Francis Close.

Though there is no full-length biography of Close, there is a typescript life by Geoffrey Berwick,[1] which is a valuable source for any subsequent writer and is rich in material not easily accessible elsewhere. Neither the viewpoint of the biography, nor of two articles Mr Berwick published in *Theology*, is entirely convincing.[2] His thesis is that in Close can be seen the decline of a disciple of Simeon's into an anti-Roman ranter, who took up the cause of teetotalism when it became respectable. It is the argument of this essay that there is no such evidence of deterioration as Close lives out his long career at Cheltenham and moves on to Carlisle.

Francis Close was born on 11 July 1797. He was son of a country clergyman. Francis went to school first at Midhurst, then to Merchant Taylor's School in London. Towards the end of his schooldays, Francis came under the influence of an Evangelical preacher named Wilcox, at Ely Chapel in London. From school, he went to Hull to study with John Scott, son of Thomas Scott, the commentator. At the age of nineteen he went up

to St John's College, Cambridge, where he read a pass degree which was not unusual in unreformed Cambridge. Close was a keen oarsman and was partly responsible for the revival of rowing at Cambridge in the generation before the Boat Race. He was a regular member of Simeon's sermon classes and conversation parties, and came to be highly regarded by his teacher. In 1820 Francis Close was ordained to be curate of Church Lawford, near Rugby. He married Anne Diana Arden and was for the next two years curate to the parishes of Willesden and Kingsbury, then outside London.

In 1824 Close was appointed curate to Charles Jervis, incumbent of Cheltenham, to be in charge of the newly opened Holy Trinity Church. Charles Jervis, though not himself an Evangelical, realized who his successor would be, as the patron, Joseph Pitt, had sold the right of presentation to Simeon for £3,000 shortly after Jervis had been appointed. Jervis died suddenly in September 1826 when Close had only been in Cheltenham for two years. Close immediately wrote to Simeon, asking if he might become incumbent of Holy Trinity. However, Simeon descended on Cheltenham and told Close that he (Simeon), had spent an hour in prayer and meditation about the parish church, 'at the close of which I so clearly saw the providence of God that I could not hesitate for a moment, and the living was yours'.[3] On 12 November, Close preached his final sermon as curate at Holy Trinity, and a week later his first sermon as incumbent of the parish church.

The population of Cheltenham was 26,000 when Close arrived, and continued to grow during his thirty years' incumbency. In fact, Cheltenham Spa rose to the height of its popularity during his time, and it was then that the majority of its squares and terraces were built. Jervis had planned a new church for 'the poor'. Close completed it (St Paul's) in 1831. He was responsible for building three further churches: Christ Church (1840), St Peter's (1849), and St Luke's (1854). These, together with a number of schools, provided a formidable plant from which Close and his colleagues worked. His influence spread through his preaching, his personality, and his pamphlets. The parish church was filled with a large and fashionable congregation on Sunday mornings, who helped him to establish an astonishing ascendancy while still a comparatively young man. How soon he became 'parish pope' it is difficult to say, but there is plenty of contemporary evidence to show that it did happen.

> He is emphatically the great man of the place, monarch of all he surveys, in that resort of fashion. Never did Beau Nash rule with more absolute supremacy. The authorities of the town sink into indifference when their

> influence is placed beside that of the potent vicar. In all Cheltenham there is not one inhabitant that does not confess him absolute ruler. Tradesmen court his patronage and the manager of the local theatre trembles at his frown.[4]

The local theatre was in fact burnt down; no one ventured to rebuild it. Close also exercised an unofficial censorship on borrowed books. In days before cheap editions and public libraries, Close had a decisive say on books purchased by the local reading association. He commended some books from the pulpit and condemned others. He annually attacked the Cheltenham races, many of whose supporters were Irish. He considered papists, gambling and profligacy to be essential concomitants of horse racing.

Close continually campaigned for the observance of the Sabbath. He persuaded 500 shopkeepers not to open on Sunday; in fact only a few general shops in Cheltenham refused to come into line. In 1840 the Birmingham and Bristol railway was built through Cheltenham, but, owing to Close's influence, none but two mail trains stopped at Cheltenham station on Sundays for six years. 'In Edinburgh, Close was hailed as the Church of England cleric who had secured the best observance of the Sabbath outside Scotland.'[5] Close taught that worshippers should not use a public conveyance to reach church and thus secure rest for weary animals. Public houses, picture galleries, and places of public relaxation should, in his view, be closed on Sundays. There should be no Sunday delivery of letters. Servants in pious households were expected to attend church. Between services, suitable and interesting books were to be provided, with the possibility of a quiet walk in the afternoon, unless they taught in the Sunday School or visited the sick. Whether Close recommended that cold Sunday dinner should be provided, is not mentioned. He was anxious that Sunday should not be a dreary day for children and suggested that toys and picture-books might be exchanged for a plentiful collection of Scripture pictures, Bible stories, and 'books of interest'.

In September 1838, the Gloucester Music Festival included in its programme a concert and a fancy dress ball for which a thousand tickets had been sold. Close wrote indignantly to the *Record*:

> It appears little short of an open desecration of the house of God to interrupt its sacred services by the workman's hammer, to erect lofty galleries, with gaudy trappings in which a splendid and fashionable company may be admitted, as to a public amusement, – to engage at vast expense the servants of the opera and the stage, – (persons whose

> ordinary pursuits remove them beyond the pale of religious profession;) – NOT 'to sing to the praise and glory of God' – but to produce the finest instrumental and vocal effects for the gratification of the taste of the audience. . . . And when, as in the approaching festival, we find the levities and improprieties of a fancy dress ball appended to these religious amusements, the whole appears such a strange and heterogeneous union of religion and irreligion, of things sacred and profane, that it can be described as 'of the world'.[6]

Close's dominance over the social and ecclesiastical life of Cheltenham almost certainly built up gradually. Close himself said in 1853: 'It was not always so. I have noticed a difference in the last ten years here. For the first twenty years I had to suffer obloquy from without.' This is an exaggeration; the letter about the Gloucester Festival was written in 1838 when he had been twelve years incumbent of Cheltenham, and it was not written by a nobody.

In social and political life, Close was as determined to give a lead as he was in church affairs. 'In my humble opinion,' he said, 'the Bible is conservative, the Prayer Book conservative, the Liturgy conservative, the Church conservative, and it is impossible for a minister to open his mouth without being conservative.'[7] He spelt this out more fully when the Chartists visited the parish church in 1844:

> Let the poor man look amongst those rich persons whom he is disposed to envy, and let them ascertain how many raised themselves to their present station by their own talents, ability and industry. I say that this is the land where every good man prospers, though the discontented and the evil may be discontented still. . . . You have made the honest labourer a prattling politician; you have taken him from his work and from his duty, and taught him by unlawful combinations to seek that which he will never have; and you talk of order and decorum.[8]

'Self-help', Close commends, but the honest labourer should keep to his rank and duty and keep away from demagogues.

George Holyoake, then a salaried missionary of Robert Owen's 'radical religion', lectured in Cheltenham in May 1842 about his home colonies. He says that he was questioned by a local preacher who said: 'I had spoken about our duty to men, but had said nothing about our duty to God.' Holyoake replied that in colonies all were free to build as many churches as they pleased, but, for his point of view, it was bad political economy to expend money that way. The next day he was in Bristol, where he learnt

from the *Cheltenham Chronicle*, 'organ of the Reverend Francis Close', that there was a warrant out for his arrest for blasphemy. In spite of this, Holyoake spoke at a Chartist meeting at Cheltenham that evening during which he was arrested, tried before the Gloucester magistrates, and sent to prison for six months. How much Close had to do with the arrest it is difficult to say, but Holyoake certainly thought that he was partly responsible.[9]

Close believed that he should have direct contact with all classes in Cheltenham. In 1840 and in 1841 he gave a dinner to 200 tradesmen, in 1843 they returned the compliment and gave him a dinner. About the same time, Close attempted to counter Chartism by starting a Church of England Working Men's Association. He said:

> I hope and believe that the result of this Society will prove that it is not only in the higher walks of life that good churchmen and good citizens are to be found, but that the Church of England is deeply rooted in the hearts of the working classes. It is this alone which can drive out dissent and dissatisfaction among the lower orders.[10]

Close, like most of his Anglican Evangelical contemporaries, distinguished between pietistic dissenters, with whom he sat on the platform of the Bible Society, and political dissenters like Edward Miall,[11] who were little better than Owenites and Chartists.

Working men in Cheltenham suggested the formation of an institute, library, and reading room for themselves. There were soon 200 members; it was later open to tradesmen and shop assistants.

At the heart of Close's power at Cheltenham was his preaching. He was Simeon's most literal pupil. He constructed his sermons on the basis of the sermon skeletons he had learned to use at Cambridge; they were always Bible expositions. He spoke naturally as Simeon had always taught him to speak. What it must have been like to sit in the morning congregation of St Mary's, Cheltenham, may be gathered from a contemporary account:

> After having read the Communion service very impressively, he emerges from the vestry, clad in the ample robes of his black silk gown and worms his way up the always crowded aisle, with his large Bible under his arm and his black silk gloves on. He kneels down in the pulpit very reverently for a few minutes, while the hymn is being sung, a hymn that indicates to the thoughtful the probable nature of his subject. He then rises and slowly takes off his gloves, and puts them in his cassock pocket. This done, he takes his white handkerchief and polishes his gold

eyeglasses and opens his Bible, looks at the marked references to see that all is right and then glances at the one sheet of notes on which his skeleton is written.

His form is rather tall, his person somewhat portly. . . . His countenance is decidedly handsome. . . . The face full and healthy looking and the complexion . . . a little florid. His hair, formerly curly and abundant, is abundant still; his mouth beautifully chiselled . . ., it keeps working in a strange way as he keeps glancing at those notes, as though framing itself for what it would have to do in this passage and in that. And in the same way the nostrils dilate and give a little preparatory blow. Altogether you feel that this is no statue before you or a clergyman who is about to read a sermon to you and have done with it. He looks rather like a workman who has a task in hand that he feels to be of great importance, and who is girding up the loins of his mind to do it. And now it is time for him to do it. 'Let us pray,' he says with solemn air; and, like a man who does pray, he begins not to say but to offer a collect (chosen with special adaptation to his subject) and the Lord's Prayer (this for the fifth time in the morning's service). He then very deliberately, gives out his text, first to the right and then to the left . . . the text is so given out as to show it is not going to be a more or less appropriate motto. His mode of giving out this text says 'Look at that – not at me; that is the important thing: come and let us see what it meaneth.'

Mr Close with his glasses dangling from his right hand and with his head thrown back and his eyes looking straight at the people, begins in a quiet, easy, natural voice to talk to them about the text. His tone and manner in the pulpit are very much what they would be in the street or in the house if he were conversing with you, with a gradually warming manner. Having explained the context and circumstance of the text and opened its general meaning, he lifts his glasses to his eyes and as he looks at his notes he tells you what are the divisions under which he is going to treat his subject. With glasses still in his right hand and now and then pointing them into his left, he expounds the whole subject with much lucidity and force and then begins to impress it. This may be under each head or it may not, but this is where he particularly shines. The glasses now are dropped on to his ample chest or tucked into his cassock bands, as he stands back with his hands clasped before him or with the fingers of his right hand beating into the palm of his left. Presently, he falls forward over the pulpit cushion with his left hand on it and the right over it, or both are clasped low over it as though he wanted to come down into the

> very pews and beseech you to be reconciled to God. It was then his voice would display all its pathos and sometimes break as it were into tears till, whether you liked it or not, you were bound to feel what he was saying.[12]

Not only his master's voice, but judging from the silhouettes of Simeon preaching, here was his master's style as well.

Joseph Romilly, the Cambridge diarist, was not as impressed as the author of *The Golden Decade of a Favoured Town*; his account for 10 September 1843 reads:

> He is a pudding faced unintellectual looking man with large coarse features: he is very fair and has a fine head of brown hair which is (I am told) curled daily.
>
> I was much disappointed with Mr Close. I found him deficient in dignity and impressiveness. I thought his flights of the sublime very faulty, for example, when he talked of the gates of hell grating harshly on their hinges as they inclosed a sinner.[13]

Others of Close's hearers objected to the lurid illustrations in which he sometimes indulged; one correspondent to *The Times* instanced the full details the preacher gave when describing Sarah giving birth to a child when she was almost a hundred years old. Another said Close's discourse on Eve's child-bearing 'was much more adapted to a lecture room of a hospital than to an overflowing congregation'.[14] There was certainly a power about Close's preaching, which the regular congregation liked and some visitors disliked. His hold lay in his wonderful diction and freedom from parsonical phraseology; it was the manner even more than the matter. He used Simeon's method of expounding the Bible; taking the congregation through a passage clause by clause. This could be extremely lengthy; the sermon Romilly sat through lasted seventy minutes. On the other hand, ordained men said that they had listened as children, spell-bound by his oratory. To those who complained of the length of the service, Close replied: 'If two hours on earth are long and tiresome how shall we endure an eternity of religious worship in heaven'.[15]

Besides the morning service at eleven o'clock there was an afternoon service at three o'clock 'mainly for servants', and a Sunday evening lecture at seven o'clock attended by children with their parents. There was Holy Communion on the major festivals and on the first Sunday in the month, in preparation for which there was a 'sacramental lecture' the previous Friday

evening. There was a monthly missionary lecture, usually connected with the Church Missionary Society, and a service on Wednesday evenings. There were mid-morning prayers on Wednesdays and holy days. There was morning prayer and a sermon every day in Holy Week. From 1844 psalms, canticles, and responses were all sung, but Close regarded intoning as 'a fad'. 'It is absurd, unEnglish, unProtestant, and undevotional.' Close told the tradesmen's dinner:

> Tomorrow we enter the solemn season of Lent. There is no neglect of fast and festival in this town. I have never altered my practice in this respect; it is the same now as nineteen years ago. I am not among those who would flatter the Oxford novelists by attributing to them the revival of neglected duties. Divine service on the usual days throughout the year has ever been performed in this parish. The bells of the Parish Church have always been muffled during Passion Week in accordance with my feelings and those of my predecessor.[16]

Great care was taken with Confirmation preparation which consisted of seven lectures on successive Fridays. A number of collections were allocated to societies such as the CMS, the Church Pastoral Aid Society, the London Society for Promoting Christianity among the Jews, the Cheltenham Infant Schools, and Cheltenham Hospital. Close spoke of lending his pulpit to a cause, though he seldom touched on the subject of that cause in his sermon.

In contrast with his performance in the pulpit, was the more subdued part Close played in the meetings of the parish branches of the various societies. The *Christian Observer* speaks of him as 'a vigilant and skilful chairman', of his tact and comparative silence during the meeting, and his excellent summing up at the end.[17]

Close did have some competition among the clergy in Cheltenham. Christ Church was built by Close by public subscription in 1840; it had its own incumbent from the beginning, one of the earliest being the very able Andrew Boyd who later became Dean of Exeter. In 1842, F. W. Robertson joined him as his curate and stayed five years. During this period, Cheltenham had the opportunity of more cultured and scholarly preaching than was available at the parish church, but there seems to have been no marked exodus from St Mary's. F. W. Robertson came to Cheltenham an enthusiastic Evangelical, an admirer of Henry Martyn, and a preacher of justification by faith. His experience of Close's Cheltenham caused him to lose his enthusiasm. He had not been there two years when he wrote:

> As to the state of the Evangelical clergy, I think it lamentable. I see sentiment instead of principle, and a miserable, mawkish religion superseding a state which once was healthy. . . . I stand nearly alone, a theological Ishmael. The Tractarians despise me, and the Evangelicals somewhat loudly express their doubts of me.[18]

Close as a preacher has been forgotten, as an educationalist he deserves to be remembered. His interest was first aroused in infant schools, which had first come into existence in connection with Owen's factories at New Lanark. Shortly after his appointment to Cheltenham parish, Close received a visit from a couple of brothers named Wilson, promising him £20 each if he would open an infant school in the Cheltenham area. Joseph Wilson, one brother, had been so impressed by the first infant school opened in London by one of Robert Owen's masters, that he had opened a similar school himself in Spitalfields, with a master named Samuel Wilderspin in charge. William Wilson, the other brother, had been Rector of Walthamstow and had the first Church infant school in his parish. The Wilsons persuaded Close to read some of Wilderspin's books and to open the infant school at Alstone on the outskirts of Cheltenham. Wilderspin himself was engaged as master for the first six weeks of the school's existence, which was the usual practice.[19] It took a hundred children; the teachers were two young women. In Cheltenham itself a bigger school had been built in 1828. Here there were three hundred children and the staff included a master, his wife, and his daughter.

Money for the schools was raised in various ways. One of the most successful was to invite wealthy Cheltenham ladies to be present, while Close asked the children Bible questions; after the quiz the audience were asked to give generously. Close now became an ardent advocate of infant schools. In 1832 he said in a lecture that he had no patience with dame schools. It would be much better, he said, that a few old women should go to the poor house than that young children should suffer under their instruction. Infant schools were the best thing yet devised for directing the infant spirit. The mind and memory, he declared, were stored with biblical texts and hymns and useful rhymes. Visual aids in the form of pictures were used to advantage. Swings and gymnastics were provided on the playgrounds and the children marched to the tune of the master playing the clarinet. By 1843 there were six infant schools in Cheltenham.

There had been National schools in Cheltenham since 1816. Close opened a branch school in 1828, doubling the number of children; the expense at this time had to be raised locally. Close arranged that the

children in the top class should be initiated into the monitorial system and then could more easily adjust to the National schools at eight where they were taught by other children. Through Close's efforts, Cheltenham became one of the most advanced towns in the matter of education. It is not surprising, therefore, that Close became the chief spokesman for Anglican Evangelicals on educational matters.

In 1837 Lord Brougham proposed that a government committee should control the allocation of state grants to the schools built by the National Society and the British and Foreign School Society. The Dissenters wanted denominational teaching excluded from schools built with government grants, and were pleased with Brougham's Bill. This laid down that 'the Bible without explanation or commentary should be the sum total of religious teaching'. Close did not share the Dissenters' satisfaction. He thought 'the National educational system useless' because it would mean that the Bible would not be taught, as there would be a fight for the position of master. 'A Baptist master would produce Baptist pupils, a Quaker master, Quakers, an Anglican, Anglicans, and an infidel master infidels.'[20]

Close opposed Brougham in twelve Open Letters, objecting that government grants should be administered by a government board working through local boards. At a meeting held in London in February 1839, Close asked provincial members to form themselves into their own local boards as the London clergy had done, and to keep in touch with the National Society. Close's attacks on Brougham's proposals were based on the assumption shared by Shaftesbury and others, that the education of the poor, and consequent social control, should be in the hands of the clergy.

> Shall the school be removed from the precincts of the village church, and the influence of the village pastor, and placed under a *rural republic* in charter to the Boards of Guardians under the Poor Laws, without the civilizing influence of the magistracy? . . . The great barrier against the progress of revolutionary principles among the working classes is the salutary influence of the clergy, greatly exercised through the medium of the children; and therefore it is sought to remove that wholesome influence, and so to weaken the hold which the Church has on the population.[21]

It can be said for Close that though he saw 'revolutionaries under the bed', he also believed that education was a good in itself which should be made available as widely as possible.

In the battles of 1838–9, Close had allied himself and his Evangelical supporters with High Churchmen, against the Dissenters and the Whig government. However, by 1845, Close had become sufficiently alarmed by the Tractarian take-over of the National Society's executive to change sides. There was a lively correspondence between G. A. Denison, the Tractarian Spokesman, and Close, in the *Record*. Close writes:

> *The education* which I desire, differs, I fear, very widely from the education which he desires. . . . I cordially support the present Government system because I see in it a machinery well-adapted to counteract those *high-priestly notions* which Mr Denison, and those whom he represents would rivet upon the Church and country.[22]

In November 1854, two or three hundred Evangelical clergy and laity attended a meeting of the National Society. Realizing, as had been expected, that there was no hope of obtaining sufficient representation on the committee, they adjourned to a coffee-house and set up their own society, calling it 'The Church of England Education Society'. Close founded his own branch at Cheltenham. Meanwhile, he resigned from the National Society because it refused to co-operate with Dissenters, and the Society's doctrine was unsound as could be seen by the medieval ritual in use at the Society's college of St Mark, Chelsea. He encouraged other Evangelicals to put their schools under government inspection to raise 'the low standard of education'. Close now became a keen supporter of the system by which the State gave financial aid to schools run by the British and Foreign School Society.

Close also wrote several pamphlets on education, especially during his last ten years at Cheltenham. He advocated compulsory education for the working classes because of the irresponsibility of working-class parents. The children, he believed, must be compelled to come in; the Factory Acts, he said, provided a parallel. On the other hand he was against free education. 'Give the people at large a really good education and make them pay for it.'[23] Where the working classes were to find the money from he does not say, but he did say that he was opposed to it coming from local or church rates. He supported the system of school inspectors and praised those doing the job. Close believed a teacher's salary should depend, at the beginning, on a testimonial of good conduct on leaving college; in other words moral character was essential in a new teacher.

During the years of controversy there had been other schools opened in Cheltenham. As the National Schools were for the children of the poor, Close opened a commercial school for the children of tradesmen and skilled

workers; fees were a guinea a quarter and five shillings extra for French. This school was supplanted by a rival private school. Meanwhile Close put pressure on Pates Grammar School, an existing school, to undergo changes to enable it to cater for middle class boys. He also started a girls' school for the same type of child. In August 1841 Cheltenham Proprietry College, later Cheltenham College, was started. The money required to build it was raised by £20 shares. It was attended by the sons of the professional and leisured classes. Close was Vice-President and sent his four sons there as day-boys. At the opening of the new buildings Close said: 'That I assisted . . . in the foundation of this Institution will be one of my sweetest recollections to my dying hour.'[24] In that year, when a theological tutor was appointed to be responsible for the religious teaching, Close said: 'We pledged our integrity that we would never have any master at the school but such as embraced the religion of the Liturgy, the religion of the Homilies, the creed of the Martyred Reformers in the true and literal sense.'[25] Despite these brave words, Close was no Evangelical Woodard, creating new schools for the middle classes on which a certain brand of Anglican doctrine could be imposed; all his energies were devoted to his teacher training colleges.

One of the controversial proposals of Brougham and Russell in the thirties was the foundation of a government training college, or 'Normal School' as it was called. Though the Government had its own Committee for Education with its paid secretary, and the right to inspect schools of both societies, it abandoned a scheme for its own training college but made grants to recognized colleges belonging to the National Society and some dioceses. These were the National Society training colleges at Battersea and Chelsea, and those of Chester, York, Ripon, and Durham, all of which were in existence in the early forties.

In August 1845 two Cheltenham laymen, S. Codner, a West Country merchant, and Sir T. W. Blomefield, held a private meeting for clergy and laity from a wide area to consider the possibility of forming a Normal School for masters and mistresses at Cheltenham. A further meeting was held in September at which Close was invited to take the chair. Close's reasons for thinking Cheltenham peculiarly suited for such a college are worth noting:

> It was very central, it had no training school in its vicinity; it already possessed many efficient National Schools, from which, . . . more than two hundred Masters and Mistresses had gone forth to different parts of the kingdom; and applications were continually made to the Clergy for

> additional Masters and Mistresses, which they were unable to supply; that for these and many other reasons, he hoped that the friends present would consent to the establishment of such a Training School in Cheltenham, and they would support and watch over it when established. He then submitted letters from *twenty-eight* clergymen and gentlemen in different parts of the kingdom, rejoicing in the prospect of such an Institution, promising their support, and a suitable place for its establishment.[26]

Resolutions were carried affirming the need for 'an Institution for the training of pious Masters and Mistresses upon Scriptural and Evangelical principles', and locating such a training school in Cheltenham. There was a further meeting in October, attended from a number of places in the south and west where Evangelicalism was strong. This meeting drew up a constitution and appointed an executive committee.

Only six days later there was an unexpected change of plan. Support for an Evangelical training college came from all over the country, but most strongly, in financial terms, from London. On the proposal of one of the Cheltenham committee, it was decided to investigate the possibility of the college being in London not Cheltenham. There is no evidence of Close disagreeing. Lord Ashley called together several meetings of London Evangelicals, but, uncharacteristically, produced no suggestions. The initiative was passed back to Cheltenham. On 25 March 1847 Close and the Reverend C. H. Bromby, Principal-elect, attended a meeting in London with Ashley in the chair, which resolved that the Cheltenham Association should 'proceed with their operations as quickly as possible'.[27] 'Quickly' was three months. In June two houses were opened as a college for men and women. In 1849 Ashley laid the foundation stone of a new college and M'Neile preached at the opening service. Close, as Chairman, secured from the Committee of Council of Education a sum of £3,000 having convinced its Secretary, Kay Shuttleworth, that its standards would be as high as the other colleges and that there were more applicants than places.

In fact the standard from the first was very high. The methods of the progressive Stow School, Glasgow, were introduced by appointing one member of staff from that school. Frederick Temple visited the college as a government inspector in 1856; he spoke in glowing terms of the college examination results and of the superiority of Cheltenham students to those of other colleges where Stow School methods were not used. G. T. Berwick has criticized Close for stumping the country collecting money for his college when there was already a college within the diocese at

7 James Stephen

8 Francis Close

Fishponds, Bristol.[28] This argument is to be met along the same lines as those who want the Church to be its own missionary society; money and enthusiasm are gladly given to a society like CMS or the United Society for the Propagation of the Gospel, which derive support from a constituency within the Church but will not be given to the Church as a whole. Close was right; it was possible to have an excellent Evangelical training college in Cheltenham, just as it was possible to have an excellent Tractarian college in Chelsea.

Close's enthusiasm for Evangelical training colleges was increased by what he believed were the medieval extravagancies of St Mark's College, Chelsea. He took every opportunity to attack the Oxford Movement both in sermon and tract. He also became the most prominent Evangelical to call in question the principles of the Cambridge Camden Society. Two Cambridge undergraduates, John Mason Neale and Benjamin Webb, started the society in 1839 to revive interest in church architecture, and in the internal arrangement of churches and medieval ritual. Their magazine, the *Ecclesiologist*, had a large and distinguished membership including two archbishops and sixteen bishops and Anglicans from many overseas dioceses.

Close became involved in the affairs of the Camden Society through the question of the restoration of one of the oldest churches in Cambridge, the Church of the Holy Sepulchre, known as the Round Church. The churchwardens had invited the Camden Society to make alterations. They had put in a stone altar, a credence table, a new stone font, and a screen. R. R. Faulkner, the non-resident incumbent, wanted the Ten Commandments painted on the east wall, the memorial tablets restored which the Camden Society had removed, and most especially the removal of the stone altar they had inserted and its replacement by a wooden table. He took the Camden Society to court and won his case after two years' litigation. Faulkner appealed to the Protestant public for funds for his legal battles. Close asked his congregation to support Faulkner's appeal, and began to read the *Ecclesiologist*.

As a result of his reading, Close launched his first attack on the Ecclesiologists, a pamphlet entitled *Church Architecture, Scripturally Considered, from the earliest Ages to the Present Time*, which asserted that the real temple of God consists of people not of buildings, and that from the fourth century superstition and church architecture have gone together. T. K. Arnold, a member of the Camden Society, replied to Close[29] mentioning in passing that Christ Church, Cheltenham, only recently built by Close, had a stone altar, a picture of which was reproduced in the *Ecclesiologist*. Even more

telling was a sentence of Close's which was quoted in the review section of the magazine itself:

> Let the modest village church yet raise its humble spire among the cottages by which it is surrounded; and amidst the palaces of the great, let the noble church, with its suitable architectural beauties and becoming ceremonial, appear worthy to stand among the abodes of wealth and rank by which it is chiefly furnished with guests.

The *Ecclesiologist* comments:

> We really think there ought to be a Cheltenham central committee to allot the comparative amounts of comfort and ceremonial to the different classes of society; to the operatives deal benches, stucco and Irish; to the elete of Cheltenham, cushioned pues, stoves, silk dress gowns and cambrick.[30]

The writer had cleverly kept off doctrine and attacked social class; round one to the Camden Society, but round two went with little doubt to Close with his Fifth-of-November Sermon of 1844.

In the review of Close's *Church Architecture* the *Ecclesiologist* asked Close 'to quote from our own accredited writings' in any further publication.[31] This he did fully in the sermon he preached at Cheltenham on 5 November 1844. He had previously used this occasion to denounce the popery of the Oxford Tracts. His aim this time he says is:

> To show that as Romanism is taught *Analytically* at Oxford, it is taught *Artistically* at Cambridge – that it is inculcated theoretically, in tracts, at one University, and it is *sculptured, painted*, and *graven* at the other . . . in a word, that the *Ecclesiologist* of Cambridge is identical in doctrine with the Oxford *Tracts for the Times*.[32]

A little further on he says:

> If these churches are to be restored, that is brought back to the exact model in form and decoration of the medieval period, is it not obvious that the Restoration of Churches is the Restoration of Popery? I am not opposed to the decoration of churches or to anything that is beautiful in architecture, but I am an implacable enemy of all Papal and Medieval restoration. The Cambridge Camden Society might have been of great service to the Church if it had adhered to a purely artistical course.[33]

Another deficiency of the principles of the Camden Society, Close underlines in an article in the *Christian Observer* earlier the same year.

That such a building should be severed from all secular uses and devoted to holy services, is accordant with all the best feelings alike of the natural and spiritual man. But that one part of that building is more holy than another – that one should be elevated above another – that one should be for priests and another for the people – one for those initiated in the mysteries, and another part for the uninitiated – is utterly repudiated as unscriptural, unsanctioned by primitive usage, and calculated to introduce false notions and superstitious practices.[34]

To return to the sermon. Close quotes as he had been requested from his opponents' writings: 'Every part of a church is instinct with doctrine and each architectural feature conveys religious instruction.'[35] Close shows what 'religious instruction' he believed the Ecclesiologists were reading into sedilia, piscinas, altars raised on steps and screens.

The defence of the Ecclesiologists was hardly worthy of the seriousness and accuracy of Close's criticism. The review that appeared in the *Ecclesiologist* says, 'What Close defends is a colourless Church of England, harlequinading between paintings and opinions, buildings and doctrines.'[36] 'If Mr Close wants to defend his point of view, he will not want reason, as the fifth of November will soon come round; or a May meeting might serve his purpose.'[37] Close's sermon went into four editions, but this did not prevent a growing number of churches, including some Evangelical ones, from following the guidelines of the Ecclesiologists in some, if not all, details.

Close's move from Cheltenham to Carlisle came very suddenly. H. M. Villiers had been appointed Bishop of Carlisle on Shaftesbury's recommendation to Palmerston. Tait, who was Dean of Carlisle, had been appointed Bishop of London in September. Villiers asked Palmerston to appoint Close because of his knowledge of education. Shaftesbury would have approved but he does not appear to have been Close's sponsor. Tait moved out of the Deanery in October and Close moved in the following month. Tait, who was fourteen years Close's junior, found Carlisle too quiet and inactive after Oxford and Rugby; Close, who was thought to be in poor health at the end of his thirty years at Cheltenham and in his sixtieth year, recovered his vigour and soon began to create new work for himself.

To have both a Bishop and a Dean who were Evangelicals was a new experience for the diocese. It was said that 'Close, whose reputation had preceded him to Carlisle was a violent Low Churchman whose appointment caused a stir among the clergy, who were for the most part of the High

Church party.'[38] Henry Venn, in his congratulatory letter, suggested a rather different approach, 'stir among the clergy': 'Aim at the conversion of the souls of your clergy – regard them as your flock.'[39]

Close's relationship with his cathedral colleagues was far from happy. There was at least one period, and perhaps most of the time, when all four residentiary canons were in fact non-resident; one lived in Northumberland, another in Herefordshire, a third in Devon, and only one within fifty miles of Carlisle. Close complained that the canons had no part in the work of the city; presumably their presence in Carlisle was confined to their months of residence and Chapter meetings.

Within the first two years, Close had a quarrel with the Precentor who had altered the anthem without his consent; as a consequence Close told the Precentor to stop meddling with the singing lists, 'as I shall prepare them myself weekly, and furnish the organist and choir and authorities with them '.[40] The Precentor took the matter to the ecclesiastical court and won his case.

Nevertheless Close's success as a preacher was much the same as at Cheltenham. He filled the nave for his sermons at Evensong on Sunday afternoons. Again there is mention of his perfect diction, his attractive style, his Bible exposition. His sight failed gradually and he began to preach without notes.

Close himself became a great enthusiast for cathedral worship. He published a pamphlet entitled *Thoughts on the Daily Choral Services in Carlisle Cathedral*. In this he suggests that more than five or six people could attend and benefit from the daily services. He warmly champions professional cathedral music, mentioning the anthems of Wesley, Walmisley, Best, and Goss as well as Mozart and Haydn. Close continued Tait's work of restoring the cathedral and was in fact responsible for work on the nave.

Close's activities in the town were a continuation of his work in Cheltenham. He raised money for two new churches, St John the Evangelist and St Mary's. For three years he acted as perpetual curate of St Mary's, in spite of his responsibilities at the cathedral. He continued his teaching ministry with a night school for adults, a Bible class for men, and an occasional lecture on a scientific subject to which working men were invited. He tended to favour the 'Genesis and Geology' type of theme, with emphasis on the literal truth of Genesis. As well as the churches, he built church schools and raised a great deal of the £12,000 needed to rebuild Carlisle Cathedral.

At Carlisle, Close became involved in the temperance movement, whose

corporate organizations started in the fifties. Individuals, like Spencer Thornton of Wendover, had urged temperance on their congregations in the early forties.[41] In 1853 some Manchester businessmen formed the United Kingdom Alliance, and four years later a list was composed of 'teetotal' Anglican clergy from which the Church of England Temperance Society was formed. Close became a member of the executive of both societies. He had hesitated before joining the former because he regarded many of its advocates as 'political disturbers and sometimes men of sceptical and infidel tendencies'.[42] He threw his great energy into the new cause, declaring, 'between drink and tobacco the whole country reels like a drunken man'.[43]

In 1880 Francis Close married a second time; in 1882 he died at Penzance; he was eighty-five.

Close was a very powerful man; even the *Record* admits that he was 'inclined to absolutism'.[44] No English city has come nearer Calvin's Geneva than Close's Cheltenham. However, in some ways he could be self-effacing. It is said that as a chairman he was excellent, good at summing up what others had said, clearing up obscurities and softening down what was absurd and unpalatable.[45] He had a ready wit and a sound judgement; what he lacked was what F. W. Robertson called 'a just and loving tolerance'.[46] Close was always a partisan. At Carlisle his work was more positive and less controversial. However rigid his views, Carlisle must have benefited from a dean active at every part of cathedral and city life. As a memorial to Francis Close, Dean Close Memorial School was founded in Cheltenham in 1886 – a fitting memorial to a great educationalist. His name is thus linked with a school in Cheltenham as well as the two training colleges.

Epilogue

It has been sometimes assumed that after the time of Wilberforce and Simeon, Anglican Evangelicalism can be written off as dull, inflexible, and ineffective. To find life and character in the Church of England, it is said, you have to turn to the Tractarians or the Christian Socialists. This book is intended as a corrective to that view. It may be that the rich colours of what has been called the 'Golden Age of Evangelicalism' were less in evidence in the following generation, but the work of Wilberforce and Simeon was being quietly continued and extended by their successors. The leader of the main-stream Evangelical clergy was Edward Bickersteth, whose theological and devotional writings were read and highly regarded. As ecumenical pioneer in the Evangelical Alliance, Bickersteth had gone beyond Simeon. Henry Venn's ideas of indigenous churches were completely original and his experiments in 'commerce and Christianity' were a development of those of Buxton. Few find Close's dominance of Cheltenham attractive, but his initiatives in Christian education in school and training college are important.

The heirs of Wilberforce were also creative, building on what they had received. Buxton saw that a naval squadron off the west coast of Africa was not enough; something must be done to regenerate Africa, making provision for trade and agriculture as well as Christianity. Buxton is also interesting as a Christian who managed to belong to two churches, the Society of Friends as well as the Church of England, and benefit from both. James Stephen was the one of the six who became a university professor; he was a man of great culture and learning. His courageous advocacy of universalism placed him at the greatest possible distance from the Recordite Evangelicals; in fact one might speak of him as the first Liberal Evangelical. Wilberforce's concern for backward peoples is to be seen in Stephen's work at the Colonial Office and his application of the principle of trusteeship wherever possible. Shaftesbury thought of himself as Wilberforce's successor; he was surely being this when advising

Palmerston to appoint to an industrial diocese a man who understood working-class people.

The sons of the prophets were, in the main, worthy of the prophets; they represent a wide group of clergy and laity of the mid-Victorian Church, who have too long been neglected.

Decline in Evangelicalism came in the seventies rather than in the forties and fifties. The ceasing of publication of the *Christian Observer* a year or two after the appearance of *The Rock* is significant. *The Rock*, like the *Record*, was ultra-Protestant and very negative in its views. The glory of Keswick has always been the large number of its members who served in the overseas church, but few of these had the breadth of vision and understanding of Christians of other traditions that Henry Venn had. They often reflected current imperialism in their attitude to Africans and Asians. Evangelicalism at home grew more pietistic, dismissed social concern as worldly, turned its back on culture, and concentrated on personal evangelism. Its appeal was increasingly to the middle classes for whom it built a number of schools which could hold their own with the Woodard schools. On the other hand it did not find it necessary to add to Close's training colleges, which were considered to be providing enough teachers for the schools of the lower classes.

Anglican Evangelicalism's contribution to scholarship became exceedingly small. The most significant scholar was Nathaniel Dimock, who had taken the place of William Goode as theological champion of Reformation and biblical doctrine against the Tractarians. Dimock wrote a number of able and polemical books on the sacraments. Bishop Ryle wrote pungently in his books as in his tracts, but he was not a substantial theologian. Nor was Bishop Handley Moule who wrote a number of devotional books and commentaries which still have a considerable influence. The Church Association's prosecutions also suggest that Evangelicalism was in decline by the seventies. The three Rs of Ritualism, Rationalism, and Romanism had turned a positive movement into a negative one.

It can be said of the six men in this book that, with the possible exception of Close, they were positive in their attitudes and their activity. Evangelism was as much a priority as at Keswick, but they were committed to social reform and they had an attitude of partnership and co-operation with peoples and churches overseas encouraging the ideal of trusteeship. They were all men of vigorous and independent mind and none of them would justify lack of scholarship with the text, 'not many wise men after the flesh . . . are called'.

In days when the sons of Keswick are turning again to culture, theological scholarship and social and political concern, there may be new interest in this group of mid-Victorian Evangelicals who were active in those fields.

Notes

ABBREVIATIONS

CO *Christian Observer*
R *Record*

ONE
The Prophets

1 W. Carus, *Memoirs of the Life of the Rev. Charles Simeon* (1847), p. 9.

2 A. W. Brown, *Recollections of the Conversation Parties of the Rev. Charles Simeon* (1863), p. 176.

3 C. Jerram, *Memoirs of Charles Jerram* (1855), p. 124.

4 During Simeon's life three theological colleges were founded, St Bees in Cumberland for non-graduates (1816), St David's College, Lampeter (1827) and the CMS Institution in Islington (1825). Bishop Burgess, who was the founder of Lampeter, and Bishop Law, who was the founder of St Bees, visited Simeon in 1826. F. W. B. Bullock, *A History of Training for the Ministry, 1800–1874* (Budd and Gilliatt 1955), pp. 28–31, 42.

5 Brown, op. cit., p. 64.

6 Ibid., p. 12.

7 The five chaplains were David Brown, Henry Martyn, Thomas Thomason, Daniel Corrie, and Claudius Buchanan.

8 Carus, op. cit., p. 702.

9 E. M. Forster, *Marianne Thornton* (Edward Arnold 1956), p. 42.

10 R. I. and S. Wilberforce, *The Life of William Wilberforce*, Vol. V, p. 316.

11 M. J. Quinlan, *Victorian Prelude* (Columbia University Press, New York 1941), p. 173.

12 R. Coupland, *Wilberforce* (2nd edition, Collins 1945), p. 309.

13 M. G. Jones, *Hannah More* (Cambridge 1952), p. 152.

14 C. Smyth, 'The Evangelical Movement in Perspective', *Cambridge Historical Journal*, Vol. vii, no. 3, p. 160.

15 C. Simeon, *Horae Homileticae*, Vol. 16, Sermon 1933, pp. 40–1.

16 'I believe in final perseverance as much as any of them; but not in *the way* that others do. God's purpose shall stand; but our liability to fall and perish is precisely the same as ever it was.' Carus, op. cit., p. 567.

17 M. M. Hennell, *John Venn and the Clapham Sect* (Lutterworth Press 1958), pp. 262–3, quoted from the *Christian Observer*, December 1803.

18 Mrs H. Thornton to Mrs H. More (1812), Thornton Papers L/5/83 in Cambridge University Library.

19 R. I. and S. Wilberforce, op. cit., Vol. V, p. 162, and D. Newsome, *The Parting of Friends* (Murray 1966), pp. 47–8 and p. 421, n. 4.

20 Hennell, op. cit., Appendix C, p. 266. *The Account*, written by John Venn, is the prospectus of the Church Missionary Society. The change of title came in 1812.

21 Samuel Thornton (1754–1838) was elder brother of Henry Thornton. He had moved from Clapham to Albury Park in 1801 and in 1823 he moved to a house in London.

22 G. Strachan, *The Pentecostal Theology of Edward Irving* (Darton, Longman & Todd 1975), p. 21.

23 S. C. Orchard in his Ph.D. thesis, *English Evangelical Eschatology 1790–1850*, traces the line from Joseph Meade and Isaac Newton in the seventeenth century.

24 Hugh M'Neile went to Liverpool from Albury.

25 Carus, op. cit., p. 593.

26 This society had been founded by Robert Haldane and Henry Drummond, who insisted that the conversion of Europe was as important as that of Africa and the East. The society is not to be confused with the Colonial and Continental Church Society founded in 1835.

27 E. Irving, *Four Orations* (1825) and *Babylon and Infidelity Foredoomed* (1828).

28 P. E. Shaw, *The Catholic Apostolic Church* (King's Crown Press, New York 1946), p. 18.

29 *CO*, June 1828, pp. 398–9.

30 Forster, op. cit., pp. 133–4.

31 I owe this quotation to the Reverend John Wardle.

32 Forster, op. cit., p. 132.

33 Newsome, op. cit., pp. 10–14.

34 A. Haldane, *Memoirs of Robert Haldane and James Alexander Haldane* (fourth edition, 1850).

35 It is ironic that when Haldane left Geneva, Henry Drummond carried on the mission to the Swiss Calvinists.

36 Haldane, op. cit., p. 546.

37 Grainger had been curate to Joseph Milner in Hull.

38 Henry Blunt (1794–1843), well known as a preacher and writer on popular books on biblical subjects. He was Rector of Streatham (1835–43).

39 *R*, 28 July 1882.

40 Brown, op. cit., p. 129.

41 W. J. Conybeare, 'Church Parties', appeared as article in the *Edinburgh Review* in October 1853. It was printed separately in 1854.

42 Ibid., p. 2.

43 Ibid., p. 43.

44 P. Coombs, 'A History of the Church Pastoral Aid Society 1836–61'. M.A. thesis presented to the University of Bristol.

TWO
Thomas Fowell Buxton

1 C. Buxton, *Memoirs of Sir Thomas Fowell Buxton* (1851 edition), p. 6.
2 Ibid., p. 6.
3 Ibid., p. 92.
4 Ibid., pp. 77–8.
5 T. Binney, *Sir Thomas Fowell Buxton Bart* (1853), p. 415.
6 Buxton, op. cit., p. 245 and footnote.
7 Ibid., p. 96.
8 Ibid. (1925 edition), p. 103.
9 Binney, op. cit., p. 438.
10 Buxton, op. cit., p. 362.
11 Ibid., p. 434.
12 Binney, op. cit., p. 468.
13 Buxton, op. cit., p. 281.
14 Ibid., p. 360.
15 Ibid., p. 442.
16 T. F. Buxton, *The Slave Trade and its Remedy* (1839), p. 306.
17 Ibid., p. 338.
18 G. Moorhouse, *The Missionaries* (Eyre Methuen 1973), p. 23.
19 Buxton, op. cit., pp. 201–2.
20 Moorhouse, op. cit., pp. 23–31.
21 C. Dickens, *Bleak House* (Collins n.d.).
22 *R*, 13 December 1841.
23 Buxton, op. cit., p. 573.
24 E. Stock, *History of the Church Missionary Society*, 1, p. 455.
25 Ibid., 2, p. 18.
26 *CO*, June 1845, p. 375.

THREE
Edward Bickersteth

1 F. Arnold, *Our Bishops and Deans* (1875), Vol. II, p. 111.
2 W. Frere, *Hymns Ancient and Modern* (Historical Edition, 1909), Introduction, p. cii.
3 O. Chadwick, *The Victorian Church* (Black 1966), I, p. 441.
4 T. R. Birks, *Memoirs of Edward Bickersteth* (1852), I, p. 96.
5 Ibid., I, p. 212.
6 Ibid., I, pp. 234–5.

7 Ibid., I, p. 242.

8 E. Stock, *History of the Church Missionary Society* (1898), I, p. 160.

9 Birks, op. cit., I, p. 282.

10 Ibid., I, p. 288. Claudius Buchanan, Henry Martyn and Daniel Corrie were three of the East India Company chaplains appointed at the instigation of Simeon and Grant. Thomas Biddulph was the leader of the Bristol Evangelicals and founder of the Bristol Clerical Education Aid Society which supported evangelical ordination candidates at St Edmund Hall, Oxford. Milner could be either Joseph the historian, or Isaac, the Cambridge don. Basil Wood was minister of Bentinck Chapel, Marylebone, and a member of the CMS committee from the beginning. Legh Richmond, vicar of Turvey, Bedfordshire, and the author of a best-selling tract, *The Dairyman's Daughter*. Baptist Noel came to the fore in the thirties as chairman of the the London City Mission. He seceded to the Baptist Church after the Gorham Judgement had persuaded him that the state has too much influence in the Church of England. See D. Bebbington, *The Baptist Quarterly*, vol. XXIV, No. 8, October 1972, p. 398.

11 Birks, op. cit., I, p. 346.

12 Ibid., I, p. 402.

13 H. Venn, Appendix to Birks' *Memoir*, I, pp. 445–53.

14 It was not unusual for evangelicals in the unreformed church to be pluralists. John Venn himself was Rector of Great Tey in Essex as well as Rector of Clapham. See M. M. Hennell, *John Venn and the Clapham Sect*, pp. 15–16.

15 E. Bickersteth, *Christian Psalmody* (1833).

16 Ibid., preface to 1841 edition.

17 This sentence occurs in a two-page leaflet Seeleys circulated in 1852, offering Bickersteth's books in a uniform set at two pounds the set against the current selling price of four pounds.

18 Birks, op. cit., 1, p. 336.

19 *Parish Prayers* (1967) and *Contemporary Parish Prayers* (1975).

20 E. Bickersteth, *A Treatise on Prayer* (10th edition 1825) pp. 67–8.

21 Ibid., p. 145.

22 Ibid., pp. 243–4.

23 E. Bickersteth, *Family Prayers* (1842), p. 363. Bickersteth was ill with paralysis in 1841 and off work for several months. Nevertheless he managed to write 'a family prayer' most days during his convalescence. See Birks, op. cit., II, p. 182.

24 *Family Prayers*, p. 379.

25 Ibid., p. 353.

26 E. Bickersteth, *At the Lord's Table* (1835 edition), p. 70.

27 Ibid., p. 59.

28 Ibid., pp. 66–7.

29 Ibid., p. 101.

30 Ibid., p. 105.

31 Ibid., p. 106.

32 Ibid., p. 77.

33 E. Bickersteth, *A Treatise on Baptism* (1840), p. 153.

34 E. Bickersteth, *The Christian Fathers* (1838), p. *xvl*. This was one of a series of about fifty books edited by Bickersteth to form *The Christian's Family Library* and intended to diffuse religion among the middle classes. The *Record* gives a list of those available by 1839; they include biographies of Hannah More, Newton and Cowper, books on the continental and English Reformation, extracts from Milner's *Church History*, Foxe's *Martyrs*, Pascal's *Pensées* and four of Bickersteth's own books on Scripture, Prayer, the Eucharist and Christian Truth.

35 Birks, op. cit., II, p. 44.

36 Hodder, *The Life and Work of the Seventh Earl of Shaftesbury* (popular edition 1886), pp. 421–2.

37 Ibid., pp. 197–203, gives a brief account of the events leading up to the establishment of the Jerusalem Bishopric.

38 See R. W. Church, *The Oxford Movement* (Macmillan 1909 edition), p. 264. This doctrine was dear to Keble but was abandoned by many Anglo-Catholics in the second half of the century. See Dieter Voll, *Catholic Evangelicalism* (Faith Press 1963).

39 E. Bickersteth, *The Promised Glory of the Church of Christ* (1844), Appendix 1, pp. 393–6.

40 N. Sykes, *The Church of England and Non-Episcopal Churches in the Sixteenth and Seventeenth Centuries* (1949) and *Old Priest and New Presbyter* (1956).

41 *Intercommunion – An Open Letter by 32 Theologians* (November 1961).

42 Quoted in the *R*, 4 April 1839, from *Herts Reformer*, 26 March 1839.

43 Bickersteth had asked the SPCK to republish Foxe's *Book of Martyrs* but they refused.

44 Birks, op. cit., II, pp. 347–9.

FOUR
Lord Shaftesbury

1 E. S. Purcell, *Life of Cardinal Manning* (1896), II, p. 678.

2 E. Hodder, *The Life and Work of the Seventh Earl of Shaftesbury* (1886), I, p. 164.

3 Diary, 1842.

4 Hodder, op. cit., II, p. 228.

5 Hodder, op. cit., II, pp. 229–30.

6 Diary, 20 May 1841.

7 Diary, 20 June 1845.

8 Diary, 8 January 1848.

9 Diary, 19 July 1860.

10 See Chapter 3, pp. 45–6. M'Caul continued to work among the Jews in Britain. In 1840 he became Principal of the Hebrew College and a year later Professor of Hebrew at King's College, London. The full title of the Jews Society was the London Society for Promoting Christianity amongst the Jews.

11 Chichester died in 1886; after deciding there was no suitable peer available the Society chose Sir John Kennaway to succeed him.

12 Diary, 1843.

13 *R*, 5 March 1838.

14 *R*, 3 February 1838.

15 Hodder, op. cit., I, p. 452.

16 Diary, 22 February 1845.

17 Ibid., 31 July 1840.

18 Author of *History of the Jews*, radical in approach to the doctrines of inspiration.

19 G. Battiscombe, *Shaftesbury* (Constable 1974), p. 281.

20 Diary, 5 February 1855.

21 'W.C.' is William Cowper in Diary.

22 Hodder, op. cit., III, p. 198.

23 R. T. Davidson and W. Benham, *Life of Archibald Campbell Tait* (1891), I, p. 193.

24 Hodder, op. cit., III, p. 197.

25 F. Arnold, *Bishops and Deans* (1875), vol. II, p. 101.

26 Baron Langdale. The only definite Evangelical appointed during Palmerston's second ministry was Samuel Waldegrave who was Bishop of Carlisle (1860–69). He was the second son of Earl Waldegrave. Though the kind of bishop Shaftesbury wanted, he probably owed his appointment to Tait.

27 Quoted in *R*, 14 August 1861.

28 C. M. L. Bouch, *Prelates and People of the Lake Counties* (1948), pp. 421 ff.

29 Diary, 15 August 1861.

30 M. Creighton in the *Dictionary of National Biography*. Creighton was vicar of Embleton in Northumberland (1875–84).

31 M. C. Bickersteth, *Robert Bickersteth* (1887), p. 61.

32 Sheridan Gilley, 'The Roman Catholic Mission to the Irish in London' in *Recusant History*, Vol. 10, No. 3, October 1969, pp. 123–43.

33 Hodder, op. cit., III, p. 198.

34 Diary, 14 October 1856.

35 Diary, 22 November 1856.

36 Diary, 23 November 1856.

37 Diary, 29 November 1856.

38 Bickersteth, op. cit., p. 100.

39 Ibid., p. 70.

40 The college was transferred from York in 1860. St John's College, York, was kept as a men's college, the new college at Ripon was for training women teachers. Students were frequent visitors at Sunday evensong in the Bishop's chapel, Bickersteth, op. cit., p. 218.

41 Hodder, op. cit., III, p. 198.

42 *R*, 11 April 1857.

43 *Christian Remembrancer*, Vol. XXXVI (1858), pp. 516–17, quoted Hardman, *The Evangelical Party in the Church of England 1855–65*, p. 73.

44 Hodder, op. cit., III, p. 199.

45 Thomson was Bishop of Gloucester and Bristol. A year later he was made Archbishop of York and Ellicott followed him at Gloucester.

46 Shaftesbury makes little reference to the Sumners. He was annoyed with 'The Evangelical Primate' because he proposed to subdivide large parishes. (Diary, 13 February 1849.)

47 Villiers, Baring, Bickersteth, Pelham, Waldegrave.

48 Hodder, op. cit., II, pp. 229–30.

FIVE

Henry Venn

1 Samuel Thornton, MP, was the eldest and wealthiest of John Thornton's three sons. He had lived in Clapham all his life till he moved to Albury near Guildford in 1801. His son, Samuel, became an admiral.

2 J. Venn, *Annals of a Clerical Family* (Macmillan 1904), pp. 148–9.

3 He remained a life-long friend of Henry Venn and was a frequent guest at Highbury.

4 A promising scholar who died in 1820.

5 Sons of Sir Francis Baring, the banker.

6 The Elland Society, drawing their candidates from the north, still favoured Magdalene.

7 He was John Venn of Clapham's nephew and brother of Charlotte Elliott the hymn writer.

8 Jane Venn was a year younger than her brother, John Venn of Clapham. She looked after her father in his old age, her brother's family when their mother died, and again when he died. She eventually went to live with John Venn (junior) and his sister, Emelia, at Hereford. She lived till she was ninety-two.

9 H. Venn, *The Life of the Reverend Henry Venn* (1834), p. 12.

10 Ibid., p. xiv.

11 e.g. L. E. Elliott-Binns, *The Early English Evangelicals* (Lutterworth Press 1953), pp. 131 ff. Henry Venn wrote a little more fully in an Appendix he published to a sermon he had preached at the consecration of John Thomas Pelham as Bishop of Norwich in 1857.

12 The living, when offered to him, was in the gift of Wilberforce but was afterwards transferred to Simeon's trustees. W. Knight, *Memoir of the Reverend H. Venn* (1880), p. 43.

13 Ibid., p. 55.

14 Knight, op. cit., pp. 56–7.

15 This occurs in an undated letter from the Earl of Chichester to one of Henry Venn's sons, saying that when Chichester lost his own wife Venn told him of this experience. I am indebted to Max Warren who drew my attention to the letter.

16 Knight, op. cit., p. 414.

17 This letter is in the possession of his grandson, the Reverend J. M. G. Haslam and is quoted by permission.

18 Max Warren, ed., *To Apply the Gospel* (Eerdmans 1971), ch. 2.

19 J. Venn, op. cit., pp. 171–3.

20 Knight, op. cit., p. 243.

21 Warren, op. cit., p. 131. Fuller version, Knight, op. cit., pp. 359–60.

22 Knight, op. cit., p. 399.

23 The last report Venn wrote was that of 1866; those of the next three years were the work of John Mee, another secretary who did make pointed reference to the contemporary debate. See Stock, *History of the Church Missionary Society*, II, p. 253.

24 Knight, op. cit., p. 397.

25 L. Stephen, *Life of Sir James Fitzjames Stephen* (1895), pp. 37–8.

26 Knight, op. cit., p. 398.

27 Stock, op. cit., II, p. 80. Cf. Knight, op. cit., p. 307.

28 Warren, op. cit., p. 70. For complete text see pp. 66–71.

29 Between 1852 and 1859, Sierra Leone had three bishops, Vidal, Weeks and Bowen and each died of fever. Stock, op. cit., II, pp. 121–3.

30 See T. Yates, 'Venn and the English Episcopate', unpublished thesis in the Library of Cambridge University.

31 *CO*, 1858, p. 427. The committees to which he refers are the CMS committees in the three presidencies of Calcutta, Madras, and Bombay.

32 Quoted by Warren, op. cit., p. 165.

33 Stock, op. cit., II, pp. 432–3. Several of the CMS deacons had come out as skilled manual workers; they found that the demands that Selwyn made of them, requiring a standard in Greek and Latin, almost impossible. It was ten years before he admitted an English deacon to priest's orders; with the Maori clergy the period was even longer.

34 Warren, op. cit., p. 30.

35 Maynooth College was founded in Ireland to train priests in Ireland during the Revolutionary and Napoleonic Wars. The parliamentary grant was only questioned in the 1840s when anti-Roman feeling was running high.

36 *R*, 8 May 1845.

37 H. Venn, *The Missionary Life and Labours of Francis Xavier* (1862), p. 324.

38 Ibid., Preface, p. iii.

39 Ibid.

40 Ibid., p. 147.

41 Knight, op. cit., p. 540.

42 A gin is a machine for separating cotton from its seeds.

43 Knight, op. cit., p. 541.

44 Warren, op. cit., p. 191.

45 Ibid., p. 32.

46 The number of graduate missionaries reached an even higher peak as a result of the Keswick Convention after Venn's death.

47 Warren, op. cit., p. 198.

48 Stock, op. cit., II, pp. 271–2.

49 Warren, op. cit., p. 215.

50 G. H. Sumner, *Life of Charles Sumner* (1876), p. 374.

51 *CO*, September 1859, pp. 651–2.

52 Knight, op. cit., p. 98.

53 *R*, 25 March 1861.

54 E. Stock, *My Recollections* (Nisbet 1909), p. 83. Stock's claim that the 1859 revival bore fruit much later in overseas mission in contrast with the immediate impact of the Moody revival is probably correct.

55 Stock, op. cit., II, p. 457.

56 J. Venn, *Annals*, p. 169.

57 Ibid., p. 174.

58 The move to Waterloo Road was made in 1963.

59 'Even an outside reader in Mr Haldane's time could see that Venn was no favourite of his; and Venn's private journals reveal his not infrequent dissatisfaction with the editorial utterances.' Stock, op. cit., II, p. 650, n.

SIX
James Stephen

1 C. E. Stephen, *The Right Honourable Sir James Stephen* (1906), p. 17. Herbert Venn Stephen became an army officer. He died in 1846 at the age of twenty-nine. A daughter, Frances Wilberforce Stephen, died in infancy.

2 Ibid., p. 33.

3 Stephen has given a full account of what happened in his manuscript autobiography which was edited by Merle M. Bevington and published by the Hogarth Press in 1954 as *The Memoirs of James Stephen*. It was written by himself for the use of his children. This was begun in 1819 and completed in 1825. There can be little doubt that as an old man he wanted his family to know what grace had done for them and also for them to realize that William was their half-brother.

4 Stephen, op. cit., p. 87.

5 Ibid., pp. 156–7.

6 Letter from James Stephen to his son, Fitzjames, 28 June 1847 (Stephen Papers).

7 Leslie Stephen, *Life of Sir James Fitzjames Stephen* (1895), p. 63.

8 *Sermons* by the Reverend John Venn, MA (1822). H. Venn, *Life and Letters of Reverend Henry Venn* (1834). H. Venn, *The Complete Duty of Man* (1st edition, 1763).

9 After his father's death, Fitzjames Stephen inserted a short biographical notice of his father in the third edition of *Essays in Ecclesiastical Biography*. This passage is from pp. xi–xii.

10 H. Taylor, *My Autobiography* (1885), pp. 300–1.

11 J. Stephen, *Essays in Ecclesiastical Biography*. Biographical Notice by J. F. Stephen, p. xii, (1867 edition).

12 Taylor, op. cit., p. 302.

13 C. E. Stephen, op. cit., p. 144.

14 Charles Buller was the first to apply this name to Stephen.

15 M. F. Lloyd Prichard, *The Collected Works of Edward Gibbon Wakefield* (Collins 1968), p. 908.

16 *R*, 1 January 1838.

17 E. L. Woodward, *The Age of Reform* (Oxford 1938), p. 376.

18 L. Stephen, *Life of Sir James Fitzjames Stephen*, p. 45.

19 Ibid., p. 61.

20 Stephen Papers.

21 Taylor, op. cit., II, p. 304.

22 L. Stephen, op. cit., p. 40.

23 Ibid., p. 64.

24 Ibid., pp. 64–5.

25 C. E. Stephen, op. cit., pp. 14–15.

26 G. Kitson Clark, 'A Hundred Years Teaching of History at Cambridge', 1873–1973 in *The Historical Journal* (XVI, 3, 1973).

27 C. E. Stephen, op. cit., p. 200.

28 J. Stephen to his wife, 18 May 1857 (Stephen Papers).

29 *Essays in Ecclesiastical Biography* (1907 edition), II, p. 231.

30 Letter of J. Stephen to Miss M. Thornton (Stephen Papers).

31 Stephen Papers.

32 C. E. Stephen, op. cit., pp. 296–7.

33 J. Stephen to Fitzjames Stephen, 24 August 1845 (Stephen Papers).

34 J. Stephen to Fitzjames Stephen, 19 July 1849 (Stephen Papers).

35 Stephen Papers.

36 N. Annan, *Leslie Stephen* (Macgibbon and Kee 1951), p. 45.

37 J. Stephen, *Essays in Ecclesiastical Biography* (3rd edition), pp. 657–8.

38 Stephen Papers.

39 L. Stephen quoting J. F. Stephen, op. cit., p. 54.

40 Lord Annan traces this aristocracy of intellect in his biography of *Leslie Stephen*, pp. 3–5, and in his essay *The Intellectual Aristocracy—Studies in Social History* (1955) ed. J. H. Plumb. Fitzjames Stephen was a High Court judge and jurist; Leslie Stephen was an editor of the *Dictionary of National Biography*, a man of letters and a philosopher.

41 Quoted in Bell and Morrell, *British Colonial Policy* (1928), p. xxxi.

SEVEN
Francis Close

1 G. F. Berwick, 'Life of Francis Close' (1938).

2 G. F. Berwick, 'Close of Cheltenham: Parish Pope. A Study of the Oxford Movement' *Theology*, 1939, Vol. XXXIX, No. 231.

3 Alan Munden, 'Francis Close 1826–76' in *The Window*, magazine of Cheltenham Parish Church, November 1976.

4 *Pen Pictures of Popular English Preachers* (1851), pp. 261–2. The only clue to the author's identity are the initials he gives, 'J. D.'

5 Berwick, 'Close of Cheltenham: Parish Pope' *Theology* (1939), p. 194.

6 *R*, 17 September 1838. As in the early Church Close considered membership of the acting profession a disqualification from Christianity.

7 Berwick, 'Life of Francis Close', VIII, p. 25.

8 Close, *Occasional Sermons* (1844), pp. 328–9.

9 G. J. Holyoake, *Sixty Years of an Agitator's Life* (1892), I, pp. 142–3, and J. McCabe, *Life and Letters of George Jacob Holyoake* (Watts 1908), I, pp. 62–70.

10 Berwick, op. cit., VI, 29.

11 Editor of *The Nonconformist* and founder of the British Anti-Church Association.

12 R. Glover, *The Golden Decade of a Favored Town.* (1844), pp. 42–4, quoted by Berwick, op. cit.,II, pp. 14 ff.

13 J. Romilly, unpublished diary in the Cambridge University Library. I am grateful to Canon Hugh Evan Hopkins for drawing my attention to this quotation.

14 *The Times*, 13 and 14 January 1849. Both letters are quoted in the *Record* 1 February 1849.

15 Berwick, *Theology*, Vol. XXXIX, No. 231, p. 195.

16 *Cheltenham Journal*, 9 March 1843, quoted in Berwick, 'Life', IV, pp. 7–8.

17 CO, August 1844, p. 498.

18 Stopford A. Brooke, *Life and Letters of Frederick W. Robertson* (1866), I, pp. 109–10. F. W. Robertson became the well-known Broad Church preacher at Trinity Chapel, Brighton.

19 H. J. Burgess, *Enterprise in Education* (SPCK 1958), p. 65.

20 *R*, 1 November 1838.

21 *R*, 12 March 1838.

22 *R*, 20 November 1848.

23 F. Close, *National Education* (1852), p. 6

24 *Cheltenham Journal*, 26 June 1843.

25 Ibid.

26 Minutes of the Annual Report of St Paul's College, Cheltenham, 1847, p. 14.

27 Minutes, p. 21. Those present included E. Bickersteth, H. M. Villiers, J. C. Colquhoun, MP, and the Hon. Arthur Kinnaird.

28 Berwick, op. cit., VII, p. 18.

29 T. K. Arnold, *Remarks on the Rev. F. Close's Church Architecture Scripturally Considered, from the Earliest Ages to the Present Time* (1844).

30 *The Ecclesiologist* (1844), III, 179.

31 Ibid., p. 181.

32 *The Restoration of Churches is the Restoration of Popery: Proved and Illustrated from the Authenticated Publications of the 'Cambridge Camden Society'; A Sermon Preached in the Parish Church, Cheltenham, on Tuesday, November 5th, 1844*, p. 4.

33 Berwick, op. cit., III, p. 15.

34 CO, June 1844, p. 14.

35 Close, *Sermon*, 5 November 1844, p. 14.

36 *The Ecclesiologist* (1844), III, p. 181.

37 Ibid. (1845), IV, p. 111.

38 *Memorials of Dean Close*, edited by 'one who knew him', p. 28.

39 W. Knight, *The Missionary Secretariat of Henry Venn* (1880), p. 95.

40 *Memorials*, p. 40.

41 W. R. Freemantle, *Memoir of Spencer Thorton* (1850), p. 149.

42 F. Close, *Why I Have Taken the Pledge* (1860).

43 C. N. L. Bouch, *Prelates and People of the Lake Countries* (1948), p. 426.

44 *R*, 22 December 1882.

45 CO, 1844, p. 498.

46 Stopford Brooke, op. cit., I, p. 108.

Bibliography

Annan, N., *Leslie Stephen*. MacGibbon and Kee 1951.
Arnold, F., *Our Bishops and Deans*. 1875.
Battiscombe, G., *Shaftesbury*. Constable 1974.
Balleine, G. R., *A History of the Evangelical Party*. Longmans 1908.
Best, G. F. A., *Shaftesbury*. Batsford 1964.
Bickersteth, E., *At the Lord's Table*. 1822.
— *Treatise on Prayer*. 1826.
— *Christian Psalmody*. 1833.
— *Family Prayers*. 1842.
— *Promised Glory of the Church of Christ*. 1844.
Bickersteth, M. C., *A Sketch of the Life and Episcopate of the Right Reverend Robert Bickersteth, D.D. Bishop of Ripon*. 1887.
Binney, T., *Sir Thomas Fowell Buxton Bart*. 1853.
Birks, T. R., *Memoir of the Rev. Edward Bickersteth*. 1851.
Bouch, C. N. L., *Prelates and People of the Lake Counties, a History of the Diocese of Carlisle (1133–1933)*. Kendal, Titus Wilson, 1948.
Bradley, I., *The Call to Seriousness*. Cape 1974.
Brooke, S., *Life and Letters of Frederick W. Robertson*. 1866.
Brown, F. K., *Fathers of the Victorians*. Cambridge 1961.
Brown, A. W., *Recollections of the Conversation Parties of the Rev. Charles Simeon, M.A.* 1863.
Burgess, H. J., *Enterprise in Education*. SPCK 1958.
Coggan, F. D., *These were his Gifts*. Exeter University Press 1974.
Conybeare, F. W., *Church Parties*. 1853.
Coupland, R., *Wilberforce*. Collins 1945.
— *The British Anti-Slavery Movement*. Thornton Butterworth 1933.
Edwards, D. L., *Leaders of the Church of England 1828–1944*. SCM 1971.
Forster, E. M., *Marianne Thornton*. Arnold 1956.
Furneaux, R., *William Wilberforce*. Hamish Hamilton 1974.
Hare, A., *The Gurneys of Earlham*. 1895.

Harrison, B., *Drink and the Victorians*: the temperance question in England 1815–1872. Faber 1971.

Heeney, B., *Mission to the Middle Classes*. SPCK 1967.

Howse, E. M., *Saints in Politics*. Allen and Unwin 1952.

Jones, M. G., *Hannah More*. Cambridge 1952.

Kent, J., *Holding the Fort*. Epworth 1978.

Knaplund, P., *James Stephen and the British Colonial System*. University of Wisconsin Press 1953.

Knight, W., *Memoir of the Rev. H. Venn – the Missionary Secretariat of Henry Venn, B.D.* 1880.

Moorhouse, G., *The Missionaries*. Eyre Methuen 1973.

Mottram, R. H., *Buxton the Liberator*. Hutchinson 1946.

Mudge, Z. M., *The Christian Statesman. A Portraiture of Sir T. F. Buxton*. New York 1871.

Neill, S. C., *A History of Christian Missions*. Penguin Books 1964.

Newsome, D., *The Parting of Friends*. Murray 1966.

Plumb, J. H., ed. *Studies in Social History*. Longmans 1955.

Pollard, A., and Hennell, M. M., eds *Charles Simeon 1759–1836; Essays written in Commemoration of his Bi-Centenary*. SPCK 1959.

Rouse, R., and Neill, S. C., *A History of the Ecumenical Movement 1517–1948*. SPCK 1954.

Russell, G. W. E., *A Short History of the Evangelical Movement*. Mowbrays 1915.

Simeon, C., *Horae Homileticae*. 1832.

Smyth, C., *Simeon and Church Order*. Cambridge 1940.

— 'The Evangelical Movement in Perspective', in *Cambridge Historical Journal* 1943.

Stephen C. E., *The Right Honourable Sir James Stephen*. Privately printed at Gloucester 1906.

Stephen, J., *Essays in Ecclesiastical Biography*. 1849.

Stephen, L., *The Life of Sir James Fitzjames Stephen*. Smith Elder 1895.

Stock, E., *History of the Church Missionary Society*. Vols 1 and 2, 1899.

Symondson, A., *The Victorian Crisis of Faith*. SPCK 1970.

Tillotson, G., *A View of Victorian Literature*. Oxford 1978.

Taylor, H., *My Autobiography*. 1855.

Venn, H., *The Life and a Selection from the Letters of the Rev. Henry Venn*. 1834.

— *The Missionary Life and Labours of Francis Xavier*. 1862.

Venn, J., *Annals of a Clerical Family*. Macmillan 1904.

Vidler, A. R., *The Church in an Age of Revolution*. Penguin 1961.

Warren, M. A. C., ed. *To Apply the Gospel*. Great Rapids, Michigan, Eerdmans 1971.
White, J. F., *The Cambridge Movement*, Cambridge 1962.
Woodruff, P., *The Men who Ruled India*. 2 vols, Cape 1953.

Index

ACHEVE D'IMPRIMER
SUR LES PRESSES DE L'UNIVERSITE DE LILLE 3
OUVRAGE FAÇONNE
PAR L'IMPRIMERIE CENTRALE DE L'ARTOIS
RUE Ste MARGUERITE A ARRAS
DÉPÔT LÉGAL : 1e TRIMESTRE 1983